Zu diesem Buch

«Wolfgang Borchert war achtzehn, als der Krieg ausbrach, vierundzwanzig, als der Krieg zu Ende war. Krieg und Kerker hatten seine Gesundheit zerstört, das übrige tat die Hungersnot der Nachkriegsjahre. Zwei Jahre nur blieben ihm zum Schreiben, und er schrieb in diesen beiden Jahren wie jemand, der im Wettlauf mit dem Tode schreibt. Borchert hatte keine Zeit, und er wußte es.» (Heinrich Böll)

Die hier erstmals veröffentlichten Briefe sind bewegende Dokumente eines ungewöhnlichen Lebens. Sie zeigen einen lebenslustigen jungen Mann, der den Jazz und die Frauen liebte, romantische Liebesergüsse zu Papier brachte und witzige Episteln, oftmals voll Selbstironie, an gleichgesinnte Freunde schickte. Sein Lebenstraum, Theater zu spielen, wurde nur für zwei Monate Wirklichkeit; dann mußte er in den Krieg, an die Ostfront.

Bereits im April 1940 bemerkte er: «Meine Briefe sind manchmal geöffnet und mit Gestapo abgestempelt.» Im Juli 1942 wurde er vor Gericht gestellt; die Anklage forderte die Todesstrafe, das Urteil lautete auf sechs Wochen Gefängnis mit anschließender Frontbewährung. Zwei Jahre später brachte eine Goebbels-Parodie in der Kasernenstube ihn erneut ins Gefängnis.

Die Korrespondenz der letzten Jahre bringt erschütternde Bekenntnisse vom Krankenlager: Sein literarisches Werk hat Borchert sich zwischen Fieberattacken und körperlichen Zusammenbrüchen abgerungen. Die Uraufführung von «Draußen vor der Tür» an den Hamburger Kammerspielen sollte er nicht mehr erleben: Einen Tag zuvor starb er in einem Basler Spital. Ergänzt wird die vorliegende Edition durch Rezensionen zur Nachkriegsliteratur sowie eine Auswahl von bislang nur verstreut oder bislang nicht publizierten Gedichten.

Wolfgang Borchert wurde am 20. Mai 1921 in Hamburg geboren und starb, erst sechsundzwanzig Jahre alt, am 20. November 1947 in Basel. Sein «Gesamtwerk» erschien 1949 im Rowohlt Verlag und erreichte eine Auflage von über einer halben Million Exemplaren; die Taschenbuchauswahl «Draußen vor der Tür und ausgewählte Erzählungen» (rororo 170) ist in 2,7 Millionen Exemplaren verbreitet. Erzählungen aus dem Nachlaß, herausgegeben von Peter Rühmkorf, erschienen unter dem Titel «Die traurigen Geranien» (rororo 975). In der Reihe «rowohlts monographien» erschien als Band 58 eine Darstellung von Peter Rühmkorf.

Wolfgang Borchert

Allein mit meinem
Schatten und dem Mond

Briefe, Gedichte und Dokumente

Herausgegeben von
Gordon J. A. Burgess und
Michael Töteberg unter
Mitarbeit von
Irmgard Schindler

Rowohlt

2. Auflage Mai 2003

Originalausgabe
Veröffentlicht im Rowohlt Taschenbuch Verlag GmbH,
Reinbek bei Hamburg, November 1996
Umschlaggestaltung Werner Rebhuhn
(Foto: Rosemarie Clausen)
Satz Bembo (Linotronic 500)
Gesamtherstellung Clausen & Bosse, Leck
Printed in Germany
ISBN 3 499 13983 9

Ich möchte Leuchtturm sein
in Nacht und Wind,
für Dorsch und Stint
und jedes Boot —
und bin doch selbst:
Ein Schiff in Not!

Inhalt

Vorwort   9

Wolfgang Borchert: Selbstbiographie   19

Briefe

Beiliegend ein paar Gedichte. 1939/41   25
Die kurze, wunderbare Theaterzeit. 1941   70
Die Jahre in Uniform. 1941/43   82
Briefe aus dem Gefängnis. 1943/44   111
Sehnsucht nach einem wirklichen Leben. 1944   135
Ich muß mich an Prosa gewöhnen. 1945/47   152
In traurigen Tatsachen denken. 1947   194

Gedichte

Sappho   245
Chinesisches Liebesgedicht   245
Concerti grossi   246
Die Spatzen   247
Winter   247
Die Ärmste   247
Der Tausendfüßler   248
Der Kuckuck   248
Frösche   248
Den Dichtern   249
Gedicht um Mitternacht   250

An die Natur   250
Hamburg   250
Don Juan   251
Das Karussell   252
Hamburg 1943   252
Norddeutsche Landschaft   253
Moabit   253
Ich bin der Nebel   254
Das Requiem   254
Die Kathedrale von Smolensk   254
Zwischen den Schlachten   255

Requiem für einen Freund   257

Rezensionen

«Stalingrad»   265
Bücher – für morgen   266
Kartoffelpuffer, Gott und Stacheldraht 267
«Von des Glücks Barmherzigkeit»   273
«Disteln und Dornen»   274

Anhang
Anmerkungen   279
Korrespondenzpartner   313
Personenregister   315

Vorwort

«Die Stärke Ihrer Sachen ist, man hätte sie auch aus dem Papierkorb in irgendeinem überfüllten Bahnhofswartesaal herausklauben können, sie wirken nicht wie ‹Gedrucktes›, sie begegnen
uns, wie uns die Gesichter der Leute oder ihre Schatten in den
zerbombten Städten begegnen.» Was Carl Zuckmayer Wolfgang
Borchert wenige Tage vor seinem Tod schrieb, gilt auch für die
hier vorgelegten Briefe und Dokumente, bis auf wenige Ausnah-
men Erstveröffentlichungen. Mit einem schmalen Werk – zwei
Dutzend Kurzgeschichten, eine Handvoll Gedichte und das Stück
«Draußen vor der Tür» –, das sich der todkranke Dichter abrang,
wurde Wolfgang Borchert zur wichtigsten Stimme der deutschen
Nachkriegsliteratur, die auch ein halbes Jahrhundert nach seinem
Tode noch gehört wird. Dieser Band, der manches lieb gewor-
dene Klischee korrigieren mag, erlaubt einen aufschlußreichen
Blick auf die Entwicklung des Dichters im Kontext seiner Zeit.

Wolfgang Borchert wuchs mit der Literatur auf. Seine Mutter
Hertha war eine plattdeutsche Schriftstellerin, bekannt in der niederdeutschen Szene. Fritz Borchert, Lehrer von Beruf, kannte
sich ebenfalls in der Literatur aus: Ihm vertraute der Sohn seine
Texte als erstem zur Begutachtung an. Die Familie Borchert hatte
Kontakte zu Künstlern, Autoren und Journalisten. Wolfgang, der
schon als Schüler einige Gedichte in den Hamburger Zeitungen
unterbringen konnte, hielt auf Distanz zu dem Kreis von Heimat-
dichtern, die ihre eigenen Zirkel hatten. Obwohl die Nazis diese
bodenständige Literatur förderten, sympathisierten durchaus
nicht alle Autoren und Künstler mit dem braunen Regime, richte-
ten sich aber gleichwohl in dieser Nische ein. Borchert fand hier
eine Mentorin: Aline Bußmann nahm sich der ersten literarischen

Versuche des jungen Autors an, und dieser Kontakt riß auch nicht ab, als Borchert längst seinen eigenen Stil gefunden hatte. Auch sie war eine Freundin der Familie: Aline Bußmann, als Schauspielerin seit den zwanziger Jahren die wichtigste Stütze von Richard Ohnsorgs Niederdeutscher Bühne, hatte Erzählungen von Hertha Borchert im Funk gelesen. Sie war verheiratet mit dem Rechtsanwalt Carl Hager, der bemerkenswert couragiert die Verteidigung Borcherts übernahm, als dieser 1942 und 1944 wegen «Heimtücke» und «Zersetzung der Wehrkraft» angeklagt war. Mit der Familie Hager verband Borchert noch eine andere Beziehung: Der junge Mann verliebte sich in die Tochter Ruth, eine Liebe, die nicht erwidert wurde.

Das literarische Gespräch, das er mit Aline Bußmann suchte – «Ich brauche immer jemanden mit roter Tinte», gestand er einmal seiner Mentorin –, führte er auf einer sachlicheren, aber nicht minder herzlichen Ebene mit Hugo Sieker, dem Feuilleton-Redakteur des «Hamburger Anzeigers». Sieker, mit dem er seit 1940 korrespondierte, ihn aber erst im Herbst 1943 persönlich kennenlernte, war für ihn eine Instanz. Diese Tageszeitung hatte ihr literarisches Gewissen nicht den braunen Machthabern geopfert, Sieker und seine Mitredakteure betrieben «Kulturarbeit im Widerstandsgeist». Unter Tarnnamen veröffentlichten hier «Nichtarier» und verfolgte Autoren (wie z. B. Wilhelm Lamszus, der Dichter des expressionistischen «Menschenschlachthauses»), antisemitische Tiraden wurden vermieden, man hielt Kontakt zu verfemten Künstlern wie Ernst Barlach, und Sieker rückte auch Texte des unbekannten Dichters Borchert ins Blatt, als dieser im Gefängnis saß. Für die Haltung der Zeitung aufschlußreich ist Borcherts in den Band aufgenommenes «Requiem für einen Freund». Das Gedenkblatt für einen gefallenen Kameraden, veröffentlicht in einer deutschen Zeitung im vierten Kriegsjahr, ist frei von aller Durchhaltepropaganda. Auf Volk und Vaterland wird nicht einmal im Nebensatz Bezug genommen, kein Heldentod besungen, kein Feind verteufelt. «Sie schießen – sage ich, denn das eigene Schießen hören wir nicht mehr, nur das Schießen der anderen.»

Bevor für Borchert jedoch der Krieg begann, war er, beides zur gleichen Zeit, Buchhandelslehrling und Schauspielschüler. Die Briefe zeigen einen lebenslustigen jungen Mann, der den Jazz und die Frauen liebte, romantische Liebesergüsse zu Papier brachte und witzige Episteln, oftmals voll Selbstironie, an gleichgesinnte Freunde schickte. Borchert war von der Theaterleidenschaft gepackt. Helmuth Gmelin war sein verehrter Lehrer; er begeisterte sich für die klassischen Werke der dramatischen Literatur, hatte zugleich aber ein großes Faible fürs Kabarett und Volkstheater. Sein Lebenstraum, als Schauspieler auf der Bühne zu stehen, wurde nur für zwei Monate Wirklichkeit; Borchert wurde Schriftsteller, weil Krieg und Krankheit verhinderten, daß er seine hochfliegenden Theaterpläne in die Tat umsetzen konnte. Die Ausbildung in der Buchhandlung absolvierte er mit weit weniger Enthusiasmus, war sich aber bewußt, welchen Nutzen er daraus gezogen hatte: «Von den ägyptischen u. ostasiatischen Anfängen bis zum modernen Expressionismus habe ich alles in mich hineingesogen, um es nicht mehr herzugeben», bekannte er in einem Brief. Borchert las viel und intensiv: Hölderlin, den er liebte, und Goethe, den er nicht schätzte, Shakespeare und Shaw, Rimbaud, Baudelaire und Villon, George und seinen Kreis, Rilke und Benn. Er brauchte lange, um sich von den übermächtigen Vorbildern zu lösen: Die frühen Gedichte wirken mehr oder weniger epigonal. Auch als er Stefan George und andere Salonpoeten schon verworfen hatte, ließ er Rainer Maria Rilke noch gelten. Ein kleiner Zettel dokumentiert den Akt der Befreiung: «In Zukunft heiße ich Wolfgang», teilte er, der früher «Wolff Maria Borchert» auf sein Briefpapier drucken ließ, apodiktisch Ursula Litzmann mit.

«Einen der wichtigsten ersten Spatenstiche in tiefere Bezirke guter Literatur verdanke ich einem Buchhändlerkollegen», schrieb Borchert seinem Freund Werner Lüning. Während seiner Lehre in der traditionsreichen Hamburger Buchhandlung C. Boysen lernte man sich kennen. Dem nur wenig älteren Lehrlingskollegen mit seinen profunden Literaturkenntnissen konnte er mit schwärmerischen Ergüssen nicht kommen – dieser Briefwechsel wird bestimmt durch einen hochironischen Tonfall, Sinn für Camouflage und Spaß an Verballhornungen. Im ersten Brief 1945, nachdem man sich während des Krieges aus den Augen verloren hatte, nannte Borchert ihn einen «doppelten Kollegen»: Auch Lüning war sein loses Mundwerk zum Verhängnis geworden. Im Sommer 1944 wurde er, bei der Marine-Flak-Abteilung 808 in Holland stationiert, denunziert und im November 1944 vor das Marinekriegsgericht Amsterdam gestellt. Urteil: 1 Jahr, 6 Monate Zuchthaus, 2 Jahre Ehrverlust und Wehrunwürdigkeit. Das Urteil wurde vom Oberbefehlshaber der Kriegsmarine, Dönitz, aufgehoben und die Strafe verdoppelt: 3 Jahre Zuchthaus. War Aline Bußmann die mütterliche Mentorin, Hugo Sieker der Redakteur, der aufmerksam die literarische Entwicklung des Autors verfolgte und ihm das Feuilleton öffnete, so wurde Werner Lüning bei Rowohlt der erste Lektor Borcherts.

«Finden Sie es nicht auch wahnsinnig nett, solch schöne lange Briefe zu schreiben?» fragte Borchert einmal in einem seiner «unvermeidlichen post scripta». Er war ein eifriger, geradezu leidenschaftlicher Briefeschreiber, der manche Schreiben über Tage fortsetzte und es nie bei kurzen Mitteilungen beließ. Nicht vergessen werden sollte, daß diese Art der Kommunikation über längere Zeitstrecken von der Lebenssituation erzwungen wurde: Ob als Soldat an der Front oder im Lazarett, als Häftling im Gefängnis Nürnberg oder Berlin-Moabit, schließlich, das ganze letzte Jahr, als ans Bett gefesselter Kranker – Briefe waren für Borchert oft die einzige Möglichkeit, mit den Eltern, Freunden und Bekannten in Verbindung zu bleiben. Die erhaltenen Briefe, von denen hier eine Auswahl gedruckt wird, geben ein unvollständiges Bild, das an wichtigen Stellen weiß bleiben muß: Viele Korrespondenzpartner haben, erschrocken über die freimütigen Äußerungen Borcherts zum Nazi-Regime, belastende Briefe sofort vernichtet. Es handelte sich um Post, die für den Absender, aber auch für den Empfänger gefährlich werden konnte, wenn sie in die falschen Hände fiel. Man muß sich vergegenwärtigen, daß schon ein Gedicht wie «Betrunkenes Konzert» den Machthabern verdächtig war. Was Borchert nicht daran hinderte, gleich nach der Vernehmung durch die Gestapo im April 1940 das Gedicht an Ruth

Hager zu schicken. Eine Woche später – in einem Brief! – berichtete Borchert: «Auch meine Briefe sind manchmal geöffnet und mit Gestapo abgestempelt. Manchmal merke ich auch, daß ich beobachtet werde. Das ist furchtbar – ich fühle mich auf jeden Schritt und Wort belauscht!» Konsequenzen zog er nicht daraus: Vorsichtsmaßnahmen wie z. B. verschlüsselte Anspielungen, die in totalitären Systemen bis zur Kunstform getriebene «Sklavensprache», waren seine Sache nicht. «Im nächsten Brief wollen wir – the dangerous things en francais – diese und alle anderen Dinge weiter spinnen», schrieb er seinem Freund Claus Dammann, um gleich ein offenes Bekenntnis anzufügen: «Und den Geist der Opposition wollen wir wach und lebendig halten – für den Tag des Aufbruchs und Anbruchs einer größeren, freien und schöneren Zeit!» Das war mehr als nur leichtsinnig: Eine solche Briefpassage hätte leicht als gegen Führer und Staat gerichtete Verschwörung ausgelegt werden können. Dabei war Borchert kein Widerstandskämpfer, nicht einmal ein politisch denkender Mensch; instinktiv lehnte er sich jedoch auf gegen die Diktatur. Bei allem jugendlichen Überschwang, naiv war er nicht. Mit welcher Raffinesse er die offiziellen Sprachregelungen unterlief, subversive Zeichen setzte gegen die braunen Machthaber und ihren Eroberungskrieg, dafür sei hier ein Beispiel gegeben. Am 10. Juni 1940 schreibt er an Ursula Litzmann, bahnpostlagernd, adressiert den Briefumschlag aber an «U. Lodsch» – Hitlers Truppen hatten gerade die polnische Stadt Lodsch überfallen und in Litzmannstadt umbenannt.

Im totalitären Überwachungsstaat gibt es kein Briefgeheimnis. Wegen des Verdachts auf Selbstverstümmelung im Juli 1942 vor Gericht gestellt – die Anklage forderte die Todesstrafe –, wurde Borchert zwar freigesprochen, blieb aber in Haft: Die Gestapo hatte Briefe gefunden, deren Inhalt als «heimtückischer Angriff auf Staat und Partei» gewertet wurde und dem Briefschreiber sechs Wochen Gefängnis mit anschließender Frontbewährung einbrachten. Doch auch danach konnte er seine freche Zunge nicht im Zaum halten, was ihm zwei Jahre später zum Verhängnis wurde: Eine Goebbels-Parodie in der Kasernenstube brachte ihn erneut ins Gefängnis. Briefe von der Front an die Eltern legte

Rechtsanwalt Hager zur Entlastung seines Mandanten vor: Private Schreiben waren zu gerichtsrelevanten Beweisstücken über die Gesinnung der Volksgenossen geworden. Diese Briefe sind – wie die gesamte Gerichtsakte – verlorengegangen. Erhalten geblieben sind jedoch die Unterlagen der Anwaltskanzlei, so daß in dieses Buch – ein Briefwechsel besonderer Art – die vom Zensor gegengelesene Korrespondenz zwischen dem Angeklagten und seinem Verteidiger aufgenommen werden konnte. Die bislang zwischen Aktendeckeln vergrabenen Dokumente zeigen, wie ein Mensch, der nichts weiter als ein paar Scherze «verbrochen» hatte, in die Justizmaschinerie des Dritten Reiches gerät.

Weist die Korrespondenz während der Nazi-Jahre aus politischen Gründen Lücken auf, so ist in der Nachkriegszeit der allgemeine Papiermangel ein Grund, warum heute nur noch einige Briefe an Wolfgang Borchert existieren. Die leeren Rückseiten der Briefe waren zu wertvoll, um für die Nachwelt aufgehoben zu werden: Im Borchertschen Haushalt wurden sie weiterverwendet und für Manuskripte benutzt. Und nicht nur sie: Ein Gedicht schrieb Borchert sogar an die Tapete in seinem Zimmer. (Beim Umzug der Familie ließ Ernst Rowohlt dieses Stück Tapete ausschneiden und sich von den Eltern schenken.)

Zu der Korrespondenz mit Freunden, von Borchert stets gepflegt, gesellen sich ab 1945 Geschäftsbriefe: Um den Autor, dessen Begabung seit der Veröffentlichung der ersten Kurzgeschichten von Verlegern und Redakteuren erkannt wurde, entwickelte sich ein – den damaligen Verhältnissen entsprechend bescheidener – Literaturbetrieb. Plötzlich stellten sich Erfolg und Anerkennung ein – «so viele Verlage sind über mich hergefallen», notierte er Ende Oktober 1947 –, zugleich regte sich jedoch Widerstand: Das literarische Feld, das Borchert nach 1945 betrat, war vermintes Gelände. «Die Toten sollen ruhen und nicht durch grauenhafte Hörspiele erweckt werden», mit diesem frommen Wunsch schloß ein Protestbrief an den NWDR nach der Erstsendung von «Draußen vor der Tür». Das Hörspiel löste eine Flut von Reaktionen aus, rund 150 Briefe und Karten gingen beim Sender ein. Viele empfanden das Stück als Zumutung, fast alle zwang es zu Stellungnahmen, die Geständnissen gleichkamen. Zustimmung und Ablehnung hielten sich die Waage: Ein anonym bleibender «Ostfrontkämpfer» empfahl, «den irrsinnigen Borchert zum Ruhrbergbau zu melden», während andere sich mit dem Schicksal Beckmanns identifizierten: «Als Krückenmann sage ich auf diesem Wege dem Verfasser des Hörspiels meinen besten Dank.» Einige repräsentative Stimmen: «Ihr Hörspiel hat mich sehr erschüttert, und doch konnte ich nicht weinen.» «Können Sie sich denn nicht vorstellen, wie diese Hörspiele unsere Seelen aufwühlen, gerade weil sie so grausam wahr sind? Die Hörspiele können ruhig ernsten Charakter haben, sie sollen aber nicht aus dem Erleben und Erleiden unserer gequälten Generation ihre Themen schöpfen.» «Es war das Erschütterndste und Gewaltigste, das ich jemals aus meinem Empfänger vernommen habe. Vergessen werde ich es wohl nicht so leicht.» «Verschont uns doch bitte mit solch einem Zeug.» Borchert war bewußt, daß sein Stück sich dem kollektiven Wunsch nach Verdrängung entgegenstellte. Er schrieb in den Untertitel: «Ein Stück, das kein Theater spielen und kein Publikum sehen will.» «Wir bringen es nicht dennoch, sondern gerade deshalb», hieß es in der Ankündigung des Rundfunkredakteurs Ernst Schnabel.

«Die Premiere meines Stückes ist am Totensonntag im November – das paßt sehr schön. Liebeneiner, inzwischen entbräunt, bringt es», freute er sich über die Nachricht von der Uraufführung an den Hamburger Kammerspielen, die er nicht mehr erleben sollte. Die literarische Produktion der letzten zwei Jahre hat er sich zwischen Fieberattacken und körperlichen Zusammenbrüchen abgerungen. Er schrieb zudem unter materiellem Druck. Die Ärzte, die ratlos an dem Schwerkranken herumlaborierten, wußten zumindest, daß der Patient hochwertige Kost brauchte, die im Nachkriegselend in Deutschland nicht aufzutreiben war. Von einem Sanatoriumsaufenthalt in der Schweiz erhoffte sich Borchert gesundheitliche Besserung, doch gleich hinter der Grenze in Basel mußte der nicht transportfähige Schwerkranke ins Spital eingeliefert werden. Er fühlte sich fremd und isoliert; die Eltern, Freunde und Bekannte aus der Heimat konnten

ihn nicht besuchen – die Grenze war geschlossen –, ihnen zumindest schreiben konnte er kaum «wegen Porto und Auaaua im
Rücken». Gegenüber den Eltern im fernen Hamburg ließ er sich
möglichst wenig anmerken. Er verschwieg ihnen, daß er bis zuletzt unter Krämpfen Lektoratsarbeiten erledigte: Die Kosten fürs
Spital sollten zumindest teilweise abgedeckt werden, und «Geld
ist hier teuer». Hatte er mit Witz und Charme oft seine klägliche
Lage und die zunehmenden Schmerzen überspielt, so brach sich
jetzt die Verzweiflung Bahn. «Und keiner hört zu, wenn ich
heule: das ist das schlimmste. Im Gefängnis war immer noch ein
(zwar unbestimmtes) Ende abzusehen. Aber dies ist eine trostlose
unendliche Wüste.»

Die Mehrzahl der hier vorgelegten Briefe, Gedichte und Dokumente befinden sich im Wolfgang-Borchert-Archiv der Staats-
und Universitätsbibliothek Carl von Ossietzky, Hamburg. Ergänzt wurde die Auswahl mit Briefen aus Privatbesitz; zu danken
haben die Herausgeber Heidi Boyes-Pulley, Claus Dammann,
Vera Mohr-Möller und Brigitte Berndts-Sieker, die zudem wertvolle Auskünfte gaben. Die Briefe an Werner Lüning stellten
Erika Lüning und Jürgen Serke zur Verfügung, die Briefe an Tilla
Hardt und Ursula Litzmann das Deutsche Literaturarchiv in Mar-
bach a. N. Den Nachlaß von Hugo Sieker betreut das Hamburgische Staatsarchiv, den Nachlaß von Carl Albert Lange die Staats-
und Universitätsbibliothek Carl von Ossietzky, Hamburg. Bis
auf zwei in den Anmerkungen kenntlich gemachte Ausnah-
men werden sämtliche Briefe in ungekürzter und unveränderter
Form wiedergegeben; lediglich einige offensichtliche Schreibfehler wurden stillschweigend korrigiert. Titel wurden durch An-
führungszeichen kenntlich gemacht, stilistische und grammatika-
lische Eigenarten beibehalten. Fragmentarisch erhaltene Briefe
oder Textverluste durch Beschädigungen der Originale sind
durch eckige Klammern gekennzeichnet. Die Anmerkungen
bringen, neben Hinweisen auf literarische Einflüsse und biogra-
phische Kontexte, Zitate aus Briefen, die nicht in diese Auswahl
aufgenommen werden konnten.

Das Verfassen von Gedichten, beteuerte Borchert einmal, sei

eine «Arbeit, die keine Arbeit ist – sondern höchstens ein kurzer Rausch». Selbstkritisch hat er den größten Teil seiner frühen Lyrik später vernichtet. Weil er Originale und Abschriften gern an Freunde und Korrespondenzpartner schickte, sind zahlreiche Gedichte seiner «Vernichtungswut» entgangen. Für die kleine Gedicht-Auswahl dieses Bandes konnte auf ein umfangreiches Typoskript von Stanley Tschopp zurückgegriffen werden, das dieser vor drei Jahrzehnten in enger Kooperation mit Hertha Borchert zusammenstellte.

Ohne die Vorarbeiten des Wolfgang-Borchert-Archivs wäre diese Edition in ihrer jetzigen Form unmöglich gewesen. Gordon Burgess hat zu danken Hamish Ritchie, seinen Kollegen im German Department und der Universität Aberdeen, die ihm durch ein University Research Grant die Arbeit an der Ausgabe ermöglichte, Michael Töteberg dankt Ulrike Theilig und der Heimatfunk-Redaktion von Radio Bremen, die ein Feature über die Borchert-Briefe produzierte. Das Zitat, das dem Buch den Titel gab, stammt aus einem Brief von 1943: «Ich glaube, ich werde mein ganzes Leben Nachtgedichte schreiben. Und die Nächte erlebe ich auch immer besonders intensiv – wenn es so gegen morgen geht und ich allein nach Hause gehe, allein mit meinem Schatten und dem Mond.»

Aberdeen / Hamburg, Juli 1996   *Die Herausgeber*

Wolfgang Borchert · Selbstbiographie

Wolfgang Borchert   20. Sept. 47
St. Clara Spital
Basel

Ich bin 1921 in Hamburg geboren. Mein Vater ist Lehrer und meine Mutter ist Schriftstellerin und war als Hörspielautorin am Rundfunk tätig. Ich habe eine Volksschule und eine Oberrealschule bis zur Prima besucht. Danach war ich zwei Jahre Buchhändler in einer Verlagsbuchhandlung und ging nebenbei auf eine Schauspielschule.

Als Siebzehnjähriger veröffentlichte ich in 3 Hamburger Tageszeitungen und im Münchner «Simplicissimus» Gedichte. 1941 machte ich mein Schauspielerexamen und ging an die Landesbühne Ost-Hannover in Lüneburg. Von Juni 1941 bis April 1945 war ich Soldat. Ich bin verwundet worden, habe Erfrierungen gehabt und ich habe in Rußland eine Art Gelbsucht bekommen, die bis heute andauert. Als Soldat habe ich zwei Freiheitsstrafen von zusammen 17 Monaten verbüßt wegen Zersetzung der Wehrkraft und wegen Angriffen auf Partei, Staat und Wehrmacht. 1942 wurde gegen mich die Todesstrafe beantragt.

Nach dem Kriege war ich zunächst am Kabarett tätig und als Regieassistent der Hamburger Schauspielbühnen (Nathan der Weise). Dann war ich an dem Theater «Die Komödie» engagiert. Im Oktober 1945 wurde ich krank und habe seitdem ein Theaterstück geschrieben, das viermal im Rundfunk gesendet wurde und bisher von 6 Bühnen zur Aufführung erworben wurde. Außerdem habe ich in dem Verlag «Hamburgische Bücherei» einen Gedichtband und einen Band Erzählungen veröffentlicht, die von verschiedenen Zeitschriften abgedruckt wurden (Die Fähre, der Ruf, der Horizont, das Karussell usw.). Der Rowohlt Verlag, der auch mein Stück verlegt hat, bringt einen 2. Band Erzählungen heraus und die «Hamburgische Bücherei» ebenfalls.

Wolfgang Borchert

WOLFGANG BORCHERT
ST. CLARA SPITAL
BASEL

20. Sept. 47

Ich bin 1921 in Hamburg geboren. Mein Vater ist Lehrer und meine Mutter ist Schriftstellerin und war als Hörspielautorin am Rundfunk tätig. Ich habe eine Volksschule und eine Oberrealschule bis zur Prima besucht. Danach war ich zwei Jahre Buchhändler in einer Verlagsbuchhandlung und ging nebenbei auf eine Schauspielschule.

Als Siebzehnjähriger veröffentlichte ich in 3 Hamburger Tageszeitungen und im Münchner "Simplicissimus" Gedichte. 1941 machte ich mein Schauspielerexamen und fing an die Landesbühne Ost-Hannover in Lüneburg. Von Juni 1941 bis April 1945 war ich Soldat. Ich bin verwundet worden, habe Erfrierungen gehabt und ich habe in Rußland eine Art Gelbsucht bekommen, die bis heute andauert. Als Soldat habe ich zwei Freiheits-

Strafen von zusammen 17 Monaten verbüßt wegen Zersetzung der Wehrkraft und wegen Angriffen auf Partei, Staat und Wehrmacht. 1942 wurde gegen mich die Todesstrafe beantragt.

Nach dem Kriege war ich zunächst am Kabarett tätig und als Regieassistent der Hamburger Schauspielbühnen (Nathan der Weise) Dann war ich an dem Theater „Die Komödie" engagiert. Im Oktober 1945 wurde ich krank und habe seitdem ein Theaterstück geschrieben, das viermal im Rundfunk gesendet wurde und bisher von 6 Bühnen zur Aufführung erworben wurde. Ausserdem habe ich in dem Verlag „Hamburgische Bücherei" einen Gedichtband und einen Band Erzählungen veröffentlicht, die von verschiedenen Zeitschriften abgedruckt wurden; (Die Fähre, der Ruf, der Horizont, das Karussell und) Der Rowohlt Verlag, der auch mein Stück verlegt hat, bringt einen Band Erzählungen heraus und die Hamburgische Bücherei ebenfalls.   Wolfgang Borchert

Briefe

Beiliegend ein paar Gedichte   1939/41

*Nach Abschluß der Obersekunda verläßt Wolfgang Borchert die Schule
und beginnt, auf Wunsch seiner Eltern, am 1. 4. 1939 eine Lehre in der
Buchhandlung C. Boysen, Hamburg. Gleichzeitig nimmt er Schauspielunterricht bei Helmuth Gmelin und veröffentlicht Gedichte in Tageszeitungen. Seine lyrischen Versuche schickt er an Aline Bußmann, die Frau
des Rechtsanwalts Carl Hager, und an Hugo Sieker, Feuilleton-Redakteur beim «Hamburger Anzeiger». Im April 1940 wird er, wegen Ver-
bindungen zur Swing-Jugend und einiger im Bekanntenkreis vorgetrage-
ner Gedichte, von der Gestapo verhört. Weitere Briefpartner sind Ruth
Hager – die Tochter von Aline Bußmann und Carl Hager, in die er sich
verliebt –, der Schulfreund Claus Dammann und der Lehrlingskollege
Werner Lüning, die Fotografin Ursula Litzmann und die Bildhauerin
Vera Mohr-Möller.*

AN ALINE BUSSMANN

                                        Hbg. d. 11. XI. 39
Sehr geehrte Frau Dr. Hager,
darf ich Ihnen wohl ein paar Gedichte schicken, von denen eins
Bezug auf unser kürzliches Gespräch hat? Ich habe 3 Stück ausgesucht, die ganz verschieden voneinander sind – «Der einsame
Ruf» – fast formlos in Gedanken aufgegangen. «Das ferne Antlitz» – beinahe das Wort der Form geopfert. Und «Der Vers» –
nun, ein ganz anderes. Würden Sie wohl so freundlich sein und
mir schreiben, ob sie Ihnen Freude gemacht haben?
Herzlichst! Ihr
Wolff Borchert

Der Vers

Der Nachtwind weht
mir um die Stirn.

Trunken träum' ich mich hinauf ins Reich der Sterne.
Gütig und ganz sacht
hebt er mir das Blatt aus meiner Hand
und trägt mein Lied davon.
Zum Wipfel eines alten Baumes auf,
empor . . .

Das ferne Antlitz

Ein Sonett an Nofretete

Suchend irrt mein Aug' durchs leere Nichts,
hoffend. – Fern, ganz fern glüht es herauf,
näher – Herz, du klopfst? – ganz nah, zerbrichts
grauer Zeiten endlos weiten Lauf.

Heilig lohst du auf aus ewgem Sand,
rein. – Und blickst zu mir herüber. Schlank
trägt dein stolzer Nacken dich. Gebannt
seh ich zu dir auf. Selger Trank

um dich, rätselhaft berauschend, fernes
Antlitz, mir so nah in deiner Schönheit.
Träumend möcht ich in dich tauchen. Sternes
Glanz umstrahlt dich voller Einsamkeit

Müde senkst du deinen Nacken, fächelst
mir den Traum vom heißen Aug' – und lächelst.

Der einsame Ruf

Aus nebliger Ferne ins lichte Jetzt.
Heimweh??
Strahlende Welt, blau wölbt sich dein Dach.
Selig Vergessen der schmerzenden Schatten.
Verstehst du mich nicht, Mensch?
– – – Mensch? – – – Nein!
Den Göttern sing ich!
Götter –
nicht ihr – sind meine Brüder!
Ihr seid – – – –
– – Götter scheinen – – –
– – – – Ich war? – – –
Nein! – – –
– – – – Hört keiner mein Lied?
Du lockst mich, Welle –
– Du rufst, Elysium –
Das Ufer schweigt: Livorno! Menschen!
Die Welt ist stumm???
– – – – – – – – – Götter!
Ihr hört mein Lied! – –
Die Schatten wachsen –
umklammern das Herz –
Gewölk zieht aus am Blau –
es dunkelt –
– – – – – – allein – – –
Götter! – – – – –
– Hol über, Charon! –

Auf den Tod Shelleys.

VON ALINE BUSSMANN

13. 11. 39

Lieber Wolfgang!

Ich danke Ihnen herzlich für das Zeichen Ihres Vertrauens, das daraus spricht, daß Sie mir Ihre Gedichte schickten, das heißt, daß Sie mir, dem fremden Menschen, Ihr unverhülltes Herz in die Hände legten.

Unverhüllt: da Lyrik die intimste aller Dichtung ist, Selbstbildnis. Und so zeigen denn Ihre Kinder Ihre Züge: viel Sehnsucht, Phantasie, Wärme und Empfindung – und auch die Zeichen Ihrer Jugend: Tastendes und noch nicht Ausgereiftes.

Wenn Sie bedenken wollen, daß Lyrik vielleicht auch die schwerste aller Dichtung ist, da in dem engen Gedicht die Welt sich spiegeln soll, da der Gefühlsinhalt des Augenblicks die Tragik oder das Glück eines Lebens enthalten muß, da, was *Sie* empfanden, *allen* Menschen Offenbarung sein soll, und – schließlich – die Form so gekonnt sein muß wie der Inhalt wahr und erlebt – –

so ergibt sich daraus, wie steil und geheimnisvoll der Weg ist zu dem hohen Ziel, lyrischer Dichter zu sein. Ihr Weiser hat eine gute Richtung und Ihr Auge sieht den Weg, hinauf, – es wird immer blühen an Ihrem Weg, aber scheuen Sie sich nicht, immer wieder auszuroden, um den Pfad freizumachen für die auserwählten Blumen, die nur in großer Höhe wachsen. –

Herzlich grüßt Sie Ihre
Aline Bußmann.

AN RUTH HAGER

In der Nacht vom 24.–25. 2. 40

Meine liebe Ruth –

Wie lieb und gut ist es von Dir, daß Du mich trösten willst! aber laß nur – –

Nein, ich bin vielleicht ein wenig traurig, aber nicht böse. Nur – wieder allein.

Wir hätten das Spiel doch wohl lassen sollen – – –

Aber wie Du nun so lieb zu mir bist – wird mir alles so schwer! –

Hättest Du nur geschrieben: Es geht nicht mit uns; dann wäre es gut gewesen! (Wenn auch schwer!!!)

Ich glaube nicht mehr an die Liebe, an die große ewige Liebe zwischen 2 Menschen. Ich habe soviel häßliche Enttäuschungen erlebt, daß mein Glaube Stück um Stück zerbrach! – Verzeih, ich ließ nichts an mir vorüber, und ich habe alle Stationen der Liebe durchgemacht; auch das – was man Liebe nennt, aber nicht Liebe ist – und so wurde mir «die Liebe» dies: Um mir alle diese furchtbaren Enttäuschungen zu ersparen, fing ich an – zu spielen – ein Mädchen nach dem anderen, ein Erlebnis nach dem anderen – aber immer nur Spiel – denn nur so konnte ich über das Ende – und das Ende kommt immer!!! – leichter hinwegkommen. Doch dieses Theater machte mich kaputt und ruhelos – es kam noch etwas andres dazu – und ich wurde fast ganz einsam.

Wie gehetzt bin ich oft nächtelang umhergejagt – in Flucht vor mir selbst und habe *den* anderen Menschen gesucht! (Daher das merkwürdige Wort meines Arztes – ich bin oft 2–3 Wochen lang nicht zu Bett gegangen, weil ich es einfach nicht aushalten konnte!)

Nun kommst Du – ich wehrte mich gegen das, was in mir war, für Dich! Weil ich wieder das Ende fürchtete – aber ich nahm das Spiel auf, wie so oft! Und ich wollte nicht!

Noch im Theater war es Spiel, wenn es auch weh tat – aber – – –

Da nahmst Du meine Hand und ich verlor mich – gleichwie die eigne Seele einem entgegentritt! Etwas längst Verlorengeglaubtes gabst Du mir wieder –

War es nicht, als sagten sich unsere Hände so unendlich viel mehr, als wir uns hätten sagen können? In Dir – Ruth – fand ich mich selbst wieder – schöner und besser! Ich bekam fast den Glauben wieder und die Ruhe – ich fand die Seele, die ich solange ruhelos gerufen hatte – Du warst es! –

Doch der Traum war kurz und es trieb mich wieder hinaus!

In dieser Nacht bin ich von meinem Vetter zu meinem Lehrer –

von meinem Freund und dann (verzeih!!!) zu meiner Lill gegangen! Ich kann immer und mit allem zu ihr kommen! (Sie ist so: wenn ich ihr sagte, ich verlobe mich – hätte sie mir einen Kuß gegeben!) Doch – ich mußte weiter – es regnete – und dann kam es mir wie Verrat an Dir vor, daß ich zu ihr gegangen war und ich mochte nicht mehr – – –

Und nun – es wird schon gegen Morgen – sitze ich bei meinem Freund und schreibe an Dich, weil Du mir helfen mußt! Und das kannst nur *Du*!!!

Es ist nicht wegen dem Jungen! (Vielleicht auch!) Es ist wieder diese Angst vor dem Ende! Angst vor der Trennung – Angst vor der Ernüchterung, vor der Enttäuschung! Dann wäre es besser, du ließest mich gleich jetzt wieder gehen, wieder allein – denn später würde ich da kaum über fertig werden! (Es ist trostlos und ich bin – es ist mir noch nie so ergangen – vollkommen ratlos und fertig mit der Welt!)

Sag es bitte jetzt: es hat keinen Zweck!!! Sag es hart und häßlich, umsoleichter wird es mir! Ach – – –

Wenn Du wieder bei mir wärest, dann wäre ja alles schon besser, aber dieses Ungewisse! Wir sind allein – sagt Rilke und er hat nur zu recht! Aber ich werde wieder lächeln lernen – Vielleicht morgen schon! –

Liebe – liebe Ruth!!! Bitte:

Laß mich allein, ganz für immer! – Oder komm *ganz* zu *mir*!!! (Das heißt, *nicht* – Du sollst den Jungen laufen lassen – nein, sei ihm Freundin oder Schwester, wenn er Dich braucht!) Aber komme *dennoch* ganz zu mir! Ich bin nicht auf ihn eifersüchtig, nein, das kenne ich nicht – hilf ihm weiter, bleib ihm, was Du ihm warst – aber bleib bei mir! Ganz und für immer! Oder – laß mich gehen!!! –

Ach, Ruth – so wild und wirr sieht es in mir aus! Wenn ich noch verliebt wäre, wie gewöhnlich – das ginge schnell vorüber und ich stände lächelnd darüber – aber dieses ist: Ich fand das, was ich suchte – *den* Menschen! meine Seele, fühlte ihre Hand und – sie ging wieder fort! Wäre ich verliebt (oder nur verliebt) gäbe es Trost – es gibt ja so viele Mädchen! Aber dies – ich weiß es nicht!

Nun – meine Ruth – rette mich aus diesen Wirren, hilf mir – aus der Ruhelosigkeit und vor mir selbst! Aber – aber – schaffe Klarheit! Aber – Bitte – Bitte: komme zu mir, Liebe!!!

Nun ist es doch schon Morgen geworden, und heller! – ach, was habe ich für einen Unsinn geschrieben! Verzeih mir, liebe Ruth: Wirf den Brief weg!

Nein, Du kommst doch wohl zu mir – Deine *Hände* haben es verraten! Ja – und ich danke Dir dafür! Ich werde nicht mehr so allein sein, ja? –

Denk an mich!

Vergiß mich nicht!!

Behalte mich lieb!

und bleibe bei mir!

und helfe mir!

Dein

Wolf

Bitte, Bitte – schreibe – so schnell wie möglich – komme! Du Liebe!

AN RUTH HAGER

10. 4. 40

Liebe Ruth –

ich muß Dir gleich heute abend danken, abschicken werde ich den Brief erst später.

Und siehst Du, um ungefähr dieselbe Zeit, schrieb ich an Dich. –

Irgendwie bist Du immer bei mir – um mich, Ruth – und dann rede ich so mit Dir – und du weißt von allem, was in mir ist – und hilfst mir. – Und wenn ich dann krank und verlassen und traurig bin – dann weiß ich immer, wenn alles sich von mir wendet, Du verstehst mich, immer!!! Und Du wirst mir immer beistehen – denn, obgleich ich äußerlich kaum Kampf zu bestehen habe, tobt es in mir ununterbrochen und da braucht man ein – Du –. – Ach,

Liebe, wenn Du wüßtest, wie ich nun schon wieder aussehe – ich habe 6 Tage bei meinem Lehrer gewohnt, weil ich keinen Menschen sehen konnte und sehe nun aus, als ob ich vom Totenbett aufgestanden wäre: blaß, hohl und verlassen. Und warum? Ich weiß es nicht, es kam aus mir heraus! –

Sieh mal, und wenn ich froh bin und etwas Schönes erlebe – meinetwegen den Michelangelo-Film oder Maria Wimmers Gretchen – dann denke ich immer an Dich. Wenn ich einmal – es ist so selten – sehr glücklich bin, dann möchte ich – und ich weiß, daß Du es bist –, daß Du Dich mit mir freust, Ruth. Genauso, wie Du mit mir traurig bist! –

Du – wenn Du mal irgendetwas lesen willst, schreibe es mir – ich mache Dir gerne eine kleine Freude! Etwas von Rilke, Trakl, Hölderlin, Shakespeare oder – (o wei!) von *mir*? Na ja – – – –

Wann wirst Du mir einen Brief von *mindestens 10* Seiten schreiben? Zu meinem Geburtstag? Bitte! Nimm vor allem meine Briefe, falls Du sie noch hast – und antworte auf die Fragen – oder schreibe etwas von Dir und so – – – schreibe mir bitte nächstes mal, daß es zwischen uns *immer* so bleiben soll, Ruth, ja?!

Manchmal möchte ich mein Gesicht in Deine Hände und Deinen Schoß legen und weiter nichts – als träumen! Und alles Schlechte, Häßliche bei Dir vergessen, alles das Kranke, Dunkle – und bei Dir – weinen – und wieder lachen! –

Verstehst Du das? Ja?

Darf ich Dir einmal dieses sagen, Ruth? Ich weiß nicht, ob du mich verstehen wirst – aber Du sollst es wissen –

Ich bin nicht in Dich verliebt – ich spiele nicht – ich verehre Dich nicht – und ich liebe Dich nicht im üblichen Sinne – Nein, was mich zu Dir zieht und unlöslich an Dich bindet – ist dies: Du bist mir – Du – wie ich selbst, wie meine Seele – verstehst Du das? – Wie das Leben selbst – Du bist für mich etwas Unabwendbares, ein Unaussprechliches – Wir sind so unendlich reich, wenn wir ein «Du» gefunden haben; fühlst Du das auch? –

Ach, es ist schon wieder so spät –

Gute Nacht, Ruth!

W.

AN HUGO SIEKER

16. 4. 40

Lieber Herr Sieker!

Nicht damit Sie etwas von mir drucken, nein, nur um Ihnen einmal wieder etwas von mir zu geben, bekommen Sie diese Gedichte.

Ich weiß, daß Ihr Urteil das härteste ist, und das beste! Und eben darum komme ich immer wieder zu Ihnen –

Sie haben meine ersten Sachen gelesen – und mir mit Ihrem Brief den Weg weiter gewiesen. Und wenn nun – vielleicht erst das nächste Mal – Ihr Urteil gut ist über ein Gedicht, sehr gut – dann weiß ich, daß ich mich ehrlich darüber freuen kann.

Dieses Mal – Herzlichst!

Wolff Maria Borchert

AN WERNER LÜNING

17. 4. 1940

Lieber Lüning –

nein, einschlafen soll unsere Verbindung nicht.

Die letzten Gebildeten auf dieser Welt dürfen sich nicht aus den Augen verlieren!

Nur, ich bin immer besetzt! Unterricht – Theater und so fort – nicht zu vergessen: Gesammelte Werke! (10 Bände)

Aber im Sommer werde ich wohl mehr Zeit haben – und demnächst bekommst Du Deine Lyrik! (*Großes Ehrenwort!*)

Diesmal: Prospekte!

Also: Hals und Beinbruch!

Wolff Maria Borchert

Der Heuhaufen ist unverändert!

«Der Revisor» war ausgezeichnet –

«Faust» dünn – Wüstenhagen hat alles, was er nicht verstanden hat, gestrichen!

Mittlerweile habe ich erkannt, daß Trakl mit Rilke der größte

Lyriker der letzten Zeit war – ich danke Dir, daß Du ihn mir entdeckt hast!

Auch mit R. A. Schröder habe ich mich befreundet: nett!

Thomething ist rotten in the state of – – Denmark! (Shakespeare, «Hamlet») Bei uns nicht!

AN RUTH HAGER

19. 4. 40

Liebe Ruth, Du –

Keine vielen Trostworte sollst Du von mir hören, nein – Du bist viel zu groß, als daß Dich die augenblicklichen Zustände ernstlich niederdrücken könnten! Hab ich nicht recht? – es ist sehr schwer – gerade für Dich, oder *nur* für Dich! Wie gerne möchte ich nun bei Dir sein – nicht helfen – nur Dir nahe sein, damit Du weißt, daß Du nie ganz allein bist! Ich denke so oft an Dich!

– War es nicht, wie ein zeitloser, ewiger Frühlingstag – am 17. Februar? Erste Sonne, ein so schöner Tag – und: Wir, Du und ich! –

Vorige Woche habe ich eine Nacht auf einer Polizeiwache zugebracht, ganz dunkel eingesperrt. Warum – weiß ich immer noch nicht. Auch meine Briefe sind manchmal geöffnet und mit Gestapo abgestempelt. Manchmal merke ich auch, daß ich beobachtet werde.

Das ist furchtbar – ich fühle mich auf jeden Schritt und Wort belauscht! – nun, sie werden es schon wieder lassen. –

Ich versuche immer, alles durch Lachen zu besiegen, wenn ich auch oft viel eher weinen möchte. – Aber diese innere Unruhe, dieser ewige Kampf in mir – ich weiß nicht, was das ist! Meine einzige Zuflucht ist mein Unterricht und – Du. Wenn ich Helmuth Gmelin nicht hätte, diese schönsten Stunden des Werdens, des Lernens bei ihm – wenn ich Dich nicht hätte – was wäre denn wohl – ich wäre verlassen – von allem!

– Wie wird das schön, wenn Du Ärztin bist und ich beim Theater bin und schreibe! Wenn ich nicht dieses werden müßte, ich möchte auch Arzt sein! Das hat so etwas Großes an sich! und wie würdest Du dazu passen – die Seele der Kranken mit Deiner eigenen, großen zu einem neuen Licht und Leben führen – findest Du nicht auch? –

Alle Menschen sagen immer von mir, ich wäre kalt, hart und ohne Gefühl! Wüstenhagen meinte sogar, als ich den Romeo sprach, das wäre wohl eher ein Mephisto. Ich kann da nichts zu – Du glaubst das doch nicht?

– Nächstes Mal, Liebe, werde ich Dir etwas von mir schicken – heute wollte ich Dich nur Deinen Alltag ein wenig vergessen lassen – Dich ein ganz wenig trösten und – bei Dir sein.
Ich bin es, ganz dicht, Du –

Wolff.

13 Verse

Betrunkenes Konzert
plärrt grell verzerrt – –

Lockendes Konfekt
schmeckt –
und Sekt

sprüht wie Florett –
kokett,
ein Traumballett.

Nächtliche Rebellen
gellen – – –
Narrenschellen:

Kalte Melodien
ziehen.
Morde schrien.

Toter Dom:
Phantom
ist irres Hirnsymptom.

Rot prahlender Mund
wund
geküßt – o bunt,

und zerrissen Seide,
Geschmeide
um uns beide.

Schleier winken –
sinken – – –
wir ertrinken

in Wonnen,
Sonnen,
Schöne Nonnen . . .

Lust und Tod
loht
süß und rot.

Blutende Nacht
entfacht
uns – man lacht . . .

Betrunkenes Konzert
plärrt,
grell verzerrt – –

[Handschriftlicher Zusatz:] Auch dieses Gedichtes wegen war
man neulich bei mir – *schicke es mir bitte wieder*!

VON HUGO SIEKER

23. 4. 1940

Lieber Herr Borchert!
Wieder hat mich die Melodie Ihrer Gedichte gepackt, und wieder
habe ich gefühlt, daß aus Ihrer Sprache etwas werden kann. Wenn
Sie auf einen kleinen Hinweis von mir hören wollen, möchte ich

Sie davor warnen, sich zu sehr in einzelne Worte zu verlieben und den Sinn eines ganzen Gedichtes von der Schönheit gewisser Lautmalereien übertönen zu lassen. Denken Sie in Zukunft immer stärker daran, daß es die Aufgabe auch eines Gedichtes ist, etwas Sachliches auszusagen. Hat ein Gedicht keinen festen sachlichen Kern, so wird es den Leser bei aller Pracht schöner Worte dennoch unbefriedigt lassen.

Mit herzlichen Grüßen

Ihr Hugo Sieker

AN HUGO SIEKER

27. 4. 40

Lieber Herr Sieker!

Einen recht lieben Dank für das Buch von Ihnen – es ist so wunderschön, daß ich noch gar nicht darüber schreiben kann – nur danken wollte ich Ihnen!

– Und mit Ihrem Brief haben Sie auch wieder recht – Eben das sagt mein Lehrer (ich habe bei Helmuth Gmelin Schauspielunterricht): Ich berauschte mich zu sehr an der Rede an sich – wäre zu sehr Dialektiker, Spieler und Sprecher, wobei ich den Sinn des Gesagten vergäße! – Zum Teil haben Sie und er recht!

Und mir liegt kaum daran, möglichst schnell und viel gedruckt zu werden – ich fühle, daß mein Tag kommt. Genauso wie ich weiß, daß es für mich nichts anderes gibt, als: *Theater!* Aber ich werde arbeiten – und dann wird es mir schon gelingen!

Herzlichst und nochmals vielen Dank!

Ihr Wolff Maria Borchert

VON HUGO SIEKER

10. 5. 1940

Lieber Herr Borchert!
Besten Dank für den Zyklus «Mythe». Die Abschrift darf ich
wohl behalten und in meine Sammelmappe legen. Es wird ja sehr
wesentlich sein, eine solche Früharbeit von Ihnen später einmal
mit anderen Arbeiten vergleichen zu können.
Mit besten Grüßen
Ihr Hugo Sieker

AN ALINE BUSSMANN

26. V. 40

Liebe Frau Doktor Hager,
Wie habe ich mich zu Ihrem lieben Geburtstagsgruß gefreut –
nehmen Sie meinen allerherzlichsten Dank! Und wie schön, daß
Sie an mich gedacht haben!
   Hoffentlich können wir nun bald einer schöneren, neuen Zeit
entgegensehen – denn so groß das alles sein mag heute, Wert hat es
doch kaum. Wenigstens keinen für ein Jahrtausend – und das
sollte doch! Nun –, die Guten werden die goldene Zeit zurück-
bringen!
Mit vielem vielem Dank!
Ihr Wolfgang

AN ALINE BUSSMANN

Sonntagmorgen [Anfang Juni 1940]

Liebe Frau Doktor!
Nun freue ich mich doch, daß ich Ihnen nicht gleich am Sonnabend geschrieben habe – es wäre ein trauriger oder verzweifelter
Brief geworden. Jetzt aber ist Sonntag – ich bin schon um 6^h an
der Alster hier oben spazierengegangen und habe neuen Mut und
neue Liebe bekommen – und nun soll es ein schöner Brief werden.

Vertrauen und Freundschaft ist wohl das Höchste, was wir uns geben können – Liebe, im letzten Sinne, können wir nicht geben, sie nimmt uns und gibt uns.

So mag es zwischen zwei Freunden kaum eine festere Brücke als dieses große Vertrauen geben – fast ewig fest. – (im Radio spielt man eben eine Fuge von Bach – –)

Ruth – schon einmal bekam ich Angst um sie, daß ich wie hilflos umherträumte. Ich weiß nicht, ob ich bisher eine beglückendere Freundschaft – ein heiligeres Vertrauen zu einem Menschen empfunden habe. Oh – ich habe sehr viele Freundinnen – die tatsächlich nur das sind, weil sie eben viel älter sind und ich eben nur ein kleiner Junge. Aber jedesmal wenn ich mit Ruth zusammen bin (bisher 3 mal!!) geht eine so ungeheure Erschütterung durch mich, daß ich mich nur schwer wieder zurechtfinden kann.

Vielleicht ist es Liebe – wenn sie es auch weiß – sagen werde ich es ihr nie! Es würde das Ende unserer Freundschaft sein. Aber dies ist es nicht, dieses kann ich tragen.

Ich, liebe, liebe Frau Doktor, habe Angst, daß unsere Freundschaft von ihr eines Tages aufhören muß! Wenn ihr der Mann begegnet, den sie liebt – wird Ruth dann soviel Stärke, Kraft und auch Größe haben, diese Freundschaft zu halten? Wird sie nicht alles – *alles* diesem Manne geben?

Vielleicht tue ich ihr Unrecht – –

Aber ich habe Angst.

Und wem soll ich das nun alles sagen? Daher mußte ich Ihnen wieder schreiben.

Gewiß, es ist häßlich von mir, aber ich komme mir fast nur wie ein Ersatz vor. Nein – ich glaube, so brauche ich nicht zu denken!

Die beiliegenden Gedichte sind schlecht als solche – aber da sie zu Ruth und diesem allen Beziehung haben, sind sie mir wertvoll. Das eine – «Die Einsamen» – mag etwas hart und laut sein, aber es hat mir einige Ruhe gebracht. In dem Augenblick, wo ich so etwas in ein Gedicht verschlossen habe als ein kostbares, geheimstes Heiligtum, kommt neuer Mut und neue Kraft zum Leben wieder. Aber nun muß ich diese Geheimnisse fortgeben – ich kann nicht mit ihnen allein sein. Ich muß sie gleichsam verschenken, preisgeben, um nicht an ihnen zu zerbrechen.

Herrgott! – ich wollte, ich wäre stark genug, diesem ein Ende zu machen. Es würde vorbei sein – aber es ist häßlich. Und wenn es nun langsam einschläft, fühle ich mich feige! (Ich mag schon vielen so weh getan haben – aber jetzt kann ich es nicht!) Aber aus Feigheit – Ruth würde es kaum sehr schwer treffen – aber ich habe Angst, über dieses Ende hinwegzugehen. Gleichzeitig ist es wieder so unsagbar schön, wenn Ruth da ist! Bilder, Gebärden, Worte – alles würde Trauer werden! Ja, es ist schwach von mir, so hilflos dem gegenüberzustehen. Herzlos und gefühllos nennt man mich oft – vielleicht zu recht –, aber hier weiß ich davor nicht ein noch aus!!!

Es wäre vielleicht richtig, ich würde das Ruth alles einmal sagen. Aber sicher fände sie es dumm.

Unsere Seelen sind wie schöne, hauchene Schalen. Oft schon klang meine an eine andere – ganz kurz und länger. Und am Ende blieb sie so schön und rein vielleicht nicht, aber unzerbrochen, während die anderen einen Riß bekamen. Nun aber tönt an meine Schale eine andere, die mir stärker scheint als meine – sie klingen zusammen. Fast ohnmächtig steh ich daneben und warte – auf den Ausklang. Würde ich meine Schale fortheben – sie würde einen Riß haben, der schwer heilen könnte.

Wie schön und groß fühle ich Ruth in mir klingen und tönen – ein wenig bin ich auch in ihr, das glaube ich. Aber meine Schale schwingt bei einer Berührung mit einer anderen immer so viel stärker als diese, *immer* – sie übertönt meistens die andere zu einem großen Lied! – Und so sehe ich auch in dem Zusammenleben von Ruth und mir viel Größeres, Ewigeres, Schöneres und Beglückenderes – als sie selbst. Um so weher muß auch für mich das werden, wovor ich Angst habe. Ach – daß ich immer so sein muß!

– Nun haben Sie wieder mein ganzes hilfloses Flehen und Bitten zu sich genommen – ich bin Ihnen ja so dankbar!!! –

Ja, ja! Es wird doch wohl alles einmal schön werden! Die goldene Zeit wird von den Guten zurückgebracht werden – und vielleicht werde ich dann meine Hand nicht vergebens nach Ruth ausstrecken. – –

Bis dahin und immer danke ich Ihnen für die Liebe und Freundschaft, mit der Sie bei mir sind! Darüber freue ich mich!

Ihr Wolfgang

Bitte – grüßen Sie Ruth – eigentlich wollte ich ihr schreiben!!!

AN URSULA LITZMANN

Sonntag im Juni [1940]

Holla, Holla – ich finde Sie zu nett mit Ihren grammatischen Purzelbäumchen: ich mache immer welche! (nicht nur in der Grammatik!)

Liebes Fräulein Lietzmann, nettes Fräulein Ursula – nein! grauenhaft so eine Anrede!!!

Sehen Sie mal – das ist echte Freundschaft!!!: Ohne in der «Koralle» auf den Namen des *unbedeutenden* Fotografen zu achten – nun hören Sie, mein liebes Kind! – habe ich ein Bild davon in meinem kleinen Zimmer untergebracht – ja wohl!!! *Weil ich es so gut fand*!!!!! Auch mich würde zu jedem Tag ein Brief froh machen – und wie! – ich werde Ihnen auch so oft ich kann schreiben! Na ja …

Unerhört: Sie behaupten von meiner Schrift, daß sie bedeutend ist – und den nächsten Satz beginnen Sie furchtbarer Mensch mit dem Wort – Ironie!!! Aber Ironie kann doch nicht unfein werden – dann ist es Hohn! (Genauso wenn man das Florett fortwirft und zum Knüppel greift, der wahrscheinlich besser trifft – aber zu grob ist!)

Warum machen Sie skandälchenbehangenes Mädchen nicht ein von lauter Prominenten besuchtes Atelier in Hamburg auf – Sie haben doch das Zeug einer Rosemarie Clausen – bei uns gibt es so etwas doch nicht! Als so etwas kann ich mir Sie wunderbar vorstellen!!! Entschuldigen Sie meine ungereimte wilde Schrift – in mir sieht es auch ziemlich chaotisch – mal Himmel, mal Hölle –

aus!!! – Ich meine so: ich habe *nichts* an mir vorbei gehen lassen – alles, aber auch alles mitgenommen, ohne auch nur im geringsten gelangweilt zu resignieren – nein, nein, nein: *es kann nicht bunt genug kommen*! Langeweile – das Wort gibt es für mich nicht: von 6^h morgens bis 2^h nachts bin ich in Arbeit – überall – also!

Demnächst bekommen Sie auch einmal gute Gedichte!

AN URSULA LITZMANN

Im Juni [1940]

So – nun ist es endlich Nacht – und nun sollen Sie auch eine schöne Antwort bekommen. Vorerst tausend Dank für Ihren Brief, besonders wenn Sie einen anderen Brief dafür zurückgestellt haben!

Zuvor etwas Grundsätzliches: Ich bin Expressionist – mehr noch in der inneren Anlage und Geburt als in der Form. Expressionist sein, heißt: Den Mut und den Willen zum Chaos zu haben! (Das Wort Expression erkläre ich so: Wirkliches durch Seelisches, Ideenhaftes ersetzen, neu gebären!) Allerdings trennt mich etwas doch hiervon: Aus diesem Chaos, das vor allem auch eine Jugenderscheinung ist, will ich den *Kosmos* bilden – ja – *meinen* Kosmos! Dieses voraus – – –

Nun zu Ihrem Brief, meine Liebe: beträchtliche Eitelkeit? O ja – wenn Sie wüßten, *wie* gerne ich in den Spiegel sehe – und welcher angehende Schauspieler wäre nicht eitel. Aber was Sie Eitelkeit an mir nennen, ist: Ironie! Sie begleitet mich überall. Vielleicht bin ich nur in mich, die Kunst und die Welt verliebt? O, ich spiele so gerne!!! Ironie ist die Waffe des Intellekts – die Faust die des (auch geistigen) Proleten. – Finden Sie nicht auch, daß ein Florett der Ironie gleicht? – Ich liebe es. Warum Sie an mich schreiben mögen – vielleicht spüren Sie mit einer echt weiblichen Feinfühligkeit, irgendetwas an mir? (schon wieder eitel!!!) – Ich bin im bürgerlichen Milieu groß geworden, gottseidank! Denn nur aus dieser Umgebung kann man anders werden – unbürgerlich, wie Sie sagen. Ich sage mir immer wieder: Nur aus der Hölle kann ein Himmel werden! Das Bürgertum ist Hölle. – Sonst – im goetheschen Sinne – steh ich *der* Hölle näher, als dem faustischen Himmel. Na, egal.

Und nun zu Ihrem «barbarischen» Urteil: Wie ich schon sagte: Meine Gedichte sind Weg! – nicht Erfüllung.

Noch ist es nicht meine Aufgabe, der Menschheit etwas zu sagen – nein, erstmal dichte ich mir mein eigenes, inneres Kämpfen und Erleben – ich muß es gleichsam erstmal *loswerden*! Sie verstehen? Ich muß erst noch meine Nahrung überall hernehmen, den Kampf mit ihr und mir selbst beginnen, ehe ich der Welt entgegentrete. Bei manchen Dichtern ist es da oft schon zu ende gewesen. – Doch auch diese Expression ist wert, daß sie verdichtet wird.

Es hat noch alles mehr Beziehung zu mir – als zur Welt. Deshalb suchen Sie manchmal den Sinn in den Worten – sie haben einen – aber es glost und flackert noch soviel Schlacke um ihn herum, daß er noch zu kompliziert, extrem und dunkel auf die Spitze getrieben! ist . . . (oft auch absichtlich – –)

Muß denn *ein* Gedicht immer *einen* Sinn haben? Rilke ist der beste Gegenbeweis! (besonders im «Orpheus») Und muß ein Sinn-Zweck darin sein? In der Malerei, Musik berauschen wir uns doch auch gerne an Farben, Tönen, Klängen – ohne überall *den* Sinn zu finden. (Natürlich hinkt auch dieser Vergleich – denn das Wort will ja fast immer etwas sagen und nicht nur tönen.) Aber nehmen Sie – wo Ihnen der zusammenhängende Sinn zu fehlen scheint – doch einmal einen Satz für sich – und sehen Sie, dann finden Sie sicher einen Sinn. Dieses hat Goethe erst im II. Faust – bei Rilke finden wir es von Anfang her. Schiller kennt es gar nicht, denn er ist (im besten Sinne) ein naiver Dichter. Dies soll kein Nebeneinanderstellen mit mir sein (wegen der Eitelkeit) – nur ein Vergleich. – Soweit! –

Zu etwas anderem, von Ihnen berührt: Obgleich erst 19 Jahre, habe ich doch schon so ziemlich alles erlebt, was man nur erleben kann. Ich habe nichts, aber auch gar nichts, an mir vorübergehen lassen, ohne es kennen zu lernen. (Und ohne mich nun gegen alles abzustumpfen). Höhen und Tiefen im gleichen Maße. Kurz: Alles!

So – nun entschuldigen Sie mein langes, langweiliges Gerede – ich wünsche mir etwas von Ihnen: nämlich: Daß Sie einmal von sich und Ihrem Leben und Tun erzählen! Oder ist das zuviel verlangt? Keine Geheimnisse, Skandale, Beziehungen usw. – nur so, was Sie treiben. Man sagt: Kunst kommt von Können. Erweitern wir dieses Wort: und Können kommt von Arbeit!!!

Im Augenblick hat Lieselotte Sieck gerade meine Gedichte – sie arbeitet sie durch, um sie dann mit nach Berlin zu nehmen. Aber bald werden Sie eine bessere Auswahl von mir bekommen.

Übrigens sind Gedichte nicht meine endgültige Form, sondern: Theater, Theater, Theater! Himmel u. Hölle – es will schon fast wieder Tag werden!!!

Also: leben Sie wohl!

Vergessen Sie mich nicht –

bis zum nächsten Mal.

Herzlichst

Ihr Wolfgang Borchert

Das unvermeidliche post scriptum! (meine Tinte ist alle) Finden Sie es nicht auch wahnsinnig nett, solch schöne lange Briefe zu schreiben? Sie tun nichts, kosten nichts – und man hat doch so sehr viel daran!

AN WERNER LÜNING

7. 7. 1940

Lieber Werner –

many thanks für die beiden süßen Grüße. Herr Gott, hab ich gegessen!!! (Du glaubst nicht, was für eine seltene Wohltat das war!!!!!!)

Ja – Ziemer ist weg – god save the king! und ich bin Bestellbuchführer and so on. Ich habe sogar einen Lehrling und der Alte ist die Höflichkeit selbst zu mir, denn er ist selig, daß es alles einigermaßen klappt. Muschel – wie beim Ziemer – gibt es bei mir auch nicht. (Hm – hm!)

Weißt Du, als was ich Dich schon immer sehe? So etwas ähnliches wie Herr Cotta, S. Fischer oder «*Herr*» Insel – meinst Du nicht auch, daß dann noch auf eine große Blütezeit der deutschen Literatur zu rechnen wäre? Gerade nach diesem Kriege, wo das Bedürfnis für Kultur besonders groß sein wird – wie noch nie, denn ein Soldat kann nicht gleichzeitig Kulturschöpfer sein –, vielleicht kommt dann unsere große Zeit. Denn sicher hat man doch von unserer Seite vor, dem neuen Europa unser Gesicht zu geben – und dazu wird man doch wohl nur Kunst und Kultur brauchen – und nicht Autorennen, Fußball oder Polizeiverordnungen! Ich hoffe viel – – – –

Siehst Du da nicht auch eine Aufgabe: *Den* deutschen Verlag aufzubauen??!! (Einen Teil Lyrik und Dramatik bestreite ich gern!) Dazu müßte es freilich so kommen: Der Verleger müßte mit dem Dichter gehen! (Z. B. Diederichs?!!) – Mein Leben wird voraussichtlich so verlaufen: Ich mache meine Gehilfenprüfung und mein Bühnenexamen zu gleicher Zeit, um dann soldier zu werden! Dann ruff auf die weltbedeutenden Bretter!!! Es gibt aber noch eine Möglichkeit: wenn ich schon vor meiner Einberufung ein Engagement bekomme und noch bei C. B. bin, dann werde ich wahrscheinlich erst mit 25–26 eingezogen (welch ein Segen!) und dann nur für ein halbes Jahr oder so! Aber ich habe mich jetzt soweit gebracht, aus den zwei Jahren doch noch ein Gutes für mich selbst zu holen: Körperlich würde es mir auch gut tun! Und geistig – na ja, mit dem nötigen Humor und einer verborgenen Überlegenheit wird es schon werden. Wer daran kaputt geht, wäre auch so nichts geworden!!!

Deine Bucherkundigungen sind vorgemerkt – – – – – – –

Jetzt stehst du Kopf: Ich habe meiner Mutter Morgan, «Quell» und «Flamme» geschenkt!!! Sie ist begeistert!!! Ich werde auch demnächst versuchen, die beiden Bücher zu lesen. Ich lese immer 10 Bücher nebeneinander – meine Neuerscheinungen mußt Du Dir selbst ansehen.

Wenn Du Urlaub hast, komm doch zu mir!!!

Alverdes hat mir sehr nett über meine Gedichte geschrieben – er soll sonst fast nie schreiben, schon gar nicht selbst. Der Witz ist nur, daß mein Heini – das ist Lieselotte Sieck vom Schauspielhaus, 25 Jahre alt, der Mensch dem ich alles zu danken habe, letzte Zuflucht usw. – die Sache ohne mein Wissen hingeschickt hat – und dann noch ollen Mist von 39 – und man entwickelt sich von Tag zu Tag. – Und jetzt ist sie nach Dresden für 850 Eier engagiert – für ihr Fach erste Kraft! (Pygmalion, Candida usw. . . .) Du kannst Dir vorstellen, was das für ein Schlag für mich ist. Wem soll ich nun alles erzählen, meinen Liebeskummer – und die Qualen der zusammenstürzenden hamletischen Jünglingswelt? Aber – gerade eben schreibt sie mir – sie holt mich nach. (Allerdings ist sie – und das ist beim Theater nicht verwunderlich – ein Schweinchen, ziemlich groß!!! Aber mir gegenüber eben Mutter, Freundin, Rettung und Hilfe – alles!!!!! Du verstehst das wohl, ja?)

Ungefähr 500 Gedichte mußte ich bisher für sie schreiben. Davon sind vielleicht 250 zu gebrauchen. Was empfiehlst Du mir für Verleger? Am besten wäre, Du wärest hier und machtest den ganzen Krempel – es würde dann selbst klappen, wenn die Gedichte noch schlechter wären!!!!!!!!!!!!!!!!!!!!!

Es geht mir chaotisch, auf und ab – weil ich alles viel tiefer durchlebe – obgleich ich kalt bin, eisig. Aber es ist nur gut: Gedichte.

Hör mal (Mal herhörn!!!) schick mir doch die doppelten Sachen wieder. Ich habe kaum Durchschläge. Gmelin hat ja auch in Braunschweig gewohnt?

Ich höre lieber auf – es wird schon wieder wirr!

Also, lieber Werner – nochmals Dank – behalte Deinen klugen Döds!

Vielen Gruß!
Dein Wolfgang

AN ALINE BUSSMANN

Im August [5. 8. 1940]

Liebe Aline –

ich weiß, das ist furchtbar frech – aber ich mußte es sagen. Bitte, liebe Frau Doktor, nicht böse werden! – Es kommt noch von der schönen Stimmung und frohen Laune, mit der wir neulich, nach dem schönen Erlebnis bei Möllers, durch die Nacht nach Hause fuhren. Es war auch ganz wundervoll, unvergeßlich schön – nicht?

Übrigens hat Vera mir gerade ein Bild geschenkt: Ruine eines griechischen Tempels!!! Warum, weiß ich gar nicht – aber ich bin sehr froh darüber, da sie ja wirklich etwas kann. Auch 7 ägyptische Zeichnungen hat sie mir für einige Zeit mitgebracht – Sie müssen sie sehen, wenn Sie Montag kommen! Hier bin ich – so glaube ich sagen zu dürfen – ganz unvermutet auf einen *Menschen* gestoßen, wo ich gar keinen vermutete. Umsomehr bin ich aber auch glücklich – (sollte ich mich nicht irren!) Gierig strecke ich meine Arme nach jedem Menschen, der wahr, schön, lieb und klug ist, aus – aber wie oft – und wie tief wird Hamlet enttäuscht. Die ideale Welt der Jünglinge und Frauen ist dem Verfall – oder der Reife – hingegeben. Behutsam, still und vorsichtig muß man an den Menschen herantreten – *man kann nicht vorsichtig genug sein*, für sich! –

Ihr Brief kam gerade recht. Aus irgendeinem Grunde machte man mir gerade furchtbar viele unverdiente Komplimente, so daß ich wohl eine kleine «Zurechtweisung» brauchen konnte. Ja! Ich sehe das Ziel vor Augen: Größe, Reinheit, Schönheit, Klarheit – aber noch bin ich zu sehr dem eigenen Gefühls- und Verstandeschaos hingegeben, als daß ich mich frei schwebend emporheben könnte! Vor dem Sieg kommt der Kampf! Vor dem Morgen ist die Nacht! Aus den Wirren kommt die Klarheit! So meine ich.

Es mag sein: ich sage etwas des Reimes wegen. Aber setzen wir für Reim das Wort Klang – so hat es doch auch eine gewisse Berechtigung, wenn die Worte nicht in völlige Sinnlosigkeit ausarten. Aber das wird wohl kaum der Fall sein. Oder doch? Dann sagen Sie, wo. – Nein, es ist *nicht*! –

Gewiß, der Weltenlauf ruht nicht – aber I. ist nicht von den Sternenhallen der Götter unsere Erde so winzig, daß das, was wir Lauf und Leben nennen, wie eine große, sich nur durch Ewigkeiten bewegend verändernde Ruhe scheint? Nein, aber ich meine auch nicht diesen Weltenlauf. Sondern II. im ganzen Grundsinne des Gedichtes, der als Ziel die Vollendung hat, die Vollendung alles Menschlichen zum Göttlichen, ungefähr so: Der Weg der Menschheitsgeschichte geht durch Jahrtausende unentwegt voran – rastlos durch Zeiten und Weiten. Das *Menschentum* aber hat – so möchte ich sagen – bisher seit der Urzeit nur zwei Schritte aus der Ruhe vorwärts gemacht. Oft scheint es ein Rückweg und ein Umkehren zu sein!

Der erste Vollendungsschritt begann mit Echnaton – erreichte seinen Gipfel im Griechentum, in Hellas – um über das Christentum und Rom zu enden und gar in der Völkerwanderung ganz aufzuhören.

Nun hebt aus den Wirren des Mittelalters der zweite Schritt an: Anfang mit Michelangelo und Shakespeare, über die Forschungen, Entdeckungen, Erfindungen, Reformation und den 30jährigen Krieg. Der Gipfel dieses Schrittes – durch ein Chaos von der Läuterung getrennt – ist unsere klassische Zeit mit Hölderlin – Lessing – (auch Grabbe) Goethe und den Philosophen mit Schiller. Die Zeit bis heute ist wohl lediglich die Nachwirkung – oder kündigt sich eine neue Unruhe – und damit ein Schritt der Menschheit zum höchsten Menschentum an? (Sie sollen die «Tasso-Platte» noch hören!!!) Dann wollen *wir* alle dabei sein – aber wann?

Das meine ich mit: Mag auch der Welten Lauf
                    ruhn unter Wipfeln –

Und unter welchen Wipfeln? Was unter Wipfeln liegt ist mit dem Begriff der Ruhe verbunden, *auch* mußte natürlich für Gipfel ein Reim, nichts aber war einfacher! – Da aber ein Ungeheures, Großes ruht – der Weltenlauf in diesem Sinne – so ruht es unter den Wipfeln der Weltenesche Yggdrasil. Ich glaube, dann rundet sich das Bild doch ab, ja?

In meinem «Herbstgesang» mißfällt Ihnen der Reim: alabastern – Lastern – Astern.

I. *alabastern*: Im Herbst stehen wir bleich und blaß, haben die Farbe des Frühlings u. Sommers verloren – wie im Leben die Farbe und Frische der Jugend. Mit Sorgen, Tiefen, Schuld beladen, aus Wirren – mit ein wenig Angst sehen wir dem Herbst entgegen – (dem Lebensherbst) doch aber hoffen wir auf Versöhnung mit dem Sein und Nichtsein: *Vertrauend aus verirrten Lastern*

II. aber – der Tod, dieses Nichtsmehrwissen, versöhnt: gütig und milde lächelt uns die Farbe der Aster, der Herbstblume –

III: *und gütig lächeln uns die Astern – – –*

Ja, obgleich ich mich so wütend verteidige: Recht haben Sie doch! Und dafür, daß Sie mir das so fein und schön gesagt haben – dafür danke ich Ihnen! Viele, viele Male!!!

Sie haben Recht: Dieses gräßliche Zeit- u. Modewort Selbstzucht kann man sich nicht genug zu eigen machen und es verbinden mit: Willen, Arbeit, Formwillen, Beherrschung und – Können endlich.

Nochmals 1000 Dank! Obgleich ich eigentlich den schon angekündigten Brief schon auf der Feder habe – es ist so furchtbar spät nein: *früh* – und ich glaube, Sie können auch gleich nicht mehr! Rings um mich her wird es schon Morgen.

Aber wenn Sie glauben, bald wieder 7 Seiten schlechte Schrift verarbeiten zu können, dann sagen Sie mir bitte sofort Bescheid, damit ich es auch an Sie loswerden kann!

Nun nochmals vielen, lieben Dank – (und nicht böse über «Aline» sein!)

Viele recht recht schöne und herzliche Grüße

von Ihrem Wolfgang

AN WERNER LÜNING

Im August 1940

Hallo lieber Werner,

sei zuvor tausendmal bedankt für Deine netten, kleinen Sendungen. Aber sag mal, das kostet doch auch schnödes Geld – wie soll ich das denn wieder gutmachen? Wünsch Dir was – – – Inzwischen hab ich im ersten halben Jahr meiner schriftstellerischen Produktion 4 Gedichte in den Hamburger Zeitungen gehabt. (Reinertrag: 35.50) Für den Anfang ganz nett, wenn ich nicht trotzdem und gottseidank unzufrieden wäre mit mir! Aber – warte nur – balde – es wird schon werden!

Bei Gmelin mache ich gerade in komisch. Ich habe gar nicht geglaubt, daß ich sowas auch kann – aber er hat sich tot gelacht. Ansonsten, so sehr man sich nach innen zurückzieht, kann man doch nicht *sein* Leben leben.

Sobald ich ein Weibchen für Dich aufgegabelt habe, bekommst Du Nachricht, aber Geduld. Warum, das wollt ich schon immer wissen, bist Du eigentlich so ein Weiberhasser? Die Männer sind doch viel ekliger, gröber und brutaler! (man darf natürlich nicht diese ollen Zicken bei CB usw. ansehen. Aber ich meine, Ziemer, Kilian, Heinrich sind auch keine Idealgestalten: Ganz im Gegenteil!!! Kilian hat sich übrigens ausgemuschelt, sich hingelegt und ist tot gegangen. Das war das beste, was der Mann tun konnte. Die Dicke ist auch – nach einer schönen Szene – weg von uns. Sie hat dem Alten allerlei Kleinigkeiten unter die Nase gehalten, worauf er sie verprügeln wollte – hierauf ging sie auf ihn los. Er ging in Deckung, drohte mit Kündigung, sie mit der Arbeitsfront! Es war zum heulen – – –

Die neue Spielzeit kömmt auch wieder in Gange!

Und was machst Du? Ich wünsche Dir nur, daß Du «unbehelligt» einmal *Dein* Leben beginnen kannst, und zwar so, wie Du es willst und es für gut und schön erachtest!

Für heute bleibe ich

Dein Wolfgang

AN RUTH HAGER

September [1940]

Meine liebe Ruth,

es sollte immer schön zwischen uns bleiben – nun aber sind wir doch an etwas Häßliches gestoßen. Aber wir wollen versuchen, es so schnell wie möglich fortzuschaffen, nicht? Wir sehen einander so, wie wir uns sehen wollen, nicht – wie wir sind. Du kennst mich doch viel zu wenig, um enttäuscht von mir zu sein, Ruth. Was Du in mir auslöst durch Deine Nähe, Freundschaft usw. das ist doch nur ein Teil von mir – wenn auch vielleicht ein schöner, guter. Doch nun zu Vera – ich habe nie gedacht, daß wir beide darüber noch einmal reden würden. Du kennst sie doch ganz anders als ich – Du siehst sie mit Deinen – weiblichen – Augen. Ich kann Dich verstehen – Ihr paßt nicht zusammen, Du magst sie nicht: aber warum? Ist sie schlecht? – Ach Ruth, ich fürchte – dann würdest Du am liebsten gar nichts mehr mit mir zu tun haben wollen, wenn Du wüßtest, mit wem ich sonst umgehe – ja, wie ich *auch* bin. Ich glaube kaum, daß Du noch Wert auf eine Freundschaft mit mir legen würdest, wenn Du nur etwas mehr von mir u. meinem Leben wüßtest – höchstens wenn du mich liebhast, mir helfen wolltest – aber das ist ja nicht so. – Ich habe meine innere Revolution in folgende klare Synthese zusammengefaßt:

Ich muß steigen, um zu fallen – fallen, um zu steigen. Und wenn ich falle, ist es mir gleich, an wen ich mich halte – woran ich mich klammere. Verstehst Du das? Und Vera löst eben ganz etwas anderes bei mir aus als Du. Oder meinst Du, daß ich hier um das betrogen werde, was zwischen uns so schön und (immer noch?) fest ist: Vertrauen? Enttäuscht werde ich immer – und das ist endlich gut so!

Ruth – Du weißt, was ich von Dir halte – wenn Du aber meinst, mir raten, mich warnen zu müssen: bitte bitte tu es! Wir können uns doch alles sagen?! Ja? Ich habe Dir immer alles gesagt – Nun ist es an Dir! Ich bitte Dich darum, Du!

Vielleicht trägt dies dazu bei, daß Du mich u. das mit Vera etwas milder ansiehst: Es war so weit mit mir, daß es fast aus war – innerlich u. äußerlich ganz unten – was sich endlich in meiner kürzlichen Krankheit gipfelte: sie war nämlich weiter nichts als ein regelrechter Nervenzusammenbruch. (Trinken, kein Schlaf u. Überarbeit mag auch seinen Teil daran haben.) Und wer hat allein an mich gedacht, ohne etwas von mir zu haben? Wer hat mir 2 wunderschöne Bilder geschickt und Briefe geschrieben, als ich krank war? – Vera! Das gilt nicht Dir – Du bist noch zu jung, um Dich *über* Dein eignes Leben mir widmen zu können. Ich bin ein Bekannter von Dir – alles.

Sieh mal, ich kann keine Menschen gebrauchen, um die ich mich kümmern muß – nur solche, die sich um mich kümmern. (Das tut Vera.) Helfen kann ja doch keiner u. Liebe gibt es nicht. Aber so ein ganz wenig bei jemandem aufgehoben sein – das ist doch etwas.

Du, Ruth – das kann ich bei Dir alles nicht haben, weil das, was in mir für Dich ist, doch wohl in irgendeiner Form immer Liebe sein wird! Dieses andere Mädchen, wovon ich Dir erzählte, war noch viel schlimmer als Vera, sie «hatte» unzählige Männer, Liebeleien usw. Daß sie aber trotzdem immer für mich da war – und ganz! – war ihr Wert für mich. (Sie heißt übrigens Heini u. ist jetzt *weit* weg!) Sie – und auch Vera – sind Pole, zu denen ich immer wieder aus allem Erleben u. allen Wirrnissen zurückkehren kann. Bei Dir ist alles so anders: Du erfüllst mich mit so viel Schönem – und Schmerzlichem. Ich wünsche mich immer zu Dir – und immer, wir hätten uns nie kennengelernt.

Aber das ist alles uninteressant für Dich. Du lebst Dein Leben – ganz fern von mir! – und willst mit meinem gar keine Berührung haben. Du tust Recht.

So Du, Du sollst nicht wieder so einen gräßlichen Brief von mir haben – aber es mußte ja heraus. Auch bei Dir ist ja alles gut aufgehoben.

Schreibe mir doch recht recht bald! Ich warte so sehr darauf!

Denk nicht allzu schlecht von mir, Ruth,

und sei viele Male gegrüßt

von Deinem Wolf

AN WERNER LÜNING

September [1940]

Lieber Werner

Alter Krieger –

noch immer zehren wir von Deiner Verpflegung – Du wirst sicher in unsere Familiengeschichte eingehen!

Deine Zeitschriftenwünsche habe ich der Woltmännin übergeben, sie muschelt ja jetzt wieder bei uns, das weißt Du wohl? Was von Maugham noch da ist, siehst Du auf beiliegendem Zettel. Nichts. (2 hab ich allerdings doch noch gehamstert: «Fernando» – und ein anderes, das Thurmännchen mir geklaut hat mit dem Versprechen, es an Dich abgehen zu lassen, sobald sie es gelesen hat. Sie wird ja wohl – – –

Ich habe von John Cowper Powys gelesen «Wolf Solent». (3 Bd. bei Zsolnay) Seit langem las ich mal wieder einen Roman – und er hat mir doch recht gut! gefallen. Jetzt les ich gerade «Neu Amerika» – vieles gefällt mir sehr gut. (Faulkner hat mich enttäuscht – kann aber an der Übersetzung liegen. Ich möchte aber mal die Lyrik dieser Leute lesen – einige haben ja welche geschrieben – ob es die wohl auf Deutsch gibt?

Das «Reich» ist wirklich ganz außerordentlich! Und Mut haben die Leutchen da. Z. B. am Ende einer Kritik vom Schillertheater, wo ja George den Laden schmeißt, schreibt da einer: Wir wünschen uns von dem Ensemble eine deutlichere und gepflegtere Aussprache!!! (Zu schön!!!) Auch sonst hat das Blatt ein erstaunlich hohes Niveau – vielleicht schicke ich mal was hin.

Ich wühle augenblicklich in Arbeit: Rollen Rollen Rollen !!!!! Oswald, Homburg, Franz Moor, Truffaldino («Diener 2er Herrn»), Prinz Gonzago («Galotti»), Tasso, Dubedat («Arzt am Scheideweg»), Dauphin («St. Joan» – Shaw), Prof. Higgins («Pygmal.») St Just («Dantons Tod»), Peer Gynth, Clavigo and so on.

Den Anfang von «Peer Gynth» finde ich wunderbar – nachher kann ich nicht mehr mit: Warum der Reim? Es rutscht soo oft ins Lächerliche – dann die norwegische Flagge – die Szenen in Afrika usw. – verstehe ich nicht. Kannst Du mir das erklären – vielleicht trifft er hier die nord. Seele gut, die mir wohl fremd ist.

Die Bücher, die jetzt erscheinen, sehen alten Schwarzbröten und Kistendeckeln nicht unähnlich – so ein Mist!!! (Inhalt und Einband)

Glaubst Du an Gott?

Elna hat mir ein Bilderbuch von Gösta Ekman besorgt – unzweifelhaft eine interessante Erscheinung, vielleicht ein wenig zu hübsch und zuviel Pose – aber gut gut gut!!! Mittelding zwischen Kainz und Gründgens. Schade, daß sowas stirbt, während Millionen Halbidioten, Wilde und sonstige Mitbürger so ganze 80 Jahre dahinvegetieren!!! Verkehrte Welt!!!

Verfilmt wird «Rose Bernd» mit Biggy – Gründgens dreht einen Cäsar-Film – spielt selbst den Cäsar!!! (Mit den Italienern zusammen!!!) Aber die Filmleute nehmen immer den Mund sooo voll – nachher bleibt die Hälfte weg. Rudolf Forster ist wieder da – na ja, jetzt haben wir ja auch bald gewonnen. Aber es [ist] ein doller Typ – nicht schlecht als Erscheinung!!! Albers als Trenck war gar nicht sooo schlecht.

«Wesen und Aufgabe der Dichtung» – bei Hauswedell hast Du doch? Ich war begeistert!!! So muß es sein: Kurz, klar und tief! Ausgezeichnet ...

So, mein Lieber, jetzt kann ich nicht mehr – ich hatte nämlich einen kleinen Nervenzusammenbruch und bin noch nicht ganz wieder obenauf – es war ziemlich schlimm.

Laß es Dir gut gehen und sei recht herzlich gegrüßt
von Deinem
Wolfgang

AN RUTH HAGER

im November [1940]

Meine ganz furchtbar liebe Ruth,
nun haben wir uns ja doch noch gesehen und ich freue mich, daß Du wieder allright bist. Wenn Du wüßtest, wie froh und leicht Du

mich immer machst, würdest Du Dich mir nie mehr vorenthalten! Aber es wird schon noch kommen!

Was hältst Du davon, wenn wir uns am *Mittwoch* – diesen! – um 6^h treffen und zwar unten drin im *Hudtwalker Bahnhof* – wir können ja «innen» Stadtpark oder so gehen, damit Du in der Nähe Deines Hauses bleibst – aber bis 8^h wird man uns wohl in Ruhe lassen: Das sind mindestens also 2 Stunden! – wir wollen doch mal sehen, wie lang 2 Stunden sein können! Wenn Du nicht kannst, stecke spätestens Dienstag abend eine kleine Karte in den Briefkasten, die ich dann Mittwoch noch bekomme. Aber es wird wohl nicht nötig sein – *und*: ich muß einmal wieder mit Dir zusammen sein und lachen und still sein: Das ist soooo schick!!! Ach Kind, ich hab soviel auf dem Herzen, was wir alles bereden und beschweigen müssen – –

Mädchen, Mädchen – wenn du nicht *kömmst*, bring ich erst Dich und dann mich um! Wär vielleicht gar nicht so schlecht, wenn wir «Hand in Hand» abhauten! Na ja, wenn es noch nicht geht, ich geh doch noch mal mit Dir auf und davon irgendwohin! (Kommst Du mit? Klar – ich sehe Dein weibliches Lausbubengesicht lachen!) Natürlich wird das ganz wunderbar lieb und auch toll – je nachdem, wie wir wollen!!! Ich finde, Mittwoch legen wir uns schon ein Programm für «*unser*» Leben zurecht – und so weiter!

Du, Ruth –
wir wollen es uns immer schön
und lieb machen, nicht?

      Eine gute Nacht
      wünscht Dir Dein böser Wolf

Nicht über den Brief schimpfen!

AN WERNER LÜNING

im November [3. 11. 1940]

Mein lieber Werner!

Nun sollst Du endlich einen Gruß von mir bekommen! Aber die Zeit, die Zeit! Durch Zufall und den guten Schutzumschlag nahm ich von Erskine, «Kurzes Glück des François Villon» mit zum lesen. Es hat mir eigentlich gefallen – hierauf kaufte ich mir Villons Dichtungen bei Callwey: gut aufgemacht! (Die Ausgabe von Hauswedell werde ich mir auch noch zulegen!) Villon ist fast ein Idealtyp eines unbürgerlichen Geniemenschen! Ein Freund – wenn auch ein toter!

Auf Veranlassung von Herrn Öttinger – Vertreter bei S. Fischer, Ellermann und Lambert Schneider!!! – bekam ich die neuerschienenen weltlichen Gedichte von RA Schroeder umsonst vom Verlag überreicht! (guter Einband, Druck u. Papier) Ich habe mich natürlich wahnsinnig gefreut!!!

Stave kenne ich auch – habe sogar mal bei ihm Unterricht gehabt in der Schule! Lang, lang ist's her – – – – – – – –

Neulich erzählte mir ein Soldat aus Holland, daß er sich dort noch *sämtliche* Phaidon-Ausgaben gekauft habe!!! Ich bin grün vor Neid geworden! in Dänemark gibt es wohl nichts mehr davon? Am meisten reizt mich die Weltgeschichte des Theaters von Gregorovius. In Hamburg hat sie kein Schwein mehr!

So, lieber Werner, laß es Dir gut gehen
und sei gegrüßt von Deinem
Wolfgang

AN WERNER LÜNING

7. 11. 1940

Lieber Werner,
da ich nicht weiß, wie weit Du mit solchen Nachrichten versorgt wirst, will ich sie Dir schicken.

Sondermeldung:

endgültige innere Trennung von Rausch (alias Benrath), Georges Stefan, Hofmannsthal – Selbige erkläre ich für senile, schöneworteredende, nie richtig gelebthabende, sich nur auf Gutshöfen u. Schlössern rumtreibende, befrackte, hohle und äußerliche, dunkel seiende und tief wirken wollende, mit dämonischen Genieaugen rollende, mit Künstlerlocken tollende, mit der Arbeit schmollende, von sich geschwollene Süßholzraspler!!! Rilke, der beinahe dazugehört, ist aber doch ein *Dichter*!

Gruß

Wolfgang apostata

AN WERNER LÜNING

3. 1. 1941

Lieber Werner!

Zunächst wünsche ich Dir noch nachträglich ein recht frohes und hoffentlich erfolgreicheres Jahr! Wann wohl endlich die Zeit kommt, wo wir einen geregelten Verkehr, der wohl meist brieflicher Art werden würde, beginnen können?

Wie hast Du Weihnachten verbracht? Ich kombiniere: Bücher, Bücher, Bücher – – – Oh, ich habe jetzt genau das Doppelte der Anzahl, die Du bei Deinem Besuch vorfandest, denn ich habe mir zwei Bücherborde neu zugelegt und beide sind gestopft voll. Es gibt nichts schöneres – – –

Bei C. B. bin ich auch die längste Zeit gewesen!!!!!!!!!! Du weißt wohl, was das bedeutet! Kind, bin ich froh – eeeiiinnn Glück!!! Nun lerne ich Rollen über Rollen. Für mein Abschlußexamen haben wir folgende Rollen und Szenen ausgesucht: (4 Rollen und 4 Szenen sind Pflicht)

Rollen	*Szenen*
Franz Moor *(Räuber)*	Oswald *(Gespenster)*
Clavigo	Der Prinz *(Emilia Galotti)*
Marchbanks (Shaw, *Candida*)	Truffaldino *(Diener zweier Herrn*
Leonhard *(Maria Magdalena)*	Der Dauphin (Shaw, *St. Joan)*

Außerdem habe ich noch auf Lager folgende Rollen:

St. Just (Büchner, *Dantons Tod*)	Fiesco *(Verschwörung – – –)*
Hamlet	Richard II *(Shakespeare)*
Mortimer *(Maria Stuart)*	Mephisto *(Faust)*
Peer Gynth	Moritz Stiefel (Wedekind, *Frühlings Erwachen*)

Wenn ich diese Prüfung hinter mich gebracht habe, bin ich Staatsschauspieler und Generalintendant in spe! Es wird toll. Aber es
kömmt darauf an, wie die Aussichten sind, wenn wir nach der
großen Frühjahrsoffensive im Jahre 2000 ergraut nach Hause ziehen ...

AN VERA MOHR-MÖLLER

[12. 1. 1941]

Meine süße kleine Vera!
Heute morgen habe ich Deine Sache in der DAZ bekommen und
mich sehr gefreut. Ich bin riesig stolz auf *meine* Vera – denn ich
bilde mir ein, daß *das meine* Vera ist! So – Die Wiedergaben der
Bilder waren sehr geglückt und auch der Artikel sehr nett – und
dann in *sonner* Zeitung, und in *sonner* Aufmachung! Tolle Person!
Sowas!

Kritik: Da Du aber über Dein Leben nichts hergibst – gut so! –
hätte er ein wenig mal in die Tiefe gehen können. Aber das bleibt
für mich nach, nicht? Klar! In genau 5 Jahren fangen wir damit an:
Rembrandt Vg. Dann ist es hohe Zeit!

Was Du kannst und denn soo bescheiden! Ich werde etwas
schreiben, das sich gewaschen hat! Hat Vietta eigentlich jemals
auf Deinen Brief – von wegen Büste und so – geantwortet? Der
Maiop! Na warte! Warst Du schon in der Breitach-Klamm? Muß
da sein in der Nähe – ich war in!

Lunge + Herz tut mir weh. Demnächst kommt Perle Irmgard
Dir nach! Ätsch!

Was machen überhaupt Deine beiden kleinen Ableger? Die süs-
sen!

Das Märchen kommt bald!

Heute nachmittag war Aline bei mir zum Tee und da hab ich ihr Deine Sachen, besonders Bali-Mädchen, vorgeführt: Sie war weg! So hab ich sie noch nicht gesehen!

Sie versteht eine Menge davon, hat Kunstgeschichte studiert: will also was heißen! Wir haben uns 3 Stunden über unterhalten!

Jetzt sitze ich vor einem steifen Grog im Morgenrock, Pfeife und Schal und friere!

Aber: Ich brauche keine Kohlen!

              Ich brauche keine Brikett!

              Ich brauche nur eine kleine süße Frau im Bett!

Melodie: Ich brauche keine Millionen –

              (Rudi Godden ist auch tot)

Heute nacht verschied
an einem Blasenleiden
meine innig geliebte
teure (!) Hatsche!

---

     ja, meine Hatsche-Pfeife ist geputt!

Hatte wohl Blase im Kopf – einfach gesprungen! Kommt in Vera-Mappe! (lieb, daß Du noch wußtest.) Und armer Junge hat gar kein Geld – – –

Wenn ich Dir unser Märchen schick, schickst mir dann eine? Bitte, bitte – Du Große!

Hiermit gebe
ich meine Vermählung
bekannt mit meiner
2. Frau: Vera (Pfeife geb.)

     Wäre doch drollig!
     (So ein Kerl!)

Was machst Du eigentlich an den langen Abenden? Denkst an
mich? beim Lesen? Ich denke immer an Dich, immer u ewig! Und
wie weit ist das Märchen? Ich seh Dich immer vor mir sitzen, und
in der Hotel-Halle in der Esplanade darüber reden! Sowas Liebes!
Vergeß ich nie!!!

Mensch Vera, ich brauche Geld! Pinsel doch mal zu «Arti
+ Mira» was oder geh mit einem Verleger zu Bett: Ich brauche
Geld und Ruhm! Ja!

Auf dem Gedicht-Abend werden von Alke Krogmann auch
Ged. gelesen. Und Ännchen Bruckmann geigt – kennst Du
sie?

Nein, geh blos nicht zu Bett: Ich könnte wochenlang weinen!
Hab nur so gesagt – Du brauchst ja auch nur zu plinkern, und alles
läuft!

Anbei 2 Klein Erna Witze für 3. Band und Chanson mit tollem
1. u. letzten Vers – ich fand ihn ganz gut! – aus einem Stück, über
das ich Dir noch schreibe.

Gute Nacht, Du Süße,
morgen (Sonntag) mehr!

AN VERA MOHR-MÖLLER

Sonntagabend [19. 1. 1941]

Meine Hatsche!
Heute morgen war ich bei Harald Kreutzberg! (Ich hatte Bobby
auch eine Karte hingeschickt, er ging aber ins Hanke-Quartett
und schickte eine Dame – war auch ja ganz richtig so.) Ich wünsche uns, daß wir beide noch einmal zusammen HK tanzen sehen
dürfen: Das ist so einmalig, edel und genial, daß Du es nie vergessen würdest. Und es würde bestimmt auch – Hauptsache! – auf
Deine Arbeit Einfluß haben. Wenn es Dich nicht langweilt, will
ich Dir kurz etwas darüber schreiben. Hör zu:

Wieder starrte ich gebannt auf seinen schmalen, kahlen Kopf –
er stand, nur der innere Atem durchwogte ihn, regungslos auf der

Bühne, wie ein Gott-Dämon. Er ist tatsächlich einer der ganz Großen in der Welt – selbstverständlich *nur* l'art pour l'art! Einer von uns, einer von den ewigen Göttern!

Als eines der ersten Sachen tanzte er – ich glaube, es ist eine Neuschöpfung: «Feldeinsamkeit» von Brahms und «Widmung» von Schumann. Beides ganz verinnerlicht, sehr musikalisch: eine gedämpfte Gefühls-Expression. Seele.

Dann als 4. Tanz, in einem grau-schwarzen Kostüm – (Schon die Kostüme sind einzigartig, originell und genial) [er war früher Modezeichner, eigne Entwürfe] «Apokalyptischer Engel», Musik von Wilckens, seinem ständigen Begleiter, der auch eine Reihe von Tanzdramen u ähnliches geschrieben hat. (Sehr gut.)

Hier war er ganz der Welt größter Tänzer: diese Größe der Gebärde, diese Mimik in einem edlen, fast faltenlosen Gesicht! Dieser apokalyptisch-dunkel und feierliche Aufruhr des Geheimnisvollen – eine nahezu äg. Melodie war in seinem großen, raumzwingenden u bannenden Schritt!

Was Gottfried Benn als Lyriker ist (neben Rilke mein Freund, verboten!), ist H K als Tänzer: Sein Tanz ist eine vulkanisch-kosmische Ausschleuderung des Horus, der Seele – in eine getanzte Vision, formvollendet geballt!

Dann sehr lieb und süß von Mozart: «Verliebter Gärtner». (Kennst Du?)

Dann erhaben und wahrhaft königlich von Reger: «Königstanz», in einem wundervollen, von Altgold verbrämten Kostüm. (Beim Theater liegt die Zeitlosigkeit des Kostüms in seiner Stilisierung, in seiner Knappheit, auch der Maske.)

Dann sehr ausgelassen, und von vagantenhaftem Zauber und sehr komödiantisch: Smetana: «Vagabundenlied».

Vorher auch recht gut: «Pan». Am meisten angetan war ich von dem letzten Tanz – siehe auch beil. Gedicht –: «Orpheus klagt um Eurydike» von Wilckens. H K hat es hier fertig gebracht, den Rilkischen mit dem griechischen Orpheus zu vereinen. Er war ganz Klage, Leib gewordene Trauer. Das Seelisch-Wesenhafte des Schmerzes, die Ohnmacht gegenüber dem Unabwendbaren: ganz ganz wundervoll. Und nachdem er *alles* stumm-schreiend ausgetanzt hat aus den Tiefen des menschlichen Empfindens, schließt er die Augen und Mund in der götterähnlichen Höhe und Größe der Erkenntnis und wird so der Anfang, Ursprung und das Wesen alles menschlich-göttlich Schöpferischen: Ewige Sehnsucht! (Voilà – un dieu!)

Als endlich der Eiserne Vorhang runtergerattert war, haben wir noch endlos dagegen gedonnert, um ihn immer wieder noch mal zu sehen. Dieser innere Höhepunkt ist jedes Jahr fast das schönste Erlebnis für mich! Einmal werden wir das zusammen genießen! Du! Nachher sind wir im Schneesturm über die Alster nach Hause gegangen – ich gehe zum Unterricht immer so und komme so jeden Tag bei Dir vorbei.

Nun ist es schon wieder sehr spät und ich denke mit Ungeduld an den Tag, wo ich endlich auch richtig losarbeiten kann. Theater u Schreiben – ohne Hemmung in der Zukunft wie jetzt: Frei sein! Und für Dich arbeiten und etwas werden, das treibt mich immer weiter! Deiner Liebe wert werden! So, daß Du Deine Freundschaft an einen Ebenbürtigen, nicht an einen kl. DuJu verschwendest. Denn ich komme mir vor Dir immer ein wenig winzig vor. (Muß ich?) Aber ich will! (*und ich arbeite auch!!!*) Denn: ich hab Dich lieb!
Viele liebe Grüße
von Deinem
KleiFerWo

Wieder son schlimmen Schluß! *Nicht* kleinen Dämpfer aufsetzen! Bist lieb!

AN VERA MOHR-MÖLLER
[21. 1. 1941]
[Anfang fehlt]
Ich komme eben nach Hause: Shakespeare-Premiere im Altonaer Theater! «Der Widerspenstigen Zähmung». Wieder ein unvergeßlicher Abend! Schade, daß Du nicht bei mir warst!

Hätte ich heute meine Prüfung machen sollen, ich wäre durch-

gefallen! Vollkommen down – Stimmung und Befinden gräßlich!
Müde und «gläsern».

Morgen früh geh ich zu Generalleutnant v. Heineccius wegen
Rekl., da mein Gesuch scheinbar nicht rechtzeitig da ist. Diese
Behörden! Die Militärbehörden sind am schlimmsten – Pfui Teu-
fel mit dem ganzen Kram! Ich hab das gründlich satt!

[…]

Der Glaube an Dich läßt mich alles tragen, ja: er trägt mich
ganz! Er gibt meinem Tun erst einen Sinn. Wenn Du Dich mir
entziehst – enttäuschen kannst Du mich nie! – bricht mein Ich hohl
und zwecklos zusammen vor Öde und Qual. Ich glaube an nichts,
als an Dich, denn Du bist alles: Liebe, Leben, Augenblick, Ewig-
keit, Kunst!

Du bist sicher über mein Pathos neuerdings erstaunt, aber keine
Angst: es ist nur die Flucht vor der grauenhaften Trostlosigkeit
und Leere dieser Welt! Ich muß mich berauschen, um nicht zu
verzweifeln! Und Du verstehst mich.

Ich habe «Insel der Dämonen» gesehen! Nicht zu beschreiben! Alles, was ich über d. Bali-Mädchen gesagt habe, könnte
ich nur wiederholen. Und Du hast neben mir gesessen! – Zum
Februar kommen meine Eltern wieder, fahren aber bald wieder
ab.

Ich habe Angst, daß man mich trotz Reklamierung einzieht:
Diese Beamten! Wenn man schreien würde: Die Welt geht unter!
würden sie auch sagen: Tscha! Da müssen Sie den Dienstweg einhalten! Tod dem Spießbürgertum! «Ich hasse den Gehorsam und
liebe die Freiheit! mit mir marschiert die Revolution!»

Für heute: Gute Nacht, Hatsche!

[…]

Ich habe bisher drei dramatische Arbeiten zuwege gebracht.
Mit 17 Jahren eine wüste Tragödie: «Yorick der Narr» – mit
18 Jahren die Komödie «Käse» und das Drama «Granvella». Das
erste war wüst, weil ich zu jung war, das zweite war staatsfeind-
lich, das dritte in 3 Tagen geschrieben und ebenfalls der heutigen
Zeit contrair gestimmt. Ich gab es auf und machte in Lyrik – ohne
aber im Inneren das Drama aufzugeben. Im Gegenteil war alles ein

Warten bis auf den Tag des Herrn! Stoffe waren genug da – es fehlte bloß die innere Vision und Explosion.

Endlich ist es soweit. Meine mir bevorstehenden zwei Jahre kommen mir als Arbeitszeit gerade recht: Diesen Zwang brauche ich hierzu.

Hör zu. Äußerer Stoff: Hyperion und die griech. Befreiung.

Innerer Stoff: Aufbruch der Jugend. Der Handlungsaufbau ist fertig, ich bin schon dabei. Hin und wieder werde ich Dich um Rat fragen und eine Szene schicken. Auch bist Du meine Diotima – wenngleich sie in dem Schauspiel nur eine Ophelia ist.

Der Anlaß bist Du. Hätte ich Dich nicht mit Diotima verglichen, wärst Du nicht mit mir in den Schillerfilm gegangen, wäre ich nie darauf gekommen. Jetzt ist es aber da und es gibt nichts anderes mehr. Wenn es Dich interessiert, will ich Dir bald mal kurz die Handlung auseinanderpulen.

[...]

So – nun sind es ganze 15 Seiten und ich kann gar nicht mehr. Schrift ist ziemlich konfus – liegt an allem: Entschuldige bitte.
Du schicke Vera –
es grüßt und küßt Dich ganz viele Male und ganz leise
Dein ganz weitabher
DuJuWo
Behalte mich lieb!

Eben Gestellungsbefehl für 4. II. erhalten!
Wann erscheint Viettas Buch?

AN ALINE BUSSMANN

17. II. 41

Meine liebe, liebe Aline!
Alles Gute, Liebe und Schöne wünsche ich Dir zu Deinem Geburtstag, alles! Oft bin ich bei Dir – heute den ganzen Tag. Das ist ein wundervolles Glück: Ich brauche nicht aus mir heraus in etwas

Fremdes, ich ziehe mich nur ganz tief und still in mich selbst zurück und lausche nach innen – und da bist Du.

Die ganze leere, laute Herrlichkeit der Welt wird umso bedeutungsloser und nichtiger, je mehr wir uns in uns selbst versenken. Nach außen können wir nur noch einen ganz kleinen Kreis ziehen. Alles ist schal. Nur in uns wird uns alle Seligkeit!

Diese Zeit wird mich nicht niederzwingen: Meine Seele enflieht in die Reiche meiner Phantasie – und da ist Liebe, Größe, Kunst und Schönheit. Angst habe ich nur vor der müden Melancholie und der hamletischen Resignation, die mich ja doch befallen wird: Die Freiheit ist tot! Alle Freiheit – Wohl haben *wir* unser inneres Reich – aber woran sollen wir noch glauben? Gottfried Benn hatte doch recht:

Fratze der Glaube,

Fratze das Glück –

leer kommt die Taube

Noahs zurück.

Da sitzen wir in Neros Mantel und singen – während alles versinkt und untergeht.

Doch das sind alles häßliche Geburtstagsgedanken, die nur noch trauriger machen. Aber zuletzt kann man doch nicht fliehen – wir leiden –

Aber ich weiß, daß ich in Deine guten Hände alles legen kann. Du bist so groß, daß Du mich noch mit trägst und tröstest. Und dafür habe ich Dich lieb! Schenken kann ich Dir nur heute: mein Vertrauen, mein ganzes und letztes Vertrauen. Und das ist auch kein Geschenk – sondern noch eine Last. Nimm also mein reinstes Gefühl zu Dir für diesen Tag – solange wir zusammenleben – also immer! Immer, Du liebe gute Aline!

Nun sind meine Gedanken bei Dir etwas heller geworden und ich kann an schönere Dinge denken.

Oh – wenn Du wüßtest, wie ich mich zu der Büste des Bali-Mädchens gefreut habe! Ich habe sie auch mit in mein inneres Reich genommen. Wenn Du mir eine Freude machen willst, schreibe mir mal, wie sie Dir gefällt. Sieh sie Dir aber vorher noch in Ruhe an – wenn Du in meinem Zimmer bist, werden wir eine geheime Zwiesprache vor ihr halten. Ich werde einen Augenblick lang nicht einsam sein – aber glücklich!

Ein paar liebe Menschen umgeben uns – sonst müssen wir uns innerlich berauschen, um nicht an der grauenhaften Trostlosigkeit zu zerbrechen. So kam das «Weltgefühl» zustande. Aber immer wieder zerrt man uns in diesen hirn- und seelenlosen Sumpf. Wie lange noch?

Nun verlebe einen recht schönen Tag und vergiß alles Graue der Welt – besiege es mit der großen Kraft Deiner guten, schönen Seele. – Behalte mich lieb, meine liebe Aline.
Es denkt an Dich
Dein Wolfgang

AN CLAUS DAMMANN

im Februar [28. 2. 1941]

Lieber Klaus,
sei bedankt für Deinen Gruß, der mich an unsere kleine schöne Stunde erinnerte.

Ich habe etliche Übersetzungen des «Impromptus» hervorgesucht – sowas läßt sich nicht übersetzen, nur höchstens nachdichten. Aber warum? Es ist so unübertrefflich schön. Eine nette französische Übersetzung von Verlaine kann ich Dir dafür empfehlen von sehr bekannten Schriftstellern wie Hesse, Schaukal, Klabund, Dehmel, Rilke – alles in einem Büchlein wundervoll ausgewählt: *Insel B. 394.*

Du hast recht – man darf sich nicht um die heutige leere, laute Wirklichkeit kümmern – vergraben, versenken müssen wir uns, den Traum der Seele träumen im Tempel des Geistes. Nur in uns wird uns alle Seligkeit! (Übrigens ist Hermann Hesse ein sympathischer Lyriker – ein Freund!)

Wenn Du wieder in Hamburg bist, mußt Du Dir in Altona den «Goldenen Dolch» ansehen – ein sehr stilvolles Schauspiel von Paul Apel von Art des «Hans Sonnenstößer», – und dann mußt Du unbedingt sofort zu mir kommen – es ist soviel zu bereden und zu zeigen.

Nachdem ich nun endlich doch festgestellt habe, daß ich ein
Gefühl besitze – und wie empfindlich – dämmert es in mir, daß ich
auch irgendwie eine Beziehung zur Natur habe, von der Blüte bis
zu den Sternen! (vielleicht ist es aber ein shelleysches!)
Dazu diesen «Salonvers» – (sonst liebe ich den Salon)

Tausend schöne Frauen
in tausend schönen Villen
können niemals, niemals
meine Sehnsucht stillen!

Dabei fällt mir unmotivierterweise ein, daß ich Spitzweg ko-
mödienhaft-reizend finde und neuerdings sogar zu Rubens einen
Weg gefunden habe, über Shakespeare.
Übrigens hat Rausch Chopin geliebt – Chopin war auch ein
«Salon-pianist». In der Länge aber ermüdet der Salon, weil er ver-
flacht.
Nebenbei habe ich mir fest vorgenommen und in den Kopf ge-
setzt, Deine böse Meinung von Shakesp. gründlich zu ändern:
Glück auf!
Ich wünsche Dir somit schöne Tage und wünsche mir, daß Du
an mich denkst – vielleicht auch schreibst – und bleibe
mit den besten Grüßen
Dein Wolfgang

AN VERA MOHR-MÖLLER
                                    Sonntag [23. 3. 1941]
Meine liebe, süße, kleine Vera!
Warum klein? Erstens rein äußerlich, denn ich bin schon wieder
2½ cm gewachsen und Du dürftest mir kaum nachgefolgt sein –
zweitens: habe ich beiliegenden Artikel zu Gmelins 50. Geburtstag in der Zeitung gehabt. Morgens um 6^h kam per Telegramm
eine Aufforderung zum Gespräch mit dem Anzeiger – bis um
½ 9^h sollte er fertig sein. Ich geschrieben und hin in die Stadt.

Dann – so was Aufregendes – schnell noch gelernt, wann Goethe gestorben ist und dann auf zur Prüfung. Unterwegs hab ich mir die Zeitung gekauft, war schon in. Dann noch schnell einen kleinen gesoffen und hinein in die Volksoper, wo Herr Leudesdorff, Legband usw. wie die Ölgötzen saßen. Na denn man zu: 20 Minuten (Clarence [Richard III.], Franz Moor, Clavigo) – und hurra! Es war geschafft! Lächerlich! Aber aufgeregt war ich fix – kannst Dir wohl denken! Was nun kömmt, muß ich erst mal sehen. Hauptsache: Dein Süßer ist endlich soweit! Was sagst nu zu Klein DuJu? Hast lieb? (ganz büschen – –) Anbei 2 Gedichte zum Teil an Dich – eins an Bali und an Bild einer malaischen Tempeltänzerin. (Süß) Anderes an d. Geliebten, die mir starben: Auch Du. Magst leiden? Ich finde, Du könntest mir nun gerne auch mal schreiben, hab schon wieder soooviel auf dem Herzen!
Bitte!
Bis dahin hat Dich lieb
Dein treu KleidujuWO.

AN WERNER LÜNING

(Sonntag) 23. 3. 1941

Lieber Werner!

Du grollst mir sicher sehr, daß ich auf solange Zeit einfach verstummt bin, aber ich konnte mit dem besten Willen nicht dazu kommen. Jetzt, nach siegreicher Hintermichbringung meiner Prüfung, habe ich gerade einen Moment Zeit. Ich hatte Dir doch schon geschrieben, wie gut mir Morgans «Quell» gefallen hat? Im Augenblick beglücken mich gerade die wundervollen französischen Lyriker der Dekadenz. Auch habe ich gerade die «Franz. Moralisten» gelesen: Oft sehr sehr nett und klug. Aber im Augenblick muß ich meine Bücherwünsche ganz zurückstellen, weil ich kein Geld verdiene. (Übrigens soll Wiecherts «Geschichte eines Knaben» sehr gut sein!) Wie geht es Dir, was machst Du und wo bist Du – und *was* bist Du?

Sobald ich Zeit habe, hörst Du von mir.
Bis dahin grüßt Dich
Dein (Staatsschauspieler in spe)
Wolfgang

Beiliegendes war am Tage des Examens – so eine Aufregung! Ich
war sozusagen im Zenit meines Ruhmes! (Oho)

Die kurze, wunderbare Theaterzeit 1941

Im April 1941 beginnt ein neuer Abschnitt in Borcherts Leben. Für zwei Monate geht sein langgehegter Traum, auf der Bühne zu stehen, in Erfüllung: Die in Lüneburg beheimatete Landesbühne Ost-Hannover, die die gesamte Region bereist, engagiert den jungen Schauspieler. Borchert spielt kleine Rollen in plattdeutschen Volksstücken und Boulevardkomödien, ist aber glücklich: Er genießt das Theaterleben. Es währt nur kurze Zeit: im Juni 1941 wird er einberufen zur Wehrmacht.

Zu den bereits bekannten Briefpartnern kommen der Lyriker Carl Albert Lange sowie – eine Bekanntschaft vom Lüneburger Theater – die Schauspielerin Heidi Boyes.

AN CARL ALBERT LANGE

im April [14. 4. 1941]

Lieber Herr Lange!

Da wir uns nun ja leider nicht mehr im Theater begegnen, möchte ich Ihnen doch aus Lüneburg einen Gruß schreiben. Ich bin hier an der Landesbühne Ost-Hannover (Intendant: Harloff) engagiert und kann – welch eine Seligkeit! – endlich Theater spielen. Wir haben einen recht anständigen Spielplan: «Krach im Hinterhaus», «Jugend» und «Die vier Gesellen». Die Landesbühne ist eine Art Thespiskarren: wir spielen jeden Abend woanders, mal in Winsen, Stade, Bremen, Suderburg, Cuxhaven usw. Also ein herrliches Vagabundenleben! Mit Bühnenarbeitern, Dramaturgen u Inspizienten sind wir wohl 20 Mann, die alle mitspielen! Von Juni bis Juli ungefähr machen wir eine Tournee nach Belgien mit «Krach um Jolanthe» auf hoch- und plattdeutsch. Die plattdeutsche Fassung sollen wir vor den Flamen spielen. Auf dieser Reise, so hörte ich, begleiten uns führende Hamburger Presseleute, um fortlaufend darüber zu berichten. Fahren Sie auch mit? Das wäre ja ein netter Zufall.

Mein Helmuth Gmelin hat in dem «Sünder und Heiliger» ja so einen schönen Erfolg gehabt – schade, bis jetzt ist es mir noch nicht geglückt, auf einen Tag nach Hamburg zu kommen, um es mir anzusehen. Und das Kaffeehaus in unserem reizenden Altonaer Theater werde ich nun wohl auch nicht zu sehen bekommen. Es wäre vielleicht ein kleiner Lichtblick gewesen – dazu in Altona!

Vielleicht aber wird uns noch ein neuer großer Morgen: Wenn die militärischen Energien und Kräfte der Welt ihre Arbeit geleistet haben und verpufft sind, vielleicht können sich dann auch einmal wieder kulturelle, künstlerische Dinge und Probleme soweit durchsetzen, so daß die Schönheit der Welt noch wieder erblüht, daß das Leben wieder seinen tiefsten Sinn bekommt. Aber, aber – – – So bleibt uns nichts, als zu warten, nach innen zu bauen, uns zu vertiefen, aufzuspeichern, bis endlich die Menschheit wieder reif sein wird für die Regungen der Seele, für die Kunst.

Meine lyrischen Versuche schweigen im Augenblick vorm Tempo meiner Lebensführung, aber bald werde ich wohl ein wenig Ruhe wieder dazu haben. In meiner Tasche trage ich immer die beiden Gedichte «Katze» und «Fliege» von Ihnen – existieren eigentlich Gedichte von Ihnen in Buchform? Und bei welchem Verlag?

Nun habe ich Sie schon länger als Sie Zeit haben aufgehalten. Ich wünsche Ihnen viel inneren Trost
und bleibe mit
recht herzlichen Grüßen
Ihr Wolfgang Borchert

AN CLAUS DAMMANN

[14. 4. 1941]

Lieber Claus,

many thanks für Deinen Brief und die Bilder. Das Balimädchen habe ich mir ausgeschnitten – jetzt ist es sehr süß. Also nochmals: vielen Dank!

Für ein Wiedersehen zwischen uns sehe ich black, da wir im Augenblick immer auswärts spielen und ich so keine Nacht vor 2^h im Haus bin. Aber die Hauptsache ist wohl, daß wir die Verbindung aufrechterhalten. (Scheußlicher Satz!)

A H Rausch ist bis Lüneburg noch nicht durchgedrungen – na ja.

Im Moment spielen wir von Huth «Die vier Gesellen», wo ich den Martin mit einem Kollegen teile (alternieren). Von Juni bis Juli geht es nach Belgien – Brüssel, Antwerpen: sehr schön. Ostersonnabend u Sonntag war ich in Hamburg (O weih!) und habe allerlei besorgt – unter anderem meine Lieblingslyriker eingepackt für meine reizenden 2 Zimmer:

1.	2.
Li-tai-pe	(Baudelaire
Verlaine	Trakl
Sappho	Hölderlin
Rilke	Villon
Benn	George)

und noch etliche andere schöne und für mich unentbehrliche Sachen.

Nächstes Mal werde ich Dir von meinen Umständen (!) berichten, jetzt ist die Uhr 11, und um ½ 12 fahren wir nach Bremen. (Heute ist Ostermontag.)

Bis dahin

laß Dich vielmals grüßen

von Deinem Wolfgang

Ich wohne Lüneburg

Adolf Hitlerstr. 9 bei Frau Köllner

(aber nicht weitersagen, *wem*, weißt Du ja!) W.

AN CLAUS DAMMANN

Sonntagmorgen [20. 4. 1941]

Mein lieber Claus!

Ja, es ist sehr schade, daß wir uns nun leider nicht mehr sehen können – dazu habe ich jetzt plötzlich 3 Rollen zu lernen bekommen.

Ein weniges von meinen Lebensumständen:

Wir fahren jeden Nachmittag mit unserem eigenen Riesenautobus mit Anhänger für Kulissen los – nach Celle, Ülzen, Winsen, Bremen, Cuxhaven usw. Meistens geht es schon am frühen Nachmittag los – und vor 2^h nachts sind wir nie im Hause. Das ist gewiß furchtbar anstrengend, aber es macht mir riesige Freude! Es hat noch einen Hauch alter Komödiantenromantik. Nun – und 10 Stunden nach unserer Ankunft in Lüneburg haben wir schon wieder Probe. Aber ich kann Dir nur sagen: ich bin ausgefüllt und glücklich, endlich Theater spielen zu können!

Daß ich zwei reizende kleine Zimmerchen habe, schrieb ich wohl schon?

Nun zu Deinem schönen langen Brief:

Wenn Du mir das «Postamt» schicken würdest, würdest Du mir eine große Freude machen. Schreibe mir bitte, wieviel Geld es gekostet hat.

Übrigens: Hast Du schon Bescheid, wann Du wegmußt? Medizinstudenten sollen ja irgendwie Chancen haben – – –

Und dann schicke mir bitte Sallets: «Don Quixote». Du weißt, wie dieses Thema mich aufregt! Vielen Dank, daß Du mich immer mit sowas versorgst.

Deine beiden Gedichte sind wie immer – (leider kann ich das nicht von mir sagen!) sehr klar und sauber in der Form – dabei tief und schön im Gedanken. Nr. X, aus den Verlorenen, gefällt mir am besten: um der Kamele Hals – – – Ferne ohne Ruh – – wunderbar, Claus! Sobald ich Zeit finde, werde ich Dich auch mal mit einem Gedicht von mir bedenken.

So, nun ist es ½ 11^h und um 11^h beginnt hier eine Morgenvorstellung im Kino: «Bali»!!! Ich sehe ihn zum 4. mal!

Laß recht bald etwas von Dir hören, lieber Claus!

Dein Wolfgang

AN CLAUS DAMMANN

[21. 4. 1941]

Mein lieber Claus!

Also: 1000 Dank für Herrn Tagore. Ich finde es ganz großartig, das «Postamt». Eine wirkliche Dichtung! Zwar kein abendfüllendes Theaterstück – aber ein lyrisches Spiel, wie man es sich nicht schöner denken kann. Und dann noch mit sooo einer Widmung! Auch würde man kaum einen männlichen Darsteller für diese Knabenrolle finden; man müßte also ein Weib nehmen. (Ruth Hausmeister vom Thalia Th. wäre schon ganz nett ...)

Wie ich mich zu Renée Sintenis gefreut habe, kannst Du Dir nicht denken, denn sie hat einmal einen Platz in meinem Innenleben ausgefüllt, dessen Leere mich heute noch oft schmerzt. Aber das gehört nicht hierher.

Nun zu dem «Don Quixote» des Herrn Sallet. Gut, sehr gut. Im ersten Augenblick kam es mir mittelalterlich und grob vor – dann erst kam ich hinein und fand es wunderbar:

Herrlich im ersten Teil der 3., 4. u 5. Vers!!! Der 2. Teil ist als Ganzes gut. Deine Entdeckung hat sich vollauf gelohnt, lieber Claus!

Nun Dein Gedicht an die Natur. Oh – das Problem überhaupt, Natur, und zwar das einzige, das wohl ewig ungelöst bleibt. Wozu auch lösen? Denn schließlich ist doch alles Natur, wenn wir es auch All, Leben oder Gott nennen.

Warum wollen wir uns um dieses schönste aller Geheimnisse ärmer machen, indem wir dieses Wunder zu erklären versuchen? Wir sind doch keine Wissenschaftler, keine Erklärer sondern Künstler, d. h.: Verklärer. Das zur Natur voraus – nun Dein poem: Herr Goethe und Herr Rausch haben zwar Pate gestanden (ist es so?), aber dennoch ist es Dein Gedicht, dazu noch eines Deiner besten. Es ist kein falsches Theater wie bei ..., aber ist ein Vers wie: Beugt sich nieder, drängt dann höher – nicht sehr goethisch? Es ist sonst so Dein eigen, warum nicht ganz? Aber Du weißt, wie wenig ein Anderer sich in Dein (od. mein) Inneres hineinversenken kann – also ist mein Urteil letzten Endes belanglos für das Gedicht. Aber gut (schreckliches Wort) ist es! –

Zu einer Auseinandersetzung mit Herrn Musset bin ich noch nicht gekommen, da Herr Gauguin mich ganz und sehr tief beschäftigt. «Noa Noa» ist einzigartig! Ich kann einfach nichts darüber sagen, weil ich ganz hingerissen bin. Toll! Gedanken und Stimmungen und Erkenntnisse – wie aus meiner geheimsten Seelenecke hervorgeholt – wenn *alles* vorbei ist, mußt Du es unbedingt lesen. Aber wann – – –

Das koreanische Symbol für M + W ist genial. (pardon!) Wie hast Du das entdeckt? Über diese ineinanderstoßenden Ringe kann man sich etliche Köpfe zerbrechen. Darauf müssen wir später noch mal kommen, denn mir scheint, daß hier eines der ungeheuersten Probleme auf die einfachste und klarste Formel gebracht ist.

Unsere Frauen hier, es sind alles Nutten wie alle Schauspielerinnen, haben etwas sehr Nettes (ein Wesentliches beim Theater überhaupt). Das Sexuelle ist irgendwie sehr im Vordergrund, aber doch durch eine Freiheit und Natürlichkeit zu etwas Selbstverständlichem und somit doch wieder Nebensächlichem geworden. Mit welcher Frau könntest Du Dich sonst *im Bett* über van Gogh oder Sappho unterhalten? Dafür gibt es nur ein Wort: Theater! Das ist das Schöne dabei – was Du bei anderen erst suchen mußt, Kunstinteresse, ist hier Voraussetzung. Was will man mehr – was gibt es mehr? Kunst – Leben – Theater – Natur – Eros: All! Wenn Du mal Zeit hast, kannst Du mir vielleicht eine nähere Definition des Absinth-Getränkes mitteilen? Wegen Herrn Musset und so.

Übrigens ist von dem Geld noch *50.–* flöten gegangen bei dem Saufabend mit Gmelin. Morgens um 4^h haben wir Brüderschaft getrunken. Es war toll! –

Hast Du noch was von Gauguin bekommen? Ich kam nicht mehr dazu. Vielleicht später. Nicht daß ich nichts mehr wüßte – aber das Theater ruft und ich muß aufhören, leider.

Vorläufig, lieber Claus, also

recht herzliche Grüße

von Deinem Wolfgang

(Ich freue mich schon auf Deinen nächsten Brief!)

AN VERA MOHR-MÖLLER

Lüneburg, 22. 4. 41

Meine liebe Vera,

da bei mir nicht geheizt ist, sitze ich hier in meinem Stammhotel und schreibe Deinen Geburtstagsbrief. Aber erst will ich Dir mal alles der Reihe nach erzählen:

Also nach meiner bestandenen Prüfung kam sofort der Intendant der Landesbühne Ost-Hannover, der Landesleiter der Reichstheaterkammer und engagierte mich mit einer Gage von 150.– und im Herbst 175.– an sein Theater in Lüneburg. Ich wohne also seit dem 3. April in Lüneburg, eine süße, alte Stadt, habe zwei reizende kleine Zimmer.

Tageslauf: morgens Probe. Nachmittags fahren wir fast immer los: Winsen, Celle, Bremen, Cuxhaven, Bardowiek usw. Spät in der Nacht, nie vor 2^h kommen wir zurück. Nachts im Autobus, wir haben einen eigenen mit Anhänger für Kulissen, wird dann nur gesoffen, sonst kann man diese physischen Anstrengungen nicht durchhalten. Was dann noch nachts gemacht wird, wo wir sowieso eine Familie sind, kannst Du Dir denken, denn unsere Frauen sind alles sehr nette – – Nutten! Du kannst Dir nicht denken, wie wohl ich mich fühle: endlich mein Leben!!! fragt sich nur, wie lange! Aber ich glaube an mein Glück – – –

Von Juni bis Juli machen wir eine Tournee nach Belgien: Brüssel, Antwerpen usw. Wenn ich mitkomme, habe ich eine Hauptrolle – aber ganz fest ist noch nicht. Aber alles in allem ist alles toll! Saufen, huren, spielen – Leben! Theater, es gibt nichts schöneres!

Und was macht meine kleine Vera? Denkst Du manchmal an Deinen kleinen Duju? Erzähl mir bitte auch alles, was bei Dir bisher passiert ist – hab solange nix von Dir gehört. Ich konnte nicht eher schreiben, dieses ist mein erster freier Abend. Irgendwie vereinsamt man innerlich, aber das Tempo und der Taumel dieses rauschenden Lebens läßt gar keine Zeit zur Trauer!

Was macht unser Märchen? Bitte, laß mich nicht solange auf Post warten!

Anbei Auszüge aus Gedichten, die alle Dir gelten und ein paar direkt an Dich, eigens for your birthday! Leider kann ich Dir nicht mehr schenken, da ich nun erst recht nie Geld habe – aber: ich habe Dich sehr lieb! Immer noch.

Was macht Deine Arbeit? Habe Sonntagmorgen hier nochmal Balifilm gesehen – keine Worte! Für sämtliche (fast) hamburger Freunde bin ich verschollen.

Nächstes mal schreib ich mehr, heute zu geputt.

So, meine Süße, geliebte, schöne

Hizie – Hatsche – Vera:

Viele 1000 Küsse und Glückwünsche zum Geburtstag (wirst Du 28?)

von Deinem

lie-klei-treu

DuJuWo!

Marken sind alle!

AN HEIDI BOYES

[wahrscheinlich 4. 6. 1941]

Meine liebe, liebe Heidi!

Wie ich heute morgen nach einer 3tägigen Hamburgtour nach Hause komme – übrigens mit viel Jazz, Sekt und Girls – finde ich Dein kleines Päckchen. Du kannst Dir nicht denken, wie! glücklich ich war! So was Liebes!!! Dein Bild erstmal: Die Kunst – das Leben! Ich füge hinzu: wir sind zwei! (nicht 4 – –) Dann der kleine Gruß dabei – Du Glückliche, ich Armer! – ja, u. Du fehlst mir!!! und dann war da eine kleine Blume drin – wird alles aufbewahrt, wie überhaupt alles von Dir: jeder Fetzen, jeder Strich – alles. Und dann – Du liebe Böse! – das Buch! Wie soll ich das wohl wieder gut machen? Du ganz Schlimme! [Extempore:] Es handelt sich ja gar nicht um den Knaben, der aus dem Traum seiner exotischen versunkenen Schönheit herausgerissen und in eine häßliche, laute Welt gestoßen wurde – es ist die Tragik jeder empfindsamen, künstlerischen Seele, die aus ihrem reinen Reiche des Äthers und der Phantasie und der Schönheit, der Kunst in eine fremde Welt gewaltsam gezerrt wird – entweder sie zerbricht oder sie kann siegen. Dieser Knabe war allein – wir sind aber nicht ganz so allein, wenn auch sehr einsam, aber wir wollen uns gegenseitig beistehen, nicht?! Vorläufig kann ich Dir nur viele viele liebe Gedanken als Dank schenken – u. viel Liebe!!! Ich habe noch mal über Rollen für Dich nachgedacht: Du kannst aber doch so ziemlich alles spielen, alles was in den Möglichkeiten zwischen der Dorsch – Luise Ullrich und Marianne Hoppe liegt. Ja, der Hoppe, trotz Herrn Tilgners nettem Bericht. Warum sollst Du nicht auch die Monika in «Versprich mir nichts» spielen können? (Die Hoppe hat sie auf der Bühne – die Ullrich im Film gespielt!) Überhaupt finde ich, daß Du den Qualitäten der Ullrich viel näher kommst als denen der Dorsch. Ich denke Dich mir besser in klassischen Komödien und Kammerspielen als in tönenden Tragödien. Bei Shakespeare, den Spaniern, Goldoni, Moliere usw ist doch eine Unmenge an Rollen für Dich – warum einige raussuchen. Du spielst sie alle: Wenn auch keine Medea oder Lady Macbeth – aber warum keine Ophelia, warum keine *Hannele*! (Sehr gut für Dich!!!) Dann ist da Wedekind, Shaw, *Johanna* / Arzt am Scheideweg usw. Ibsen: *Nora*!!! Laß man, wir werden es schon machen! Hauptsache, daß wir zusammen bleiben und uns lieb haben – dann ist unsere Arbeit an der Kunst die höchste Form des Glücks und des Lebens!

[...]

Wenn ich sonst schon geraucht u manchmal gesoffen habe – was ich jetzt tu, ist nichts dagegen! Aber was soll ich armes Tütü (süß, nicht?) andres tun? Und wenn Du vor Liebeskummer Eugen was vorgeweint hast, werde ich wohl auch mich auf meine Art austoben u betäuben dürfen, findest Du nicht auch? Oder sehe ich Dein vorwurfsvolles Auge auf mich gerichtet? In Hamburg hab ich auch noch etwas anderes gemacht, aber das hinterläßt schon gar keinen Eindruck mehr bei mir. (I gitt!) Ich bin auf dem Gebiet – falls Du noch nicht weißt: Ich meine das Zu-Bett-gehen – von vorneherein in schlechte Hände gekommen. Die Mädchen, die ich verführt habe, waren im selben Moment für mich erledigt – und die Frauen, die mich aus irgendeinem Grunde zu sich ins

Bett nahmen spielten nur mit mir. Mit Liebe, ganz ehrlich und so, hab ich das noch nie kennen gelernt, immer nur so im Suff, aus Spielerei und sonstigen Schweinereichen. Ein heikles Thema – besser, man redet nur mal so darüber, denn etwas Geschriebenes in der Art ist immer gefährlich. Aber Dir kann ich sowas alles erzählen, ja? Ich muß es einfach – und Du bist auch im Augenblick (hoffentlich für *sehr sehr* lange) der einzige Mensch für mich!!!

Weil ich *es* immer von einer häßlichen oder unglücklichen Seite aus kennen gelernt habe – (denn wenn man mit einer Hure zu Bett geht [noch besser: zu Couch geht!] oder mit einer Frau, die sooo viel älter ist, die man unglücklich liebt, das kann ja nur alles unglücklich und häßlich sein) – also deswegen liegt in so allgemeinen Zärtlichkeiten bei mir viel mehr Liebe als bei anderen Männern. Es ist ganz schrecklich, daß ich Dir das alles schreibe, aber gerade auf diesem Gebiet habe ich alles Vertrauen zu Dir – weil Du – – lieber nicht. Wenn wir uns wieder*sehen,* wollen wir zusammen schlafen-*gehn* – nein, ich hab das nur des Reimes wegen gesagt, ich meine, wenn wir uns wiedersehen, können wir darüber ja weiter reden, wenn es dunkel ist, sonst werde ich rot! Schreib mir, ob Du mir – ach, schreib mir einfach: Ich hab Dich lieb! Dann ist alles O. K.!

[…]

Wenn ich in Weimar nun nicht sooo oft schreiben kann und nicht soooviel – Du darfst nicht immer solange warten, bis ich antworten kann, sondern mußt ganz oft, viel und lieb schreiben!. Und wenn es hin und wieder nur ein Kartengruß ist – aber jedes Zeichen von Dir tröstet mich.

Zum letzten Mal bin ich durch unsere kleine Stadt gegangen – aus den in die Dämmerung versinkenden Häusern tropften Geräusche gestaltlos, wesenlos im Raum – für den Bewohner vertraut – für andere fremd – sie verdichten sich zu der Melodie des Abends, die für mich nur aus dem einen Wort besteht, voll leiser Wehmut – und doch voll von Hoffnung: Heidi. Ich bin vom Sande zum Rathaus gegangen, am Theater vorbei, und rauf zur Soltauerchaussee.

Inzwischen wehte die Nacht durch das Weltall auf die Erde hernieder, voll tröstender Träume –

und alle Träume heißen für mich: Heidi! und immer wieder Heidi
– Heidi – Heidi !!!

Bevor ich diesen letzten Brief aus Lüneburg an Dich beende,
möchte ich Dir noch einmal (schon wieder!) sagen, daß ich Dich
wirklich und ehrlich liebe und lieb habe!

Nun wünsche ich Dir,

mein liebes, süßes, loses, gutes, kleines Heidilein, eine recht
gute Nacht und recht schöne Tage!

Viele amerikanische Küßchen

u viele liebe Gedanken für Dich

Von Deinem Wolfgang

AN HUGO SIEKER

Weimar, Sonntag [Juni 1941]

Lieber Herr Sieker!

Nach einer kurzen, wunderbaren Theaterzeit bin ich nun auch – es
ist laut in Europa, aber nicht von Schillers großem Pathos, sondern vom Lärm der Massen! Sie sehen, daß ich trotzdem weiter
lebe – mein inneres Leben.

Anbei zwei neue und einige ältere Gedichte – wäre etwas davon
zu gebrauchen? Für mich wäre es immerhin einiger Trost in der
seelischen Einöde der Uniform (sprich: Einform!).

Recht herzliche Grüße

Ihr Wolfgang Borchert

VON HUGO SIEKER

Hamburg, d. 1. 7. 41

Lieber Herr Borchert!

Nun hat es also auch Sie erwischt! Ich kann Ihnen nur wünschen,
daß es Ihnen gut bekommen möge. Ist nun mit der militärischen
Ausbildung Ihre Ausbildung als Schauspieler unterbrochen, oder
waren Sie gerade fertig geworden? Ich bin nicht ganz im Bilde

und wäre Ihnen dankbar, wenn Sie mir darüber einmal ein paar Zeilen schreiben würden. Erinnern Sie sich bei den Soldaten bitte Ihrer Begabung für die Prosa und schicken Sie einmal ein kurzes Prosastück – wir werden es im Augenblick leichter unterbringen können als Gedichte, von denen wir z. Zt. so viele vorliegen haben, daß ich bei der neuen Raumverknappung nicht absehen kann, wie sie untergebracht werden sollen.

Alles Gute also für die nächste harte Zeit und herzlichste Grüße von

Ihrem Hugo Sieker

Die Jahre in Uniform   1941/43

Nach der Ausbildung zum Panzer-Grenadier in Weimar kommt Borchert im Oktober 1941 an die Ostfront. Dort leidet er an den ersten Anfällen von Gelbsucht, wird bei Smolensk verwundet (Durchschuß linke Hand) und kommt am 23. Februar 1942 mit dem Lazarettzug zurück in die Heimat. Am 25. Juni wird er aus dem Lazarett Schwabach in das Untersuchungsgefängnis in Nürnberg gebracht: Borchert wird des Delikts der Selbstverstümmelung verdächtigt. Bei seinem Prozeß im August, in dem der Anklagevertreter die Todesstrafe fordert, wird Borchert zwar freigesprochen, bleibt jedoch wegen Äußerungen «gegen Staat und Partei» in Haft und wird in einem neuen Verfahren zu vier Monaten Gefängnis verurteilt. Das Urteil wird in sechs Wochen verschärfter Haft mit anschließender Frontbewährung abgewandelt.

Am 8. Oktober 1942 befindet er sich wieder bei seinem Bataillon, das Marschbefehl nach Rußland erhält. Den Wehrmachtsunterlagen zufolge wird er am 17. Dezember wegen Erfrierung beider Füße in Tereschowka behandelt, kommt anschließend wegen Fleckfiebers ins Lazarett Smolensk, am 18. Februar wegen Magen- und Leberentzündung ins Lazarett Minsk und anschließend nach Radom. Am 3. März ist er wieder in Deutschland: Knapp drei Monate ist er zur Rekonvaleszenz im Lazarett Elend/Harz. Im August ist er wieder in der Jenaer Kaserne, kommt auf Urlaub in das durch Luftangriffe schwer zerstörte Hamburg. Im Herbst 1943 ist er wieder in Jena, erleidet erneut Fieberanfälle und soll wegen Dienstuntauglichkeit in eine Kompanie zur Truppenbetreuung überstellt werden.

AN CLAUS DAMMANN

Weimar im August [4. 8. 1941]

Mein lieber Claus!

Ich glaube, ich muß Dich über den Grund meines langen Schweigens aufklären, denn es ist ja immerhin etwas merkwürdig, wenn ich ein viertel Jahr so einfach verstumme. Aber eines vorweg: Vergessen hab ich Dich nicht, besonders, da ich gerade jetzt in der Erinnerung festgestellt habe, daß Du tatsächlich mein einziger Freund aus meinen alten Tagen bist. Also kurz: ich bin so unfreiwillig unter die Räder eines mir aufgezwungenen Lebens gekommen, daß ich beim besten Willen keine Zeit und Besinnung finden konnte, Dir zu schreiben – so sehr ich das auch oft bedauert habe. Aber nun wollen wir es nachholen! –

Gehen wir erstmal über die häßlichen Tatsachen unseres äußeren Lebens hinweg. Nur nebenbei: Ich liege nach 8 Wochen Sträflingsdasein im Lazarett! Und was machst Du? – Zurückkommend auf einen Vorschlag von Dir: Nous voulons faire tous en français!

Ich habe einen richtigen Heißhunger nach Baudelaire, Rimbaud, Verlaine, und – faire une perle d'une larme! Kurz, nach allem, was Kunst heißt! Musset! Schiller usw. und Hölderlin! Gerade habe ich noch mal den «Empedokles» gelesen:

Und aus sich selber wächst
in steigendem Vergnügen die Begeisterung,
bis aus der Nacht des schöpfrischen
Entzückens wie ein Funke der Gedanke springt,
und heiter sich die Geister künftger Taten
in seine Seele drängen, und die Welt,
der Menschen gärend laben u. die stillere
Natur um ihn erscheint – hier fühlt er, wie ein Gott
in seinem Elemente sich, und seine Lust
ist himmlischer Gesang, --- (oder)

Weit will ich's um mich machen, tagen soll's
von eigner Flamme mir, du sollst

zufrieden werden, armer Geist,
Gefangener, frei, groß und reich
in eigner Welt dich fühlen –
Weh! einsam – einsam – einsam!
Und nimmer find ich
Euch, meine Götter,
und nimmer kehr ich
zu deinem Leben, Natur!   (oder)

Ich bin hinausgeworfen, bin
ganz einsam, und das Weh ist mir
mein Tagesgefährt' und Schlafgenosse nur.
Bei mir ist nicht der Segen – geh!

Ist das nicht wunderbar! Und dann der Abschied von den Agri-
gentinern, von der Welt – und von seinem Freund Pansanias! Zu
schön, Claus!

Aber all das schöne Leben ist jetzt in so weiter Ferne und das
Brutale, Sinnlose und Häßliche ist grauenhaft groß geworden und
herrscht über die Welt! Oh soul, my soul! Im nächsten Brief wollen wir – the dangerous things en francais – diese und alle anderen
Dinge weiter spinnen – dieses nur zur Eröffnung einer neuen
Phase unserer Freundschaft. Sie soll lange halten, nicht? Nun erst
recht, wo alles auseinander fällt! Und den Geist der Opposition
wollen wir wach und lebendig halten – für den Tag des Aufbruchs
und Anbruchs einer größeren, freien und schöneren Zeit!

Also mein lieber Claus, ich nehme an, daß Du keinerlei Groll
gegen mich hegst und recht bald von Dir hören läßt! Denn nun
müssen wir «der» Welt zum Trotz beweisen, daß eine Freundschaft oder Liebe all dieses ganz erhaben und groß besteht!

Viele liebe Grüße, alles Gute
                von Deinem
                        Wolfgang

AN ALINE BUSSMANN

Im August [1941]

Meine liebe Aline!

Endlich komme ich dazu, Dir für Deinen so lieben Brief zu danken – leider auf einem nicht gerade geschmackvollen Papier.

Ich bin jetzt soweit, daß ich durch all das Geschehen wie ein Träumer unberührt hindurch wandle – nur manchmal bricht die Wunde auf, dann schreit alles in mir nach Freiheit. Aber mein Verstand muß mich immer wieder zum Aushalten mahnen – aber: wie lange noch! fragt die gefangene Seele zurück. Ich kann mich mit allem abfinden, nur mit dieser ohnmächtigen Gefangenschaft nicht. Jetzt weiß ich, daß die Freiheit die Grundbedingung für mein ganzes Leben sein muß, wenn dieses sich erfüllen soll. Sicher erwachsen uns gerade aus dem Widerstand die besten Kräfte – aber der ist ja auch so immer genug da – wenn auch oft nur von innen. Oft bin ich soweit, daß ich das Leben wegwerfen möchte – aber ich sage mir dann: Um was? Es lohnt sich ja nicht! Ja, aber dies ist doch kein Leben!!! Oh, und dann ist mir so zu Mute wie Hyperion, als er ausrief: Ich war so endlich müde, mich wegzuwerfen, Trauben zu suchen in der Wüste und Blumen über dem Eisfeld! –

Aber halten nicht gerade diese letzten, vereinzelten Blumen und Trauben unseren Geist und unsere Seele wach, damit sie nicht in ihrem Weh sterben! Es ist immer wieder dasselbe: der Zweifel um das Sein oder Nichtsein, der auch Hamlets Größe – aber sein Untergang war. Was liegt nun noch an Gut und Böse? Leben will man – Sein oder Nichtsein ist tatsächlich immer noch die größte Frage und wird es auch ewig sein!

Das Schlimmste ist, wenn man in der Verzweiflung allen Glauben verliert und doch weiß, die Kunst und die Schönheit und die Liebe werden ewig sein – Du bist nur weit davon ab, eingesperrt, darfst nicht daran teilhaben, darfst nicht mitschaffen an dem Göttlichen! Dann sagt man sich wieder, es muß ja wieder besser werden – aber wann und wie? Man weiß keinen Weg aus diesen Aussichtslosigkeiten. Gewiß, ich mach viel zuviel Aufhebens von mir und meinem kleinen Leid – aber das ist doch für mich alles: Mein

Leben! Und nun bist Du als Mensch geboren und darfst kein Mensch sein – darfst das Dir von göttlichen Mächten gegebene Leben nicht leben! Oh – das ist schwer!!!

Aber zu was soll man endlos darüber reden und reden – es hilft doch nicht, außer daß es mich erleichtert. Und da freue ich mich, daß Du da bist und meine Trauer zu Dir nimmst und mir dann und wann ein wenig Trost zukommen läßt – schon vor langer Zeit war es so!

Nun sei viele liebe Mal recht herzlich und innig gegrüßt
von Deinem Wolfgang

Was macht Ruth?

AN CLAUS DAMMANN
[Lazarett Schwabach, 28. 3. 1942]

Mein lieber Claus!

Ich hoffe, daß Du mein Schweigen nicht mißdeutest – aber Du verstehst wohl, daß ich noch nicht wieder so bei Kräften bin – es geht immer auf und ab. Daß Du mir mit Deinen Briefen eine riesige Freude machst, brauch ich wohl nicht erst zu sagen! Vielen, vielen Dank.

Über Günter möchte ich Dir auch schreiben, denn es hat mich damals viel beschäftigt. Er war bestimmt ein Mensch mit guten Anlagen zu allem – und ebenso aber mit negativen Anlagen belastet: wie wir alle! Sein Wandel und seine Entwicklung zum Minderwertigen war für mich eine der schwersten Enttäuschungen. (Der Grund: mangelnde Erziehung u. Selbstkritik, Schwäche u. – – Neid.) Ich hab es nicht wahr haben wollen – meine Eltern nannten ihn leer, maniriert und unnatürlich – «Intellekt der Nachkriegsjahre». Ich hab es nicht eher geglaubt und nicht eher ein Ende machen können, bis er so klein wurde und mich belog, über mich log und mich geistig (aus Briefen u. Gedichten) bestahl! Als ich ihm dieses auf den Kopf zusagte, lachte er nur – dieses Lachen war der Trennungsstrich. –

Zu Deinen beiden Heinrich-Gedichten kann ich nur sagen: Du hast diese tragische Maske des Welttheaters erschreckend nah heraufbeschworen. Genügt Dir das?

Ich stimme Dir bei: Sappho ist *unser* aller göttliche Schwester, und nur wer von ihrem Kusse lebt, dessen Werk hat Bestand!

Ich ruhe meinen Geist aus – male hin und wieder einen Reim auf das Papier und denke an die großen Arbeiten, die ich – hoffentlich bald – beginnen will!

Nun möchte ich Dir einen kleinen Vers durch den Frühling als Gruß zusenden:

Vita somnium breve

Traum oder Leben –
laßet uns trinken,
berauscht sein und schreiben,
eh' wir versinken!

Viele liebe Grüße!
Dein Wolfgang

AN HUGO SIEKER

Sonntag [Lazarett Schwabach, April 1942]

Lieber Herr Sieker!

Darf ich Ihnen ein Gedicht schicken aus meinem Krankenlager? Kaum habe ich nach 9 Wochen die Diphtherie hinter mich gebracht – nun ist es die Leber, die mich ärgert. Zudem gibt meine Verwundung auch noch keine Ruhe. Aber einmal wird ja wohl die Krankheit besiegt sein!

Es grüßt Sie herzlichst
Ihr Wolfgang Borchert

AN CLAUS DAMMANN

Pfingsten [27. 5. 1942]

Mein lieber Claus,

nimm bitte mein langes Schweigen auf Deine lieben Briefe nicht
als böse Absicht – sondern rechne es vielmehr immer noch als ein
Zeichen allgemeinen Mißbefindens und einer schlechten Stimmung – Gott ja, es sind dieselben Sorgen, die *wir* alle haben und
die mich im Moment stark bedrängen. Und das heißt ja, der klein-
ste Anlaß genügt, mich in die gräßlichste Melancholie zu werfen.
Sei aber versichert, daß auch trotz eines Schweigens keinerlei Än-
derung in unser inneres Reich tritt – dies mußt ich Dir sagen.

Seit ich wieder in Deutschland bin, habe ich 2 Gedichte veröf-
fentlicht – das letzte am 21. Mai im Hbg. Anz.
Ich wünsche Dir alles Gute!
Dein Freund
Wolfgang

BESCHEINIGUNG

Im Jahre 1942 war Herr Borchert auf Grund des Gesetzes gegen
heimtückische Angriffe auf Staat und Partei vom 20. Dezember
1934 angeklagt worden, durch verschiedene mündliche und
schriftliche Äußerungen gegen dieses Gesetz verstoßen zu haben.

Es handelte sich u. a. um folgende Äußerungen:

«Meine Kameraden, die vor 14 Tagen herausgekommen sind,
sind fast alle gefallen für nichts und wieder nichts.»

«Ich empfinde die Kasernen als Zwingburgen des dritten Reiches.»

«Ich fühle mich selbst als wesenloser Kuli der braunen Solda-
teska.»

Die Akte, welche den Hergang des Verfahrens enthält, ist bei
mir im Juli 1943 anläßlich eines Bombenangriffs verbrannt. Ein
weiteres Exemplar der Anklageschrift ist bei Herrn Rechtsanwalt

Dr. Kroher, Nürnberg, vorhanden, falls es nicht auch dort vernichtet worden ist.

gez. Rechtsanwalt Dr. Hager, 16. Mai 1945.

AN DIE ELTERN

Donnerstag [Oktober 1942]

Ihr Lieben,

nun sind wir schon eine Woche in Jena und genießen die letzten
Tage und Nächte bis zum letzten Pfennig – wer weiß, für wie
lange es vorhalten muß.

Bisher ist mir die Post von Saalfeld noch nachgeschickt worden
– auch das Päckchen. Den Brief nach Geratzen habe ich ebenfalls
bekommen. Im Augenblick sitze ich ganz allein in einem wunderschönen alten Gasthaus – allein, weil es erst 10 Uhr morgens ist;
ich war nämlich beim Zahnarzt.

Es ist jetzt eine große Ruhe über mich gekommen, die nur noch
selten von den kleinen Dingen beschattet wird.

Ist das nicht merkwürdig, daß ich mich mit dem Oberleutnant
angefreundet habe, wie bisher noch mit keinem während meiner
Soldatenzeit. Vielleicht kommt es durch den Gegensatz – jedenfalls stellt er, was Intelligenz betrifft und Allgemeine Lebensweis-
heit, meine bisherigen Bekanntschaften weit in den Schatten. Da
er nebenbei auch noch eine wirklich gute Erscheinung ist, machen
wir jeden Abend die «Elegante Welt» Jenas unsicher. Mit der
Chefin eines hiesigen Tanzorchesters – zwischen Aline und Vera
Möller – habe ich mich auch angefreundet. Sie ist aber auch schon
älteres Semester. Aber sehr schön und klug.

Von den Dichterbriefen im «Tageblatt» hat mir Agnes Miegel
am meisten zugesagt – wer hätte gedacht, daß sie so viel Humor
besitzt! Wenn ich meine freien Stunden nicht schon vergeben
habe, treibe ich mich immer in den schönen alten Jenaer Antiqua-
riaten herum und nehme noch eine Nase voll geistdurchtränkter
Luft mit für die lange, trostlose Öde, die uns bevorsteht.

Liebe Mutti, sage Tante Elsa vielen Dank für ihre lieben Sendungen – aber ich kann noch nicht wieder an fremde Menschen schreiben. Und auch Aline sage, daß ich sie nicht vergesse, aber ich habe noch nicht die Ruhe zu einem längeren Brief.

Einen entfernten Verwandten von Gramkows aus Bergedorf habe ich hier auch getroffen: Wat is de Welt so lütt. – Tuttis Hochzeitsgeschichte habe ich noch nicht gelesen. Ich werde mir in Rußland eine kleine Feierstunde damit machen.

Ich glaube, meine Nerven haben doch einen kleinen Knacks bekommen – ich merke es an meiner Schrift, die nicht mehr so ruhig und sicher ist, wie vorher – aber vielleicht kommt das noch alles wieder.

Ich gehe doch jedenfalls ruhig und fest den wohl nicht ganz hellen Weg in die Zukunft – ich habe mein Inneres auf einem fernen, kühlen Stern verborgen, wo es gut behütet ist vom Troste der ewigen Ruhe, die wir Gott nennen – vom ewigen Kreisen, das wir Leben nennen – und ich will Euch für die viele Liebe, die ihr mir geschenkt habt, von der Kraft abgeben, die ich nun gewonnen habe.

Es behält Euch immer lieb
    Euer Hanning

AN DIE ELTERN

                                                    25. 10. 42
Ihr beiden Guten!
Heute ist wieder ein wunderbarer Sonntag und die Stimmung des herrlichen Wetters hat mir auch etwas abgegeben und ich kann ganz unbeschwert atmen.

Tuttis liebes Päckchen und die Karte habe ich bekommen und heute morgen kam Euer langer Brief. Was hat Mutti sich wieder alles abgespart – das sollt Ihr doch nicht, denn wenn es vielleicht auch mal etwas knapp ist, so habe ich doch nun gelernt, zu entbehren. Mit der gleichen Post kam von Sattelbergs ein Päckchen und Brief und einer von Aline. Das mag ich gar nicht, denn nun muß ich denen aus der Gneisenaustraße doch wiederschreiben. Alines Brief war wieder wunderschön – der wird später mal ein schönes Andenken für mich sein. Und noch etwas kam heute an: von Boysen der Homer. Zwar ist das Format doch stärker, als ich es in Erinnerung hatte, aber es lohnt in diesem Falle doch, etwas mehr mitzuschleppen. Ich werde mich nun nicht mehr von den Übergängen beirren lassen – das äußere Leben hat für mich seine Schrecken verloren und wird mich nicht mehr treffen – innerliche Prüfungen aber werden immer nur eine Bereicherung sein für die Seele. Was ist denn so groß angesichts der Sterne, daß es uns aus der Bahn werfen könnte? Es sei denn, daß die Unendlichkeit, die Trost und Verdammung zugleich ist, uns selbst übermannt. Und wenn die Sterne ihre Bahn verlassen, wer sagt uns denn, daß es nicht geschieht, um sich in eine noch größere Ordnung zu fügen? Und da wollen wir schon über unsere kleinen alltäglichen Sorgen verzweifeln – ich glaube das hieße, unseren göttlichen Sinn nicht erfüllt zu haben. – Gegen die wechselnden Stimmen aber, die uns täglich überfallen, wollen wir tapfer gegenangehen und Trost in der Schönheit der Kunst suchen und uns gegenseitig helfen.

Hier aber ist man untröstlich, wenn es statt eines Drittel Brotes nur ein Viertel gibt und statt Butter Margarine – muß man die nicht verachten – und bedauern? Auf was für dunklen und engen Wegen wandeln sie. Manchmal weiß ich nicht, soll ich mich für Hochmut diesen gegenüber oder für Demut dem All gegenüber entscheiden – aber Zwiespältigkeit ist der Motor unseres Schaffens und die Sehnsucht nach Vollendung das treibende Wesen unserer Kraft.

Nun ist der Bogen leider zu ende und anderes Papier hab ich nicht mehr.
Grüßt Timms und Hoffmanns von mir!
Viele liebe Tüschis!
Euer treuer Hanning

AN HUGO SIEKER

[Anfang November 1942]

Lieber Herr Sieker!

Können Sie dieses am Rande des hastigen Zeitgeschehens entstandene kleine Epistelchen gebrauchen? Aber man verliert leider die Kritik über die eigenen Sachen und ich weiß nicht, ob es stilistisch immer ganz einwandfrei ist.

Herzlichst!

Ihr Wolfgang Borchert

VON HUGO SIEKER

Hamburg, 6. November 1942

Lieber Herr Borchert!

Ich bin in derselben Lage wie Sie, ich kann Ihnen im Moment gleichfalls nur wenige Zeilen schreiben. Nur herzlich danken möchte ich Ihnen für Ihre letzten Sendungen und Briefe. Ihre Entwicklung als Lyriker zur ganz knappen wesentlichen Aussage hin freut mich ganz besonders, ich habe sie vorausgesehen. Diese Konzentrierung und Verdichtung, die der Krieg verschiedenen Talenten beschert, ist eine seiner fruchtbaren Auswirkungen. Bitte lassen Sie mir die kleinen Gedichte und auch die Arbeit über Genie und Idyll hier, es wird sich sicher hier und da ein passender Rahmen ergeben, um die eine oder andere Arbeit unterzubringen.

Meine besten Wünsche begleiten Sie auf Ihrem weiteren Wege Ihr Hugo Sieker

AN DIE ELTERN

17. 12. [1942]

Ihr Lieben,

Gestern kamen wir nach zehntägigem harten Waldkampf Tag und Nacht draußen wieder in Ruhe – 2 von Euren Briefen waren für mich da. Nun müßt Ihr erstmal das Schreiben einstellen, denn ich hab mir die Füße erfroren. Komme erstmal ins Feldlazarett –

von dort aus hört Ihr sofort von mir. Macht Euch aber keine Sorgen um mich; ich hoffe, daß ich in 2–3 Wochen wieder in Ordnung bin – es ist also kein Grund zur Sorge!! Im Lazarett werde ich Euch dann einen langen Brief schreiben, damit Ihr ganz beruhigt seid. Wir haben in dieser kurzen Zeit schon wieder soviel erlebt, daß ich eine Menge erzählen kann. Mein Freund ist auch schon verwundet. Später – ich schreib Euch – könnt Ihr mir auch meine Uhr schicken und die Handschuhe, aber erst müssen wir abwarten, was nun wird. Es ist schade, daß ich hier – vorläufig hoffentlich nur – weg muß, denn es war eigentlich recht nett, wie ich es so schnell nicht wieder treffen werde, aber ich hoffe stark, daß ich wieder zurückkomme. Meine 2 Weihnachtskarten habt Ihr hoffentlich bekommen – dies kommt vielleicht auch noch zu Weihnachten oder Neujahr an, so daß Ihr doch mit ruhigen Gedanken bei mir sein könnt, so wie ich immer bei Euch bin, Ihr beiden Allerbesten auf der Welt!

1000 Tuschis von Eurem Hanning

AN DIE ELTERN

2. Weihnachtstag [1942]

Ihr Beiden,

Wie geht es Euch? Das war wieder ein Weihnachten. Und bei Euch?

Also, Ihr könnt doch weiter auf meine Nummer schreiben – ich soll es noch bekommen. Auf meine kleine Uhr freue ich mich schon – sie tickert immer: Tutti – Nati ... Könnt ihr auch wohl noch irgend eine billige Brieftasche bekommen? und noch so ein kleines Notizbuch? Und für die linke Hand einen dunkelblauen, möglichst eng, Pulswärmer. Oha, soviel Wünsche!

Ich glaube, ich muß später einmal ein Leben zwischen Mönch und Abenteurer führen, um mein Inneres zu befriedigen – ein Jahr in der Zelle und ein Jahr auf dem Jahrmarkt! – Ich zehre immer noch von den bisher schönsten Stunden unseres Zusammenlebens: Die Tage in Saalfeld! Und das ist nur ein kleiner Prolog

gewesen – ein Vorgeschmack für das viele Schöne, was wir drei
in der Zukunft zusammen erleben werden.
Schreibt mir von Eurem heiligen Abend und von allem –
grüßt Timms!
viele Küsse von Hanning

AN DIE ELTERN

12. 1. 43

Ihr beiden,
gerade habe ich meinen Vollbart abgenommen und nur noch auf
der Oberlippe eine kleine Clark Gable–Bürste behalten. Mir geht
es jetzt schon wieder ganz gut, nur meine Füße erlauben noch kein
Aufstehen. Und was macht Ihr?

Sicher macht es das vergangene Jahr, daß alle schlechten äußeren Umstände und Ereignisse so an mir abglitten und ich auch in
den häßlichsten Augenblicken meinen Humor nicht mehr verliere
und anderen noch davon abgeben kann.

Ich will Euch immer einen langen Brief schreiben und hätte so
viel zu erzählen – aber ich glaube, das bewahren wir auf für später,
bis dahin hab ich auch das Unwesentliche vergessen und nur das
wirklich wichtige behalten.

Sonst verbringe ich hier die Zeit mit Lesen, Russenmädchen
ärgern und mit – na, die Deutschen Schwestern bekommen allerlei zu hören von uns!

Na, Ihr merkt wohl, daß Hanning schon wieder oben auf ist!
Viel Tüschis
Euer Junge

AN DIE ELTERN

Smolensk 22. I. [1943]

Ihr Lieben,
nun hab ich doch ein paar Briefe von Euch bekommen, Muttis
Bild und das Notizbuch. Mit den Haaren ist das nicht so wild – als
Charakterspieler hätte ich so bestimmt mehr Chancen als vorher.

– Vorläufig bleibe ich wohl noch hier, da ich immer noch Temperatur habe – aber es kann trotzdem jeden Tag hier fortgehen. Zu Essen brauche ich wirklich gar nichts, wir bekommen hier alles und auch Schuhe brauche ich nicht mehr, ich hab mir welche besorgt. Ihr braucht bestimmt nichts zu schicken, es geht doch nur verloren – und ich komme auch so aus. Eßt Ihr man tüchtig, daß Ihr gesund bleibt.

Von Edgar Maaß hab ich hier «Das große Feuer» gelesen – sehr nett zum Teil, aber auch recht flüchtig und noch nicht ganz ausgereift – man hätte jedenfalls viel mehr daraus machen können.

Stellt man das Schreiben erstmal solange ein, bis ich Euch mitteile, wo ich bin – denn es kann sein, daß ich wegen meines Magens noch in Behandlung komme oder zur Front zurück muß. Diese kurze Zeit – Dezember war für mich fast zu schlimm – könnt Ihr Euch das vorstellen, ohne Waffe in den Wäldern und zwischen den Russen herumzulaufen. Was war es für ein Geschenk, sich plötzlich von einem deutschen Mädchen umsorgt zu wissen. Es war wie in einem kitschigen Film – deswegen kann ich es auch nicht erzählen, aber vielleicht kommt noch einmal ein Tag, wo ich Euch das alles erzählen kann.

Ich bin wie eine Schnecke, die ihre empfindlichen Teile unter einer harten Schale verbirgt und nur ihre Fühler in die Welt hinausstreckt – einmal aber werden diese Quellen in mir alle aufbrechen und wenn ich dann die rechten Schalen dazu finde, wird mein Leben sich vielleicht erfüllen und ich werde nicht ganz umsonst gelebt haben.

> Und wenn Orkane auch das Werk
> von Stirnen und Gehirnen
> zu Elementen wieder machen,
> denke doch:
> Groß steht das Siebengestirn,
> Kassiopeia und Mond.

Viele Grüße
Euer Hanning

AN DIE MUTTER

25. 1. 43

Liebe Mutti,

eben bekomme ich Deine Briefe und den vom 20. Ja, an die Schreckschüsse müßt Ihr Euch schon gewöhnen, aber es ist alles halb so schlimm. Nur muß man immer mit allem rechnen, ich kann ebensogut auch noch 4 Wochen hier bleiben, aber Eure Post würde dann alle verloren gehen.

Mutti hat immer den richtigen Riecher: wenn ich schreibe «verlobt», dann heißt das höchstens «verliebt» – aber es ist doch sehr dramatisch, wie immer bei mir. Also: Elisabeth Kunstmann, 27 Jahre alt, schwarz, groß, hochbeinig, Rheinländerin, genannt: Schwester Napoleon. Überschrift: Romeo und Julia im Schnee. Es ist immer dasselbe – das gefährliche Alter bei Frauen, wo sie sich auf die «Jünglinge» stürzen. Na, und ich bin auch nicht aus Holz, jedenfalls machte sie in ganz großer Liebe (wer weiß ob echt oder gespielt?) während ich alles doch immer mit einem Zwinkern im Auge betrachten muß. Ihr könnt also auch in diesem wie in jedem Fall unbesorgt sein. Ich kann da ja doch nichts für – wofür ich im Moment noch mein Leben opfern würde, das erscheint mir im nächsten Augenblick winzig und dumm – jedenfalls geht es mir in der Liebe immer so. Mussolinis These: Ja, das war gestern! – könnte ich mir auch ganz gut aneignen.

Ja, und mit dem Fleckfieber ist das so eine Sache – hier ist ein Massenbetrieb und man weiß gar nicht, was in der nächsten Stunde mit einem geschieht. Sowie ich wieder irgendwo gelandet bin, könnt Ihr auch schreiben. –

Nun viele Tuschis für Euch Beide

von Eurem Hanning

AN DIE ELTERN

18. 2. [1943]

Ihr Lieben –

nun kann ich Euch erstmal in Ruhe schreiben, was inzwischen alles passiert ist. Also von meiner Schwester und meiner kleinen Russin aus Smolensk habe ich Abschied genommen. Wir hatten da so nette Ärzte und da es mir bei Diätkost ganz gut ging, habe ich bald auf der Schreibstube gesessen und der Erfolg war, als das Lazarett aufgelöst wurde, daß mich der Stabsarzt fragte, ob ich auch mit wolle – zurück – nach Westen! Ja, und so bin ich nun nach Minsk gekommen. Von meiner Fina (so hieß das Mädchen aus Smolensk) hab ich noch einen kleinen silbernen Ring mit einem Herzen drauf bekommen – naiv, aber niedlich. Am letzten Tag kamen noch 2 Briefe von Mutti mit den alten zurückgeschickten von Weihnachten usw. Ich hab mich so dazu gefreut. – Ja, Mutti, Du meinst, ich schreibe immer zu wenig – aber was soll man schreiben? Die Dinge des Krieges und das, was man in ihm erlebt, eignen sich nicht für Briefe an Euch – und alles andere erscheint so unwesentlich – man hat ja nur einen Wunsch und eine Sehnsucht: Frieden – und dieser Gedanke ist so groß, daß alles andere daneben zu gering erscheint, als daß man viel darüber nachdenkt. Wir wollen auch gar nicht so viel über alles nachdenken, sonst wird alles noch viel schwerer zu ertragen. Heidi hatte mir ein Heft über Modersohn mit Briefen von Rilke geschickt – und Hölderlin habe ich auch da, das hilft über vieles hinweg – Vorläufig könnt Ihr mir wieder nicht schreiben.
Viele Tuschis Euer Hanning

AN ALINE BUSSMANN

Minsk 20. II. 43

Meine liebe Aline,

ich weiß nicht, wann ich zum letzten Mal an Dich geschrieben habe, aber es ist sicher schon lange her. Aber glaube mir, es ist so schwer, einen wesentlichen Brief zu schreiben – soll ich Dir von dem grauenhaften Geschehen hier in Rußland erzählen, oder von den paar schönen Stunden, die dazwischen liegen, schön, weil man sie sich schön gemacht hat und das Schöne in ihnen gesucht hat? «In uns ist alles» – in Dir und in mir, und um so erschütternder und gewaltiger wird ein Erlebnis sein, wenn zu dem schönheitssuchenden + wollenden Ich ein Gleiches, das Du, sich findet. Die so heilige Stille, in der zwei liebende Seelen sich ineinander neigen, löscht die vielen lärmenden und häßlichen Stunden aus, die in Deiner Erinnerung haften geblieben sind – und einige von diesen Augenblicken sind mir sogar hier in Rußland beschert worden. Aber ich wünsche mir, daß ich Dir einmal das alles selbst und ausführlich erzählen kann; und der große Ernst, der uns alle und alles Geschehen umgibt, hebt diese wenigen heiteren, süßen oder schönen Momente noch betonter heraus, sodaß man die Erinnerung daran wie kostbare Schmuckstücke bewahrt, wie einen alten Ring an der Hand, den man oft in einsamen und traurigen Stunden besieht und Trost an ihm findet. Und ich freue mich, daß ich selbst in Rußland solche Schmuckstücke sammeln konnte – aber ich werde sie auch gebrauchen können, denn die düsteren Stunden sind doch in der Mehrzahl. Wie ist es schade, daß unsere Postverhältnisse so schlecht sind, denn vorläufig ist die nächste Zukunft für mich noch so ungewiß, daß ich meine Anschrift wohl noch ein paar mal wechseln muß – aber ich kann mich gedulden und vertröste mich auf die Entschädigung, die uns für all die Leiden und Entbehrungen ja einmal werden muß, wenn wir nicht allen Glauben verlieren wollen. Und das werden wir nicht tun, solange wir noch atmen, lachen, leiden und lieben, schaffen und arbeiten können!

Nun für Dich
und für Deinen lieben Mann
und für Ruth
alles Gute
von Deinem Wolfgang

AN HUGO SIEKER

Minsk, 20. II. [1943]

Lieber Herr Sieker,

ich bitte Sie, mir mein langes Schweigen nicht übelzunehmen, aber ich bin inzwischen derartig im weiten Rußland umhergereist, daß es mir schwer wurde, mich für einen Brief zu sammeln.

Und inzwischen habe ich viel erlebt, Furchtbares und Wunderbares. Furchtbar waren die Tage bei Toropez, wo ich als Melder nachts durch die grauenhaften Wälder laufen mußte, furchtbar waren die Tage im Seuchenlazarett, wo jede Nacht die Toten rausgetragen wurden – aber dann war da auch so viel Schönes: – ein wundervoller Arzt, ein kleiner Flirt mit einer Schwester – und dann ein paar unwirkliche, märchenhafte Tage mit einem zarten russischen Mädchen – Fina – in Smolensk, wo die letzten Strahlen der untergehenden Sonne mit dem Gold der Kuppeln der Kathedrale kokettierten – aber im Hintergrund waren immer so häßliche Worte wie: Enteritis, Gastritis und Hepatitis – andererseits danke ich es diesen «Leiden», daß ich mich langsam westwärts bewege, der Enderfolg steht noch aus.

Kurz, sollte es mir vergönnt sein, demnächst in Deutschland ein paar ruhige Wochen zu verleben, dann wird sich Pegasus bestimmt wieder rühren – doch kann man heute nicht weiter als eine Stunde voraussehen und so ist es zwecklos, über die nächste Zukunft zu debattieren, ich hoffe aber Gutes von ihr. Gutes wünsche ich auch Ihnen und bleibe

Ihr Wolfgang Borchert

AN HEIDI BOYES

Elend 3. 3. [1943]

Meine Süße,

siehst Du, jetzt bin ich auf einmal ganz dicht bei Dir, nicht mal 100 km entfernt und nun mußt Du mir auch unbedingt schreiben, viele liebe lange und dicke Briefe und alles erzählen, was Du inzwischen erlebt hast.

Elend liegt eine Stunde von Wernigerode entfernt und über 500 m hoch und wir wohnen hier in den vornehmen ehemaligen Kurhotels, 3 Betten im Zimmer, Warmwasser und all solche Scherze. Du kannst Dir denken, wie wir das alles genießen – dazu diese himmlische Luft und Landschaft! Wenn ich wieder hergestellt bin, dann bekomme ich auch Urlaub von hier – sogar schon vorher, Wochenendurlaub. Auf jeden Fall werden wir uns bald oder dann auf dem Erholungsurlaub sehen und wenn es Dir ins Programm paßt, ihn möglichst zusammen verleben, ja? Oder kannst Du es Dir jetzt schon zeitlich usw. leisten, mich hier zu besuchen? Was ereignet sich denn überhaupt in der nächsten Zeit für Dich? Wann gehst Du von Lüneburg weg und wohin gehst Du dann? Bitte, Heidilein, schreib das doch alles mal und überhaupt, was sonst noch so los ist. – Daß Böckmann tot ist, hab ich noch in Smolensk erfahren – jetzt sind schon 2 von unserem damaligen Ensemble nicht mehr – und wir werden auch jeden Tag älter und eines Tages – nee, so weit kommt es noch! Wir wollen unser Leben erstmal bis zum letzten Tropfen genießen – wir beide, ja? Und deswegen lohnt es sich auch, dafür ein paar Entbehrungen und Unannehmlichkeiten in Kauf zu nehmen – dafür, daß wir es uns einmal ganz schön machen wollen, sind wir ja schließlich losgezogen in diesen Krieg. Na, wir werden es uns schon schön machen...

Übrigens, meine Lütte, irgendwo ist mir neulich Dein Bild weggekommen: Schick mir also schleunigst ein schönes, nettes wieder, daß ich nicht mehr ohne Dich schlafen zu gehen brauche... Also?!! Kuß!

Dein Wolfgang

AN HUGO SIEKER

Elend, 5. März [1943]

Lieber Herr Sieker,
ist das nun etwas Neues oder ein Rückfall? Aber Sie wissen ja, wie sehr man seine Kinder liebt, vielleicht die ungeratenen am innigsten. Also vertraue ich sie Ihnen einmal an – nehmen Sie diese

Wechselbälge mal unter die Lupe. Sollten Sie sogar etwas davon verwenden können, dann möchte ich von nun ab nur noch unter dem Namen St. Pauli vor der Öffentlichkeit erscheinen. Warum – erzähle ich Ihnen dann auf meinem Urlaub, den ich von hier aus bestimmt bekomme – nur wann – weiß ich noch nicht. Warum St. Pauli? Weil ich jetzt erst richtig fühle, wie sehr ich an Hamburg hänge und ich finde den Namen «Kurz ab und doch»! (Klein Erna).
Herzlichst
Ihr Wolfgang Borchert

VON HUGO SIEKER

Hamburg, 10. März 1943

Lieber Herr Borchert!
Der Frühling veranlaßt Sie ja zu einem wahren Bombardement auf uns Schriftleiter. Aber es freut mich, daß sich die Lebensgeister in Ihnen so stark wieder regen. Ein gehöriger Schuß Bitterkeit ist in Ihre neuere Lyrik eingeflossen. Diese Bitterkeit steht ihr nicht schlecht, nur hat es wohl nicht viel Sinn, Sie mit diesen neueren Dingen in der Zeitung vorzustellen. Ich werde aber nächstens eine kleine Auswahl aus allem treffen, was sich bisher von Ihnen in meiner Mappe angesammelt hat – eine Anzahl des nach meiner Anschauung Besten aus den verschiedensten Zeiten. Und mit diesem lyrischen Sammelblatt, das wir zu allem anderen vielleicht auch noch kunstvoll graphisch ausstatten werden, mögen Sie dann einmal im HA starten. Ihre Mutter wollte Ihnen die letzte kleine Broschüre von mir zuschicken – ich weiß nicht, ob sie es getan hat. Auf jeden Fall lege ich Ihnen noch einmal das ganze kleine Werk bei. Wenn Sie es nunmehr doppelt haben sollten, können Sie es ja einmal einem guten Kameraden weitergeben. Ihrer Mutter werde ich übrigens gleichzeitig die Hefte noch einmal zustellen, es könnte ja sein, daß sie sie nicht mehr besitzt.

Ich wünsche Ihnen weiterhin gute Genesung und hoffe, Sie in Ihrem Urlaub einmal zu sehen.
Herzlichst Ihr Hugo Sieker

Feldpostkarte

Herrn

Hugo Sieker

Hamburg 36

Hamb. Anzeiger
Gänsemarkt

Elend (Harz), den 3·3· 1943

Ich befinde mich im Lazarett. Es geht mir *lyrisch,*
denn ich fühle den nahenden Lenz.

Meine Anschrift lautet:

Wolfgang Borchert Funker
(Vorname) (Name) (Dienstgrad)

Reserve-Lazarett Elend (Harz)

Frst. Hubertus

1966·8

17. III. 43

Liebe Aline,

ich wollte Euch nur zwischendurch aus dem deutschen Harz diesen schönen Gruß schicken und mich dabei gleich für Deinen letzten Brief bedanken. Gottes Wunder hören nimmer auf!

Euch Dreien alles Gute.

Dein Wolfgang

Deutsch der Harz

AN DIE ELTERN

Dienstag [März 1943]

Meine beiden Lieben,

vielen Dank für Eure beiden so lieben Briefe. Nein, Ihr braucht nicht anzufragen – wenn es nicht sein soll, können wir auch nichts daran ändern. Aber ich werde schon auf Urlaub kommen, sonst mache ich nämlich Krach, denn Urlaub steht mir nun, da ich wieder an der Front war, zu. Und daß man mich nicht darum betrügt, werde ich schon verhüten. Jetzt können sie mir nämlich nichts mehr anhaben und ich nehme mich in acht vor dieser Art von Gefahren.

In Weimar, in Schwabach und Nürnberg, in Saalfeld und in Jena – überall fuhr nachts die Eisenbahn und ihr Lied war immer so traurig – hier bimmelt sie auch an meinem Fenster vorbei, aber lustig: No Hus, no Hus ...

Schickt Ihr mir meine Gedichte noch? Mit dem «Concerti grossi»? Mein kleiner Bettnachbar (19 Jahre) ist gestern entlassen, weil er heiraten will! Das ist schon der 2. Fall hier.

Ende dieser Woche gehe ich nun zum Zahnarzt und laß mir die Zähne nachsehen.

Gmelin hat ja auch wieder eine größere Rolle gehabt und seine Almassy ist im Thalia Theater gelandet.

Wenn ich zu meinem Genesungsurlaub noch meine 3 Wochen Fronturlaub bekomme, soll ich in Lüneburg im «Goldenen Dolch» von Apel («Sonnenstößer») den jungen Fürstensohn spielen. Das Stück spielt in Japan. In Altona hat damals Lauffen die Rolle gespielt – war aber nicht jung genug.

Gestern bin ich schon eine Stunde spazieren gewesen in der wunderbaren Harzluft – hinterher war ich aber noch recht erschöpft. Es ist ja auch kein Wunder – meine Jacke schlackert mir nur so um den Körper und in die Stiefelschäfte können noch 2 mit rein. Aber ich fühle mich sonst ganz gut und Ihr braucht Euch wirklich nicht um mich zu sorgen. Schreibt nur recht viel an Euern

Hanning

AN CLAUS DAMMANN

Dienstag [29. 3. 1943]

Mein lieber Claus,

ich will Dir nur gleich schreiben, denn wer weiß, wie lange wir uns einer guten Postverbindung freuen können. Ich bin froh, daß Du immer noch in Stettin Deines Amtes walten darfst und ich gönne es Dir von ganzem Herzen. Ich aber singe nach der Melodie: es geht alles vorüber: Im nächsten Dezember sind wir wieder dabei! Aber ich sehe doch mit sehr viel Zuversicht in die Zukunft. Vorläufig erwartet mich noch viel Schönes: Urlaub, vielleicht 5 Wochen. Und weißt Du, was ich da anfange? Ich gastiere in Lüneburg, im «Goldenen Dolch». Es wird herrlich.

Dieses Rußland hat mich doch ganz schön mitgenommen: Ich habe jegliche Besinnlichkeit und Ruhe, die dazu gehört, um tiefen Dingen nachzugehen, verloren und bin furchtbar nervös und unstet geworden. Auf der anderen Seite aber hat es auch sehr viele lästige Schalen und Schlacken fortgeräumt und den wahren Menschen freigelegt, ohne Konventionelles, ohne Schminke – nur noch ein Wesen, das sich in den Schnee gekrallt hat aus tierischer Angst um sein bißchen Leben. Daß man sich vor *Menschlichem* so demütigen mußte, war das grauenhafte.

Aber man wird *wahr* und bekommt ein ganz anderes Verhältnis zu den großen Dingen wie Leben, Leid, Liebe, Tod und Unsterblichkeit und Gott. Nur daß man davon nicht sagen kann – *noch* nicht. Vielleicht, wenn die tröstende Zeit dieses Geschehen einmal von uns abgerückt hat, dann wird vielleicht sogar dafür eine künstlerische Form gefunden werden. Aber die Hand muß erst ruhig werden, wenn sie formen will und jetzt zittert sie noch – vor Angst, Not, Hunger und Erschöpfung – aber letztenendes auch vor Glück. Denn Glück ist es und Reifen, dieses Grauen innerlich zu bestehen und zu überwinden.

Mein Guter, Du brauchst mir wirklich nichts zu schicken. Schreib mir hin + wieder und erzähle von Dir, Deiner Arbeit und Deinen Plänen und ob Du noch schreibst?!

Nimm alles Gute

von Deinem alten Wolfgang

AN DIE ELTERN

Sonntag [Elend, 1943]

Ihr Lieben,

nun hab ich seit langer Zeit wieder Post von Euch und ich hab mich so über die alten Briefe gefreut.

Wie ich vorgestern meinen Zettel mit den Adressen durchgegangen bin, da hab ich gedacht, schreib Oma aus Schwerin auch man eine Karte, aber da fehlte mir die genaue Anschrift und ich hab es nicht getan, – und nun ist sie nicht mehr da, die drollige kleine Omi, mit dem großen Zeigefinger und ihrer Mütze, mit der sie in Schwerin immer am Herd stand. Wie gerne wäre ich mit Dir, Vati, nun hingefahren zu ihr – aber wenn einmal Frieden ist, dann fahren wir zusammen nach Schwerin und Laage, und ich glaube, dann ist es auch noch nicht zu spät, denn wir haben doch nun gelernt, daß die Erinnerung an einen Menschen stärker sein kann als der Tod.

Und was hat Vati für einen wunderschönen Sylvesterbrief geschrieben! Ich will ihn mir aufbewahren!

Ja, Mutti – ich glaube nicht, daß es im Dezember sehr beruhigend für Euch gewesen wäre, wenn ich Euch von meinen Erlebnissen geschrieben hätte – vielleicht habt Ihr ja auch in den Zeitungen damals von Toropez gelesen, das muß doch genügen, die Einzelgeschehnisse sind doch zu schrecklich. Und es würde Euch doch nichts sagen. Und wäre es für Euch tröstlich gewesen, wenn ich Euch geschrieben hätte, daß im Seuchen- und Typhuslazarett Smolensk täglich ein halbes Dutzend Tote rausgetragen wurden und daß auf dem Friedhof vor unserem Fenster über 700 Kreuze waren – 700 Gräber allein von Fleckfiebertoten?! Und hätte ich erzählen sollen, daß ich in Minsk und Radom jeden Tag einen Schlauch schlucken mußte, heiß Wasser darein und dann eine Stunde lang Galle gebrochen habe, siehst Du, dann ist es doch schon besser, ich erzähle von nebensächlichen Dingen, von Finas, Katjas und Schwestern und noch all son spijöken Kram. Und nachträglich noch einmal diesen Film des Grauens zurückdrehen kann und will man erst recht nicht, dafür ist man viel zu froh, dieser Hölle wieder lebend entkommen zu

sein, denn was die Front anbelangt, so ist es dieses Jahr wohl noch
härter zugegangen. Später, wenn der Friede diese Dinge von uns
weggerückt hat, dann kann man vielleicht auch einmal mehr davon erzählen. Na, und daß ich morgens Brei und mittags Brei und
abends Brei bekomme, ist doch auch nichts für einen Brief – aber
Ihr braucht Euch trotzdem keine Sorgen zu machen, ich wiege
immer noch 135 Pfund – und auch die Härchen wachsen schon
wieder, zwar sehe ich noch aus wie ein gerupfter Hühnerpopo,
aber da mache ich mir so wenig draus – zumal es mir trotz des
Glatzköppis nicht schwer gefallen ist, Schwestern allen Alters,
Russinnen und Polenmädchen zu «betören» – überhaupt das einzige Vergnügen, was uns noch geblieben ist, denn zu ernsthaften
oder tiefschürfenden Dingen kann man sich doch so wenig aufraf-
fen.

Ja, Mutti, mit dem Besuchen ist das hier nicht so gut – kaum
Zimmer, nur 3 Stunden täglich Besuchszeit und alles «elend»
teuer – und es ist ja auch nicht nötig, Tutti, ich komme ja von
hier aus direkt auf Urlaub.

Eben merke ich auch, daß meine Schrift sich wieder verändert
hat und ich bin gar nicht damit zufrieden – denn Helmuths
Theorie von der Beherrschung gilt immer noch für mich! Was
meint Ihr dazu?
Einen Kuß
von Eurem Hanning

AN CARL HAGER
Dienstag nach Ostern [27. 4. 1943]
Lieber Herr Dr. Hager,
ich schreibe nicht, um mich für einen Brief zu bedanken, sondern
weil ich das Bedürfnis habe, dem Eppendorferstieg einen kleinen
Besuch abzustatten. Machen Sie bitte keine Umstände (wie man
so schön sagt), ich bringe zwar keine Geschenke mit, aber ich esse
bestimmt auch nichts – ich will wirklich nur mal ganz kurz reinse-
hen, den Flur entlang gehen und dann nach rechts in das Zimmer

einbiegen, da wo Ihr Bild hängt. Dann sehe ich mich in dem Zimmer um – hat es nicht lila Tapeten? – und dann fällt mir ein, daß Mutti mal an einem Heilig Abend mit Aline telefoniert hat und daß Aline sagte: Mein Mann spielt gerade. Daran muß ich denken. Und an die vielen Bücher in dem Nebenzimmer, bei denen man sich ein tausendjähriges Leben wünschen möchte, um sie alle lesen zu können. Aber dann fällt mir ein, daß man nicht mal zum Notwendigsten kommt – heute ... und dann kommt der Krieg und sagt: es ist Zeit, wir müssen wieder Abschied nehmen. Das scheint überhaupt seine ständige Forderung zu sein: Abschied nehmen. Und nur mit einem ganz starken Herzen können wir die Dinge halten, die wir lieben. Aber:

Auf Wiedersehen!

Herzlichst! Ihr Wolfgang Borchert

HERTHA BORCHERT AN CLAUS DAMMANN

den 5. Juli 1943

Lieber Claus Dammann!

Herzlichen Dank für Ihren Brief. Ja, nun fangen Sie an, meine plattdeutschen Geschichten zu lesen, wo ich ins Hochdeutsche übergegangen bin. Sie alter Nachzügler! Na, ich will es Ihrer Jugend zugute halten. Weiß ich doch von Wolfgang, wie schwer es für einen jungen Menschen ist, plattdeutsch zu lesen, wo es so viel Schönes im Hochdeutschen gibt. Es freut mich, wenn Sie meine Geschichte trotzdem zu Ende gelesen haben. Wolfgang ist vorläufig noch in Jena. Er kann aber jeden Tag versetzt werden. 3 Monate ist er g. v. H. Wir freuen uns sehr dazu, er ist ja auch noch lange nicht gesund. Es freut mich, daß Sie nicht zu den Enttäuschten gehören. Wolfgang ist ja sehr verändert und hat hier viele Brücken abgebrochen, weil er kein Verhältnis fand zu den Menschen hier. Er konnte sich ganz einfach nicht zurechtfinden. Ich weiß nicht, ob Sie etwas gemerkt haben? Jedenfalls war er innerlich voller Unruhe und gequält. Das Erlebnis Krieg ist ja auch so einschneidend für einen empfindsamen Menschen. Hoffentlich

kommt später alles einmal wieder zurecht. Also vorläufig ist seine
Adresse:

Grenadier W. Borchert

    7. Genesungs Kompanie

Pz. Gren. Erz. Batl. 59

    Jena / Thür.

AN DIE ELTERN

                                         Jena

Liebe Eltern,

gerade haben wir Feierabend gemacht und ich will noch schnell
einen kleinen Brief an Euch schreiben, damit Ihr Euch nicht sorgt.
Die «O-Beine» habe ich vom «Simpli» wiederbekommen – es
wirkt scheinbar doch nicht so, wie wir dachten. Aber sie haben
mich aufgefordert, wieder etwas einzuschicken. Sieker hat auch
zwei neue Gedichte von mir. Und meine Stube, wo ich jetzt
wohne – mit all den Schreibstubenleuten zusammen – hängt voller Hafen und Nachtbilder von mir. Und einen schönen Dramen-
stoff hab ich auch: Kai und Ulla. Es fängt ganz heiter und be-
schwingt an und wird dann ernst. Ja, Mutti, Deine Handschuhe
sind nun schon zu spät gekommen – sooolange dauert sowas doch
nie bei mir. Aber ich werde sie schon an die Frau bringen. Daran
ist kein Mangel. Und ich habe endlich mal ein paar kleine Blonde
dabei, die ich eigentlich viel lieber mag – nur wird es nie was.
Oder es bleibt eine einseitige Liebe. – Ich glaube, ich werde mein
ganzes Leben Nachtgedichte schreiben. Und die Nächte erlebe ich
auch immer besonders intensiv – wenn es so gegen morgen geht
und ich allein nach Hause gehe, allein mit meinem Schatten und
dem Mond. Damals in Hamburg gehörten die Nächte mir, wenn
ich von Altona oder von Mackenthun oder sonst woher nach
Hause ging durch die kühlen stillen Nachtwinde – dann in Lüneburg und nun in Jena jede Nacht fast eine Stunde Weg – das sind
für mich die schönsten Minuten und reichsten Stimmungen. Euer
Kippentabak kommt mir sehr gut zu paß, wenn er auch etwas sehr

nikotinhaltig ist – aber ich brauche immer eine gewisse Menge
Gift, um Leben zu können.
So, nun einen lieben Gruß
von Eurem Hanning-Maler Junge

Kann Mutti wohl mal ein Glas Marmelade schicken.

Briefe aus dem Gefängnis   1943/44

*Am 30. November 1943, dem Abend vor seiner Entlassung zu einer
Truppenbetreuungskompanie, erzählt Borchert in der Kasernenstube politische Witze, wird denunziert und verhaftet. Das Verfahren wird nach
Berlin abgegeben, der Häftling am 27. Januar 1944 ins Wehrmachtsuntersuchungsgefängnis Moabit überführt. Die Verteidigung übernimmt
wieder Rechtsanwalt Carl Hager. Die Korrespondenz zwischen dem
Angeklagten und seinem Rechtsanwalt, die die Zensur passieren mußte,
wird ergänzt durch Eingaben und Verfügungen aus der Prozeßakte von
Hager. Die Hauptverhandlung fand, neun Monate nach der Verhaftung,
am 21. August 1944 statt. Borchert wird zu neun Monaten Freiheitsstrafe unter Anrechnung von fünf Monaten Untersuchungshaft verurteilt
und im September 1944 zwecks «Feindbewährung» entlassen.*

AN CARL HAGER

Donnerstag, 2. Dezember 43

Lieber Herr Doktor,
es ist wohl die Strafe dafür, daß ich so lange nicht geschrieben
habe, daß ich nun einen so häßlichen Brief schreiben muß. Aber
Sie werden mir auch glauben, wie schrecklich es mir ist, Ihnen
wieder mit einer so riesigen Dummheit aufwarten zu müssen.
Und zwar hat sich folgendes zugetragen: Ich bin von Jena aus nach
Kassel zur Durchgangskompanie kommandiert worden und liege
da abends mit mehreren anderen Kameraden auf der Stube im
Bett und es werden die üblichen Landserwitze erzählt. Und da
verleitet mich irgendein Teufel dazu, den Vortrag eines Unteroffiziers wiederzugeben, der vor Monaten auf einem Bierabend hier

den Dr. Goebbels imitiert hat. Ich habe mir leider gar nichts dabei gedacht und mußte nun am nächsten Tag feststellen, daß da einer zwischen uns war, der diesen Scherz als eine Staatsaktion auffaßte und sich aus wer weiß welchen inneren Motiven dazu gezwungen sah, diese meine Äußerungen zu melden. Um seiner Meldung die nötige Wichtigkeit zu geben, hat er meine Worte dann auch so angebracht, daß der dortige Kompaniechef mich vernehmen und festsetzen ließ – und so bin ich wieder nach Jena zurückgewandert und sitze hier in Untersuchungshaft und verwünsche die Natur, die den Menschen die Sprache verliehen hat. Ja, und was bleibt mir nun in meiner Not weiter übrig, als Ihnen zu schreiben und kläglich um Ihren Beistand zu bitten. Wollen Sie das noch einmal tun? Ich habe es ja weißgott nicht verdient, und wenn Sie es nicht für mich tun, dann tun Sie es für meine Eltern und beruhigen Sie sie – ich schreibe ihnen, daß sie sich an Euch wenden sollen. Aline und Sie haben nun wohl bald eine Routine, uns drei zu trösten und wir können es so wenig wieder gutmachen. Ich weiß auch nicht, ob Aline überhaupt noch zu mir halten kann, wo ich Euch alle nun wieder so enttäuschen muß. Ich glaube, das einzige Talent, was ich besitze, ist: Pech zu haben und meinen Angehörigen zur Last zu fallen. Aber vielleicht erwische ich doch noch mal einen Rockzipfel von Fortunas Kleid – im Moment hat sie keinen Pfennig für mich übrig.

Lieber Herr Doktor, die zuständige Stelle, an die Sie sich hier wenden müßten, ist:

Gerichtsoffizier Pz. Gr. Ers. Btl. 59 Jena, Oberleutnant von Gossler.

Hoffentlich hab ich nun nicht ganz bei Euch verspielt! Wenn ich mich noch bessern kann, will ich es tun!

Ich bleibe

Ihr Wolfgang

VON CARL HAGER

Hamburg, den 11. 12. 1943

An den
Gerichtsoffizier des Panzer-Grenadierersatz-Batl. 59
Herrn Oberleutnant von Gossler
Jena

Sehr geehrter Herr Oberleutnant!
Der Grenadier *W. Borchert*, Stammkompanie 59, mit dessen Eltern ich befreundet bin, schreibt mir, daß er in Untersuchungshaft genommen ist. Er hat mich zunächst brieflich gebeten, seine Verteidigung zu übernehmen.

Falls bereits Anklage erhoben ist, bitte ich ergebenst, mir eine Abschrift der Anklageschrift zuzustellen.

Soweit ich den Sachverhalt nach der schriftlichen Schilderung beurteilen kann, handelt es sich um Äußerungen, die unter Kameraden scherzweise, aber ohne politischen Charakter, getan wurden. Ich bitte deshalb schon jetzt, die Aufhebung des Haftbefehls in Erwägung zu ziehen.

Heil Hitler!
Dr. C. H. Hager

VON CARL HAGER

Hamburg, den 11. 12. 1943

Lieber Wolfgang!
Ihre beiden Briefe habe ich erhalten und zwar den zweiten zuerst gestern abend, den ersten hat mir meine Frau eben telefonisch vorgelesen. Ich habe sofort dem Gerichtsoffizier geschrieben und mich dort als Ihr Verteidiger vorgestellt. Falls Sie schon eine Anklageschrift bekommen haben, schicken Sie mir diese bitte sofort ein. Wenn Ihnen aber noch keine Anklageschrift zugestellt ist, schildern Sie mir bitte den Sachverhalt so genau wie möglich mit allen Äußerungen, die gefallen sind. Auch muß ich wissen, wie-

viel Kameraden dabei waren, ob auch Vorgesetzte, ob es in der Kaserne oder an einem anderen Ort gewesen ist. Die beiliegende Vollmacht müssen Sie unterschreiben und mir gleich wieder einschicken.

gez. Dr. C. H. Hager

AN CARL HAGER

12. 12. 43

Lieber Herr Doktor, liebe Aline –
oder umgekehrt? Erst Aline? Aber das ist ja egal. Freitag mittag hat der Gerichtsoffizier mir eröffnet, daß ich auf höhere Veranlassung hin bis zum Beginn der Verhandlung vollkommen auf freiem Fuß sein darf. Einige Vorgesetzte und die Aussagen einiger Zeugen haben den ganzen Fall wohl etwas günstiger beleuchtet, und so bin ich vorläufig doch wieder frei. Ich bin sogar wieder auf meiner Schreibstube, denn mein Chef, der auch Rechtsanwalt ist, meinte, dann könnte er doch später als positiver Zeuge für mich eintreten, wenn ich nun unmittelbar unter ihm gearbeitet hätte. Die Aussagen aller Leute, die man über mich vernommen hat, sind im großen und ganzen denkbar günstig und können unter Umständen meine Rettung sein. Aber es ist doch zu schrecklich von mir – dieser Rückfall! Und dann fünf Minuten vor einem so herrlichen Ziel. Eigentlich ist es ja gar kein Rückfall, denn damals war es ja ganz etwas anderes. Aber trotzdem – es ist gar nicht zu beschreiben, wie entsetzlich dumm ich wieder gewesen bin! Und dabei ist es rührend, wie das ganze Batl. daran teilnimmt; sämtliche Dienstgrade sind empört über so eine Gemeinheit! Aber ob man bei der Verhandlung auch so denkt? Womit haben meine armen beiden Eltern bloß so einen Filius verdient?
Mit einem lieben Gruß
bleibe ich Euer Wolfgang

AN CARL HAGER

Jena, den 17. 12. 43

Pz. Gren. Ers. Btl. 59 Abt. III/43

Betr.: Pz. Gren. Wolfgang Borchert, geb. 20. 5. 21

Der Tatbericht wurde am 10. 12. 43 beim Gericht der Division Nr. 409, Zweigstelle Erfurt, eingereicht, von dort aus muß aber nach den neuen Verfügungen die Sache nach Berlin abgegeben werden, von wo aus zu gegebener Zeit die Entscheidung getroffen wird.

B. wurde im Einvernehmen mit dem zuständigen Kriegsgerichtsrat wieder auf freien Fuß gesetzt.

Obwohl die Zeugenaussagen ergeben, daß B., ohne zersetzende Absicht, nur einen Scherz machen wollte, wird er in Anbetracht seiner Vorstrafe mit einer größeren Strafe rechnen müssen. Auch politische Witze können nach der Rechtssprechung der Kriegsgerichte den Tatbestand einer Zersetzung der Wehrkraft erfüllen.

Ich habe, soweit ich konnte, alles an Material zusammengetragen, was zu Gunsten des Beschuldigten sprechen kann.

gez. v. Berenberg-Gossler
Oberleutnant und Gerichts-Offz.

AN CARL HAGER

18. 12. 43

Lieber Herr Doktor!

Die Post dauert volle 8 Tage von Hamburg nach hier. Heute morgen habe ich die Prozeßvollmacht abgeschickt. Ich bin doch sehr glücklich, daß ich meinen Fall in so guten Händen weiß – auch hier in Jena geben sie sich die größte Mühe, alles nur Mögliche, was für mich günstig ist, hervorzusuchen. So hat zum Beispiel der Gerichtsoffizier herausbekommen, daß der Denunziant schon

Pz.Gren.Ers.Btl.59
Ab III /43. Jena, den 22.12.43

Betr.Pz.Gren.Wolfgang Borchert, geb.20.5.21

Herrn
Rechtsanwalt Dr.C.H.Hager

Hamburg

Laut Mitteilung des Gerichts der Division Nr.409
Zweigstelle Erfurt Aktenzeichen St.L.III 392/43,
wurde das Ermittlungsverfahren gegen den Pz.Gren.
Wolfgang Borchert wegen Vergehens gegen das Heim-
tückegesetz an das Gericht der Wehrmachtkommandantur
Berlin abgegeben.
Dortiges Aktenzeichen ist unbekannt.
Leutnant Schumm, auf sich B... wegen einer
Beurteilung bezogen, ist inzwischen gefallen.

mal in einer Trinkerheilanstalt war und sonst noch allerlei über ihn, was ihn in ein schlechtes Licht stellt. Übrigens weiß der Oberleutnant nicht, daß ich dieses alles weiß – meine Beziehungen zum Batl. Stab sind so, daß ich immer laufend über alles unterrichtet werde, was in «Sachen Borchert» unternommen wird. Wenn Sie demnächst all die Beurteilungen über mich lesen werden, dann denken Sie sicher auch, ich sollte das Ritterkreuz bekommen. Hoffentlich steht das mir etwas bei. Es wäre alles halb so wild, wenn ich nicht schon wegen ... Aber wie es auch ausgelegt wird, Frontbewährung wird man mir doch wohl zugestehen – denn ich würde mich selbstverständlich sofort wieder rausmelden. Außerdem komme ich dann nicht nach Rußland, sondern nach Italien und das kann ich auch durchhalten, denn was mich kampfunfähig macht, ist im Wesentlichen die Kälte. Nun, wir werden ja sehen, wie es sich entwickelt. Auf dem beiliegenden Bogen noch einmal mein Bericht. Eine Anklageschrift habe ich noch nicht.
Bis auf Weiteres! Ihr Wolfgang

Berlin, den 3. 1. 1944

Gericht der Wehrmachtkommandantur Berlin
St. L. X 2661 / 43

Anklageverfügung und Haftbefehl!

Gegen den Pz. Gren. Wolfgang *Borchert*, geboren am 20. 5. 1921 in Hamburg, wird die Anklage verfügt, weil er hinreichend verdächtig ist, am 30. 11. 1943 in Kassel-Wilhelmshöhe öffentlich den Willen des deutschen Volkes zur wehrhaften Selbstbehauptung zu lähmen und zu zersetzen gesucht zu haben, indem er auf der Stube 32 der Durchgangs-Kp. Div. 409 (Hindenburg-Kaserne) im Kreise von Kameraden bei dem Versuch, Reichsminister Dr. Goebbels zu parodieren, folgendes sagte:

«Das Deutsche Volk kann ruhig sein, Lügen haben kurze Beine, aber es ist meinem Orthopäden gelungen, mein rechtes Bein auf die normale Länge zu bringen; Volksgenossen und Volksgenossinnen, unsere Führung hat euch luftige und helle Wohnungen versprochen, wir haben unser Versprechen gehalten, die Wohnungen habt ihr jetzt; der deutsche Soldat wird kämpfen bis zur letzten Patrone, dann wird er das große Laufen kriegen, Ihr werdet erlauben, daß ich schon jetzt vorauslaufe, da ich am Gehen behindert bin.»

– Verbrechen nach § 5 Abs. 1 Ziff. 1 KSSVO. –

Beweismittel: a) Eigene Angaben des Beschuldigten.
               b) Zeuge: Gefr. Karl Holzbach,
               c) die zu verlesenden Aussagen der Zeugen:
                   Gren. Kurt Bulgrin
                   Pionier Wilhelm Koswig
                   Gefr. Gerhard Czyvik
                   Gren. von Grünewald.

Das Feldkriegsgericht ist nach § 9 KStVO zu besetzen.

Der Beschuldigte ist in Untersuchungshaft zu nehmen, weil dringender Tatverdacht vorliegt und militärische Belange die Verhaftung erfordern.

Der Gerichtsherr:
gez. von Hase   gez. Selckmann
Generalleutnant   Kriegsgerichtsrat

AN CARL HAGER

4. 1. 44

Lieber Herr Doktor,
eben ist mir die Anklageverfügung vorgelesen worden und ich glaube, es ist gut, wenn ich Ihnen das gleich mitteile. Alle Erkundigungen + Zeugenvernehmungen sind ja wohl abgeschlossen, denn da saß der Jenaer Gerichtsoffizier sehr dahinter. Es kann also jeden Tag losgehen.

Man hat allerdings auf der hiesigen Dienststelle Bedenken, *ob Sie auch rechtzeitig von Hamburg nach hierher und pünktlich zur Verhandlung kommen könnten.* Das ist auch meine große Sorge, Herr Doktor! Wenn auch kein Mensch etwas an meinen Äußerungen verschönern kann – so können Sie doch die Umstände und die Bedingungen, unter denen sie geschehen sind, in ein günstigeres Licht stellen, als wenn ich allein den ganzen Gesetzen gegenüber stehe. Und man wird leicht durch Worte wie «Zuchthaus» und «Strafkompanie» völlig aus der Ruhe gebracht. Vielleicht muß meine «Rede» – auch wenn sie ein Scherz war und es auf den Inhalt nicht ankam – hart bestraft werden, ich hoffe aber doch ganz stark, daß man einem so jungen Menschen noch einmal die Gelegenheit geben wird, an der Front sich zu bewähren. Ich habe mich in Jena vom Arzt schon wenigstens bdgt. K. v. schreiben lassen. Hoffentlich bekommen Sie meine Post noch rechtzeitig und vor allem die Nachricht zum Termin.
Wie immer bin ich Ihr Wolfgang

AN CARL HAGER

5. 1. 44

Lieber Herr Doktor,
anbei schicke ich Ihnen die Anklageverfügung, die Sie ja wohl
haben müssen. Ich bin dabei über einen Punkt gestolpert: Es heißt
«öffentlich» – nach meinem Gefühl ist das nicht richtig. Solange
ich Soldat bin, ist die Kasernenstube meine Wohnung und meine
Kameraden sind meine Familienmitglieder – auch wenn ich sie
nur flüchtig kenne. Und noch etwas fällt mir auf: Soviel ich weiß,
hat der Gren. v. Grünewald mich angezeigt – warum stellt man
mir den nicht gegenüber? – Herr Doktor, ich werde heute an das
Gericht schreiben und bitten, daß man Ihnen eine Sprecherlaubnis
zuschickt. Vielleicht wenden Sie sich auch noch mal nach hier.
Der Chef unserer Abteilung, ein Hauptmann, meinte auch, ob Sie
denn auch tatsächlich rechtzeitig von Hamburg nach Berlin kommen könnten.

Na, ich weiß ja, daß ich bei Ihnen gut aufgehoben bin und daß
Sie mich nicht im Stich lassen, wenn die Umstände vielleicht auch
schwierig sind.
Können Sie meinen Eltern einen Gruß bestellen?
Sie selbst und Aline grüßt
Euer Wolfgang

AN CARL HAGER

11. 1. 44

Lieber Herr Doktor Hager!
Auf Grund eines neuen Befehls haben sich die Tauglichkeitsgrade
geändert und wir kommen fast alle wieder raus. So brauche ich
mir wenigstens keine Vorwürfe zu machen, wenn ich vorzeitig
dieses herrliche Leben aufgeben muß. Von meinem Fall habe ich
noch nichts Neues gehört – es wird wohl auch noch etwas dauern!

Sonst gibt es kaum etwas von Bedeutung – einen kleinen Ehe-
skandal konnte ich gerade noch verhindern – sowas kann ich natürlich jetzt nicht gebrauchen. Aber es ist gerade noch gut gegangen.

Ich habe diese Tage noch einmal Murgers «Boheme» gelesen und ich finde doch sehr viel Nettes darin – leider fehlt doch die gewisse Tragik, die letztenendes auch dieses Jägerleben über- schattet – vielleicht mehr als jedes andere bürgerliche Dasein.
Ihnen und Aline einen herzlichen Gruß
von Ihrem Wolfgang

AN CARL HAGER

20. 1. 44

Lieber Herr Doktor!
Eben erfahre ich auf Grund meiner guten Beziehungen zu der Dienststelle des Gerichtsoffiziers, daß die «Sachen Borchert» höchstwahrscheinlich in Berlin ein Opfer der Terrorangriffe ge- worden sind, da bisher von dort noch keine Nachricht eingegan- gen ist. Die guten Beurteilungen sind alle noch mal herzustellen – aber die bewußte Aussage des Herrn Denunzianten wäre dann doch nicht mehr so genau zu beschaffen.

Vielleicht wäre das gar nicht so ungünstig. Aber wir werden es ja erleben.
Dies wollte ich Ihnen nur mal schnell sagen.
Ihnen beiden einen lieben Gruß
von Ihrem Wolfgang

Ein längerer Brief folgt.

AN ALINE BUSSMANN

Sonnabend, 22. 1. 44

Liebe Aline,
es ist so schwer, in meiner augenblicklichen Lage einen Brief zu schreiben, der einen vernünftigen Inhalt haben soll – Ihr müßt also nicht denken, daß ich Euch vergessen habe – ich lebe viel mehr bei Euch und mit Euch, als hier in Jena.

Übrigens – das interessiert aber Deinen Mann mehr als Dich – ist gestern eine neue Verfügung rausgekommen, nach der Freiheitsstrafen, die über «gestrauchelte» Soldaten verhängt worden sind, nicht mehr vollstreckt werden. Nach dem Urteilsspruch werden die Soldaten ohne Teilvollstreckung sofort zur Front abgestellt und die Verbüßung ihrer Strafe ist bis Kriegsende ausgesetzt. Das ist einigermaßen erfreulich – auch für mich: so brauche ich wenigstens nicht wieder endlose Zeit hinter Gittern zuzubringen!

Ach, Aline, ich denke immer noch daran, wie ich damals Euer Grammophon abgeschleppt habe und unterwegs dann Dr. Strempel traf, der mich zuerst für einen seiner ehemaligen Schüler hielt – es war zu komisch! Weißt Du noch, wie ich Dich vom Zahnarzt abgeholt habe? Es war trotz Trümmer so schön in unserm Hamburg. Ich glaube, wenn nach dem Kriege der Hafen wieder voll arbeitet, dann ist Hamburg bald wieder zu seiner einstigen Größe aufgeblüht – dazu ist unsere Rasse, unser Hamburger Schlag, viel zu gut, um sich vom Leben unterkriegen zu lassen.

Wie geht es denn eigentlich Ruth – habt Ihr sie noch bei Euch? Wir haben uns so gut miteinander vertragen, und ich habe sie damals wohl wirklich «herzzerbrechend» geliebt – aber da ich nun meinen höchsten Dienstgrad bei der Wehrmacht erreicht habe und da dieser außerdem sehr «mangelhaft» ist, hat sie mich wohl völlig von der Liste ihrer Bekanntschaften gestrichen. Ich hatte damals noch kein Glück bei so ausgesprochen blonden Menschen – jetzt hat sich das etwas gebessert.

Liebe Aline, ich habe in meinem letzten Urlaub eine kleine Komödie zusammengeschrieben – laß sie Dir doch mal von Mutti geben und sieh mal, ob sich wohl etwas daraus machen ließe.
Mit einem lieben Gruß bleibe ich
Dein treuer Wolfgang

Ich habe mich noch gar nicht für die Schrift von Schäfer bedankt!?

AN CARL HAGER

Berlin, 27. 1. 44

Lieber Herr Doktor!

Nun ist es endlich soweit, und ich hoffe, daß ich dieses unschöne Zwischenspiel bald beendet habe. Wenn es irgendwie in Ihrer Macht liegt, versuchen Sie doch bitte, den Termin zu beschleunigen, denn einige Kameraden sitzen + warten schon sehr lange hier. Bei mir liegt der Fall doch verhältnismäßig klar. Und dann habe ich noch eine Bitte: Setzen Sie sich doch bitte mit meinem Jenenser Kp.-Chef Hauptmann Dr. Sommer in Verbindung – er wollte wahrscheinlich als Zeuge für mich aussagen und eine Beurteilung über mich abgeben. Da er selbst Gerichtsoffizier ist, hat das vielleicht einige Bedeutung für mich.

Und würden Sie meinen Eltern wohl meine Anschrift geben und ihnen sagen, daß sie mir jeden Tag schreiben dürfen, ich aber nur alle 4 Wochen einmal! Aber ich hoffe, daß ich nicht so lange hier untätig zu sitzen brauche. Nach den neuen Verfügungen muß doch alles beschleunigt werden.

An Aline einen lieben Gruß – und sie möchte mir einmal schreiben!

Sie selbst grüßt
wie immer
Ihr Wolfgang

Höre ich bald von Ihnen über den Stand der Dinge?

AN CARL HAGER

Bln. 3. II. 44

AZ X / 2261 / 43

Lieber Herr Doktor,

nun bin ich schon eine Woche in Berlin und muß mich in Geduld fassen lernen. Inzwischen hat man Berlin ein paarmal angegriffen und wir mußten als Soldaten tatenlos zusehen, wie draußen die

Stadt kämpfte. Ich habe an unser Hamburg gedacht. Angesichts dieser ungeheuren Ereignisse schäme ich mich tatsächlich, wegen meiner Dummheit hier untätig festzusitzen und eine Menge Leute meinetwegen in Arbeit zu halten. Hoffentlich haben Sie meinen ersten Brief bekommen, denn gerade am nächsten Tag war hier ein Angriff.

Lieber Herr Doktor, ich möchte beinahe annehmen, daß man die Verhandlungen hier sehr beschleunigt behandelt und auch mit einer abschreckenden Härte, und deswegen möchte ich Sie doch noch einmal bitten, sich mit der hiesigen Stelle in Verbindung zu setzen, damit ich an dem entscheidenden Tage nicht allein auf weiter Flur stehe.

Nicht, daß ich glaube, Sie täten es aus Mangel an Interesse nicht – aber es wäre doch möglich, daß man, um der Front die Leute nicht unnütz zu entziehen, einfach Termin ansetzt, und daß man seine Sache ohne jeden Rechtsbeistand durchstehen muß.

Ich glaube, ich schrieb es Ihnen schon – sehr wichtig wäre die Beurteilung und wenn es ginge, das persönliche Erscheinen meines Kompaniechefs Hptm. Dr. Sommer. Vielleicht wäre es gut, wenn Sie sich mit ihm in Verbindung setzten. Ich habe im Augenblick die Stimmung, schwarz zu sehen. Aber vielleicht höre ich bald von Ihnen, und einen besseren Trost weiß ich im Augenblick nicht!

Herzlichst
bleibe ich Ihr Wolfgang

VON HUGO SIEKER

Hamburg, 4. Februar 1944

Lieber Herr Borchert!

Wir haben längere Zeit nichts mehr voneinander gehört, das ist zum größten Teil auf die unruhige Zeit um Weihnachten und Neujahr herum zurückzuführen. Ihre Mutter schrieb mir, daß Sie inzwischen schon einmal auf Kurzurlaub in Hamburg waren: ich habe Sie leider nicht zu Gesicht bekommen. Was Sie allerdings damals für mich auf dem Herzen hatten, hat mir Ihre Mutter mitgeteilt, besonders hat sie mir Ihr Manuskript für ein Gedichtbuch anvertraut. Was der Veröffentlichung dieses Manuskriptes in Buchform noch entgegenzustehen scheint, ist eine gewisse Ungleichmäßigkeit im Stil. Es wechseln groteske, ja skurrile Dinge und ernsthafte miteinander ab, und da weiß der Leser, der Sie ja nicht kennt, gar nicht, welche Seite von Ihnen er eigentlich ernst nehmen soll. Ich glaube, Sie sammeln lieber noch ein paar Jahre weiter Ihre eigenen Verse und treffen dann eine Auswahl, die auf die Notwendigkeit der stilistischen Einheit eines Buches Rücksicht nimmt. Etwas anderes wäre es ja, wenn Sie mit der Herausgabe dieses Buches in der Form, wie es jetzt vorliegt, mehr die Schaffung eines kleinen Zeitdokuments beabsichtigen. Denn in gewissem Sinne ist das Schwanken Ihres Stils und Ihrer Stimmungen natürlich charakteristisch für den Seelenkampf der Generation, der Sie angehören. Aber ich denke doch, Sie bezwecken etwas mehr als ein Zeitdokument mit Ihrem Buch. Soll ich Ihnen noch sagen, welche Verse mir am meisten zugesagt haben? Ich glaube, das unterlasse ich lieber, denn ich möchte alles vermeiden, Sie nach einer bestimmten Richtung hin festzulegen. Das Manuskript des Buches lasse ich wunschgemäß an Ihre Mutter zurückgehen, dieser Brief geht auch an Ihre Heimatanschrift, ich nehme an, daß Ihre Mutter ihn an Sie weiterleiten wird, denn sie teilte mir mit, daß Sie nach Frankreich versetzt werden sollten. Zu dieser Versetzung gratuliere ich, sie bringt sicher recht viele fruchtbare neue Eindrücke mit sich. Eben sehe ich, daß Sie noch eine Adresse wünschen, nämlich die von Edith Warncke, die in unserer Jugendbeilage ein Gedicht veröffentlicht hat. Wir können Ihnen die gewünschte Adresse leider nicht mitteilen, holen das aber nach, sowie sich das Mädchen einmal wieder bei uns gemeldet hat. Erfahren wir bald Ihre neue Anschrift?

Bis zu einem Wiederhören verbleibe ich mit den besten Wünschen und Grüßen als

Ihr Hugo Sieker

AN CARL HAGER

Berlin, 21. II. 44

Lieber Herr Doktor,

ich habe leider bisher noch nichts von meiner Sache gehört und muß mich wohl noch auf eine längere Wartezeit gefaßt machen, so schwer es auch wird, untätig dazusitzen. Zudem sind die Angriffe auch kein reines Vergnügen, wenn man hinter Gittern sitzt. Lieber Herr Doktor, würden Sie wohl meinen Eltern sagen, sie möchten mir umgehend einen Rasierapparat schicken, denn meiner ist leider in die ewigen Jagdgründe abgewandert. Und wenn es möglich ist, möchten sie mir doch einen Bleistift und das Reclam-Rollenheft von Shakespeares «Richard III.» mitschicken, dann könnte ich mich doch etwas betätigen. Vor einigen Tagen stand im «Völk. Beobachter», daß man es einem franz. Kriegsgefangenen möglich gemacht hat, hier in Deutschland ein Drama zu schreiben, welches dann über Berlin nach Paris zur Aufführung gelangte. Ich glaube, dann kann man einem deutschen Soldaten kaum abschlagen, ein berufliches Buch – eben ein Rollenbuch – bei sich zu haben.

Hoffentlich durften Sie den 17. Februar
glücklicher verleben
als meine Eltern!

Einen Gruß!

Ihr Wolfgang

AN CARL HAGER

29. II. 44

Lieber Herr Doktor,

Ihren Brief vom 12. habe ich bekommen. Hier sende ich ein Schreiben von Dr. Sommer, damit Sie seine Anschrift haben. – Ja, die lieben Mitmenschen sind unsicherere Rechenfaktoren als die Zahl X – man täuscht sich immer in ihnen, sei es zur positiven oder negativen Seite. Und so ist auch der Ton des Briefes, an dessen Stil Sie sicher Ihre Freude haben werden, so sehr viel anders u.

bedeutungsloser als das, was wir persönlich ausgemacht hatten.
Na, lot em. Man kann den lieben Gott wohl kaum für die Schwächen seiner Geschöpfe verantwortlich machen – er müßte einen
entsetzlich breiten Rücken haben – oder sind wir ihm schon soweit entglitten?

Was haben Sie denn zu der heimlichen Entführung Ihres Grammophons von meiner Seite gesagt? Oder haben Sie das schweigend auf das riesige Schuldkonto derer von Alsterdorf gebucht?
Ja, wir drei Borcherts hängen mit unserm bißchen Existenz ganz
u. gar von Euch beiden – oder von Euch drei Hagers ab. – Wer
weiß – vielleicht 3:3? Und wenn ich mal nach Hamburg zurückkomme, endgültig, dann weiß ich noch nicht, ob ich erst zum
Eppendorferstieg oder erst zur Mackensenstraße gehe – aber das
Telephon wird als modernes Schwert diesen Knoten zerhauen!
Ihren *beiden* Damen
    und Ihnen selbst
    recht herzliche Grüße
    von Ihrem Wolfgang

VON CARL HAGER

                                    Hamburg, den 27. März 1944
An das
Gericht der Wehrmachtkommandantur
Berlin 5
Witzlebenstr. 4–10

In der Strafsache gegen
    den Pz. Gren. Wolfgang Borchert
überreiche ich anliegend in Urschrift und Abschrift eine für den
Reichsminister der Justiz bestimmte Eingabe mit der Bitte um
Befürwortung und Weiterleitung.

Weiter wiederhole ich den bereits in der Verhandlung vom
22.3. d.J. gestellten Antrag, den gegen den Angeklagten ausgesprochenen Haftbefehl vom 3.1.1944 aufzuheben.

Der Angeklagte ist vollen Umfangs geständig. Irgendeine Verdunkelungsgefahr besteht nicht. Sämtliche Zeugen sind verhört worden. Militärische Belange erfordern nicht die weitere Festnahme des Angeklagten. Überdies ist aber damit zu rechnen, daß der Reichsminister der Justiz davon absehen wird, die gemäß § 2 des Heimtückegesetzes erforderliche Anordnung auf weitere Verfolgung zu erteilen. In diesem Fall wird das Verfahren einzustellen sein. Auch ist zu berücksichtigen, daß der Angeklagte sich bereits seit Ende November 1943 in Untersuchungshaft befindet.

Der Rechtsanwalt
gez. Dr. Hager

An den
Herrn Reichsminister der Justiz
Berlin

In der Strafsache gegen
    den Pz. Gren. Wolfgang Borchert (St. L. X 2661/43)
hat das Gericht der Wehrmachtkommandantur Berlin auf Grund der Verhandlung vom 22. März 1944 beschlossen, das Verfahren auszusetzen, um die gemäß § 2 Abs. 3 des Gesetzes gegen heimtückische Angriffe auf Staat und Partei vom 20. 12. 1934 erforderliche Entscheidung des Herrn Reichsminister der Justiz darüber einzuholen, ob das Verfahren weiter verfolgt werden soll.
    Die Verteidigung bittet,
        die Anordnung auf Verfolgung der Tat nicht zu erteilen.
    Der Angeklagte hat im Kameradenkreise sog. Witze vorgetragen, deren Inhalt er selbst verurteilt und als «eigentlich eine Schweinerei» bezeichnet (Vernehmung des Angeklagten act. 6 v.). Wenn er trotzdem seine Hemmungen gegen den Inhalt der Äußerungen überwunden hat, so ist das nur daraus zu erklären, daß er aus Freude an der mit der Wiedergabe erzielten Lachwir-

kung sich dazu hat hinreißen lassen, seinen Kameraden die
«Witze» vorzutragen, die er kurz vorher auf einem Kamerad-
schaftsabend von einem Unteroffizier hatte vortragen hören. Der
act. 4 befragte Oberfeldwebel hat bestätigt, daß der Angeklagte
dazu neige, «Kameraden und Vorgesetzte in Sprache und Gebärde nachzuahmen». An dem Abend in der Mannschaftsstube
sind Witze und Anekdoten verschiedenster Art und Qualität erzählt worden. Es hat den Angeklagten gereizt, seine bessere Vortragskunst vorzuführen. Er ist von Beruf Schauspieler. Er hat bei
etwa 50 Kameradschaftsabenden als Ansager mitgewirkt. Es kam
ihm nicht auf den Inhalt, sondern nur auf die Form an, in welcher
er den Kameraden etwas vortrug, was er «auf Lager hatte». Eine
gehässige Äußerung über den Reichsminister Dr. Goebbels hat
ihm völlig ferngelegen. Man kann fast von einer gewissen Tragik
sprechen, die darin liegt, daß Borchert seine Vortragskunst ausge-
rechnet im Umkreis einer Persönlichkeit erproben mußte, die er
nicht nur als besten und größten Redner – wie er es bereits einlei-
tend und entschuldigend den Kameraden gegenüber betont hat –,
sondern gerade als politische Persönlichkeit achtet und verehrt.
Hierfür mögen, falls es notwendig sein sollte, die in Hamburg
ansässigen Eltern des Angeklagten als unverfängliche Zeugen gehört werden. Gerade diesen gegenüber hat Borchert häufig seine
Verehrung für die hohe Intelligenz und politische Wirkungskraft
des Reichsministers zum Ausdruck gebracht und ihnen u. a. die
Anschaffung des bekannten Werkes «Dokumente zum Zeitge-
schehen» empfohlen. Der Vater des Angeklagten, der Lehrer
Fritz Borchert, wird gegebenenfalls weiter bestätigen, daß es der
Natur des Angeklagten zuwider ist, auf körperliche Eigentüm-
lichkeiten anderer Menschen anzuspielen, noch viel weniger kann
man das annehmen gegenüber einem Mann, dem er besondere
Achtung entgegenbringt.

Aus diesem Gefühl heraus hat der Angeklagte auch am Schluß
seines Vortrages, gewissermaßen in wieder nüchternem Zustand,
als die «Theater»wirkung vorüber war, nochmals den Kameraden gesagt, daß der Inhalt der Sätze «eine Gemeinheit» sei, daß
man aber trotzdem über die Art, in welcher der Unteroffizier die

Sache vortrug, habe lachen müssen. Dieses böse Beispiel des Unteroffiziers wird auf jeden Fall erklärend und entschuldigend herangezogen werden müssen.

In den bei der Akte befindlichen Beurteilungen der Kameraden findet sich nicht eine Stimme, die politische Unzuverlässigkeit oder Äußerungen gegen die Regierung oder die militärische Führung nachsagen kann. Im Gegenteil betont insbesondere der Obergefreite Velde (act. 14) als Kamerad und früherer H. J.-Führer seine feste Überzeugung, daß Borchert auf dem Boden der Bewegung stehe. Der Oberfähnrich Wimmer (act. 11) bestätigt, daß Borchert nie einen gehässigen politischen Witz unter der großen Zahl der ihm zur Verfügung stehenden Witze und Anekdoten erzählt habe, daß er stets sich bemüht habe, an sich selbst zu arbeiten, an der Front die schwierigsten Lebensumstände als gegeben empfinde und sich mit Ironie und Galgenhumor darüber hinwegsetze.

Am wichtigsten erscheint der Verteidigung die Frontbeurteilung seitens des gefallenen Leutnants Stumm (act. 32), welche schlicht und eindringlich dem Angeklagten bestätigt, daß er sich draußen gut geführt hat und bestrebt war, seine Vorstrafe wieder gutzumachen. Die Fronttruppe hat das Verhalten des Angeklagten anerkannt und ihm das Panzerkampf-Abzeichen und die Ost-Medaille verliehen.

Schließlich möge auf die am 25. 2. 1944 zur Akte gereichten Abschriften von Briefen, die Borchert im August 1943 an die Eltern gerichtet hat und den ebenfalls zur Akte gereichten Zeitungsaufsatz des Angeklagten «Requiem für einen Freund» besonders hingewiesen werden. Die wahre Natur des Angeklagten zeigt sich in der Schönheit und dem Ernst dieser gedruckten Betrachtung, nicht in den politischen Witzeleien in der Mannschaftsstube. Das Verhalten des Angeklagten ist von den Kameraden (mit Ausnahme des Anzeigenden) nicht als politische Angelegenheit empfunden worden. Insbesondere der Grenadier Bulgrin (act. 16) hat erklärt, er habe die Absicht gehabt, zum Gerichtsoffizier zu gehen, um ihm zu sagen, daß nach seiner Meinung die Anzeige «eine große Gemeinheit sei». Es widerspricht dem ausdrücklichen Wil-

len des Führers, daß sich auf dem Boden des §2 Abs. 1 des Heimtückegesetzes «ein verächtliches Angebertum» entwickelt. (All-
gem. Verfügung des Reichsministers der Justiz vom 13. 4. 1935).

Der Verteidiger

AN CARL HAGER

Gericht der Wehrmachtkommandantur   Berlin–Charlottenburg,
Berlin   den 6. 4. 1944
St. L. X 2661 / 43   Witzlebenstr. 4–10

An
Herrn Rechtsanwalt C. H. Hager
Hamburg
Mönckebergstr. 19

In der Strafsache gegen den Pz. Gren. Wolfgang Borchert hat der
Gerichtsherr die Aufhebung des Haftbefehls abgelehnt. Wenn das
Verfahren durchgeführt wird, hat der Angeklagte eine erhebliche
Freiheitsstrafe zu erwarten. Er ist auch einschlägig vorbestraft
und hat sich dies nicht zur Warnung dienen lassen. Da bei der nach
den Ermittlungen anzunehmenden wehrfeindlichen Einstellung
des Angeklagten Rückfälle nicht ausgeschlossen sind, erfordern
auch militärische Belange die Aufrechterhaltung des Haftbefehls.

Im Auftrage:
gez. Kriegsgerichtsrat

AN CARL HAGER

19. 6. 44

Lieber Herr Doktor,

Ihren Brief vom 12. 6. habe ich bekommen. Ich glaube aber kaum, daß eine nochmalige Bitte um Haftentlassung Erfolg hat – der Richter äußerte sich ja sowieso dagegen. Und ich finde, daß mir damit gar nicht so besonders gedient ist, vielleicht für 14 Tage frei zu sein und dann noch einmal diesen Akt des Einsperrens über mich ergehen lassen zu müssen. Ich habe nun doch bald 5 Monate Untersuchungshaft hinter mir und kann so doch wenigstens damit rechnen, daß ich bei meiner Bestrafung, die doch nicht ausbleiben wird, einen Teil der bisher erlittenen Haft angerechnet bekomme. Sicher sind meine Akten auch irgendwie unterwegs, sodaß man darüber sowieso nicht entscheiden könnte. Denken Sie nicht, daß ich mutlos geworden bin, aber ich habe nun solange Geduld haben müssen und werde die paar Wochen bis zur Verhandlung wohl auch noch überstehen. Wichtiger ist bestimmt die härtere Zeit, die mir dann bevorsteht. Ich glaube, wenn wir die Sache so ansehen, werden Sie mir recht geben. Trotzdem behalten Sie natürlich alle Fäden in der Hand und können mit Ihrer besseren Übersicht und Ihrem größeren Verstand die Marionette meines gegenwärtigen Schicksals so dirigieren, wie es für mich am besten ist.

An Ihre kleine Familie einen Gruß –

Sie selbst grüßt

Ihr Wolfgang

AN CARL HAGER

Bln. 3. 8. 44

Lieber Herr Doktor,

nun habe ich tatsächlich 6 Monate hinter mir und es ist immer noch nichts geschehen. Manchmal will es gar nicht mehr gehen mit der Geduld – aber dann sage ich mir wieder, so geschwächt wie ich jetzt bin, würde ein plötzliches Rauskommen in Kampf

Zentralgericht
des ...

St. P. L. [Nr.] 2661 /19 43

Berlin-Charlottenburg, den 2. 8. 1944
Wiglebenstraße 4-10
Amt: 30 06 61, Quer: 12 86 62, App.: ...

An Herrn Rechtsanwalt Dr. Carl Hager

Hamburg / Röntebogen 19

In der Strafsache

gegen Pz. Gren. Wolfgang Borchert

wegen Zers. d. Wehrkr.

werden Sie als Verteidiger des Angeklagten benachrichtigt, daß Termin zur Hauptverhandlung auf

Montag, den 21. August 1944 13 Uhr

in Berlin-Charlottenburg 5 (Straße Nr.)
    Wiglebenstr. 4-10
anberaumt worden ist.

Heeresjustizinspektor als Urkundsbeamter der Geschäftsstelle

§ 32 Bekanntgabe der Hauptverhandlung an den Verteidiger (§ 190 MStGO)
Verlag Franz Vahlen, Berlin W 9 · C/1441

+ Strapazen mein völliges Zusammenklappen zur Folge haben –
ich bin ja sowieso nie ein Herkules gewesen. Wenn ich allerdings
in Freiheit gewesen wäre, hätte ich mich vielleicht schon längst an
das Opfer meines Spottes, den so ein Kerl unbedingt mißverste-
hen wollte, gewandt und ich bin sicher, daß er diese Bagatelle
glatt hätte niederschlagen lassen. So aber gibt es weiter nichts, als
durchhalten und ich befürchte nur manchmal, plötzlich einer allgemeinen Strafverschärfung zum Opfer zu fallen. Vorläufig muß
ich mich damit trösten, daß der liebe Gott mich habe vor besonde-
rem Unglück beschützen wollen und mich deswegen in sicheren
Gewahrsam genommen. – Ob meine Eltern mir nicht den
«Faust» als Brief schicken können. Es ist kaum zu glauben, wie
hungrig man auf geistige Nahrung sein kann – und dieser Hunger
ist schlimmer als das Knurren eines leeren Magens.
Ihnen und Ihren Beiden
einen kleinen Gruß von Ihrem Wolfgang

AN CARL HAGER

Bln. 7. 8. 44

Lieber Herr Doktor,

nun ist wohl doch noch notwendig geworden, daß ich bestraft werden muß und ich mache mich auf einen tüchtigen Schlag gefaßt: Also, am 21. August 13^{00} habe ich Hauptverhandlung. – Ich vermute allerdings, daß sie in einem anderen Gebäude stattfinden wird – aber das werden Sie ja wohl herausbekommen. Hoffentlich sind Sie zu der Zeit abkömmlich. Vielleicht ist es möglich, daß wir *vorher* noch ein paar Worte miteinander wechseln können. – Mir wäre sehr daran gelegen, daß ich wieder zu meiner Panzerdivision komme, da ich für den Infanteriedienst wegen meiner Hand sowieso nicht mehr tauge. Aber ich glaube, in Torgau wird man darauf keine Rücksicht nehmen. Vielleicht können Sie da was für mich tun?!

Ich freue mich schon, am 21. 8. ein bißchen Heimat zu fühlen! Wie immer Ihr Wolfgang

URTEIL

Zentralgericht des Heeres Berlin-Charlottenburg, den 7. 9. 1944
Berlin   Witzlebenstr. 4–10
St. L. X 2661 / 43.

Der Pz. Grenadier Wolfgang Borchert
Zivilberuf Schauspieler
geboren am 20. Mai 1921 in Hamburg
Anschrift: Hamburg 39, Mackensenstraße 80,
ist durch Urteil des Feldkriegsgerichts des Zentralgerichts des Heeres Berlin vom 21. August 1944 wegen Zersetzung der Wehrkraft zu

9 – neun – Monaten Gefängnis unter Anrechnung von 5 – fünf – Monaten Untersuchungshaft

verurteilt worden.

Das Urteil ist am 4. September 1944 rechtskräftig geworden. Gem. Anordn. des Gerichtsherrn vom 4. September 1944 wird dem Verurteilten Strafaufschub zwecks Feindbewährung bewilligt.

Auf Befehl
gez. Heeresjustizinspektor

Sehnsucht nach einem wirklichen Leben   1944

Nach der Entlassung aus dem Gefängnis kommt Borchert, wegen Krankheit dienstunfähig, wieder nach Jena zu seiner Einheit. Im März 1945, als die letzten Reserven mobilisiert werden, Fronteinsatz der Truppe in der Nähe von Frankfurt am Main; die Einheit ergibt sich kampflos den französischen Truppen. Während des Transportes in die Kriegsgefangenschaft kann Borchert fliehen und macht sich – zu Fuß – auf den 600 Kilometer langen Weg nach Hamburg, wo er am 10. Mai erschöpft ankommt.

AN ALINE BUSSMANN

Jena, den 15. IX. 44

Meine liebe liebe Aline,
nun ist der Tag, an dem ich die vergitterten Fenster von außen besehen wollte, doch plötzlich gekommen, und ich stehe zwar befreit – aber dennoch etwas unfrei wieder auf meinen Beinen. Habe ich mich 8 Monate lang vielleicht zuviel mit mir selbst beschäftigen müssen, so bin ich nun gerade in das Gegenteil reingesprungen, und ich weiß heute am ersten Tag noch nicht recht, wo mir der Kopf steht. Deswegen war ich ganz froh, daß ich gleich auf Wache ziehen mußte – so habe ich nun ein paar Nachtstunden für mich – und für Euch. Daß Du mir mit Deiner Post nach Berlin ein großes Geschenk gemacht hast, brauch ich wohl nicht erst zu betonen und ich will versuchen, ob ich Eure Treue – Deine und Carls (ich sage in Gedanken immer so) einmal wieder gutmachen kann. –
    Ich habe nun doch noch ein paar Tage Ruhe in Jena, bis die letzten Formalitäten erledigt sind – und dann werde ich wohl nach dem Westen kommen. Aber im Moment ist das noch gar nicht aktuell

für mich – man kann ja heute nicht über den nächsten Tag bestimmen und jeden Augenblick können sich wahrhaft umwälzende Dinge ereignen, die alle Planungen glatt über den Haufen werfen. So wappne ich mich also mit gutem sturen Hanseatengeist. –

Ich habe in Berlin ganz unglaublich viel geschrieben – alles was sich noch so aufgestaut + angesammelt hatte, kam in dieser Ruhe an die Oberfläche. Ach, und ich bin auch wieder ein ganzes Stück weiter gekommen – glaube ich. Ich habe vor allem entdeckt, daß ich zum leidenschaftlichen Hamburger geworden bin – und so kamen mir «Jan Himp» + «Sterne überm Meer» gerade recht. Liebes Alinchen, du wirst Dich wundern, aber es war mein erstes Buch von Gorch Fock. Ich hatte bisher kein Verhältnis zu ihm, ja – im geheimen hab ich ihn als «Plattdütschen» verächtlich liegen lassen –, aber nun habe ich seine große Sehnsucht nach dem Meer gefühlt und er ist mir ganz nahe gerückt.

Wenn ich nach diesem Kriege noch schreiben kann, habe ich mich entschlossen, einen anderen einprägsameren und aussagenden Namen anzunehmen, der irgendwie mit mir + meinem schreiberischen Ziel Verbindung hat – nämlich: *Kai Wasser*. Und warum Wasser, fragst Du? Paß auf: ich bin an der Tarpenbeck geboren, die Tarpenbeck tropft in die Alster, diese plätschert in die Elbe – die Elbe schweigt ins Watt, und das Watt rauscht ins Meer! Ach, und der Regen, der Nebel, die Wolke und die Träne – das Blut + der Saft der Blumen + Bäume: heißt nicht das alles *Wasser*? Und der Vorname *Kai* ist der Steg, der in das Wasser hinausragt + an dem die Gedanken Anker werfen und von dem sie ausfahren wie die Schiffe: *Kai Wasser*. – Ich will so stark sein, daß es ein Name wird – oder pathetisch: ein Begriff. Die gesetzlichen Fragen über so ein Pseudonym muß Dein Hausherr aber für mich klären. – Gerade ist eine Wespe aus dem Goldregenstrauß in der Vase auf den Tisch gefallen – vor Altersschwäche? Vor Trunkenheit? Sie ist tot und liegt gelb + giftig da, metallisch + starr wie ein abgeschossener Terrorbomber.

Ich wollte, ich könnte einen Abend zwischen Euch vieren sitzen und Euch meine Sachen vorlesen. So werde ich in jeden Brief einige tun. –

Aber Carl gegenüber habe ich noch ein furchtbar schlechtes Gewissen – er hat so unendlich viel für mich getan und ich konnte ihm nur ein armes kleines «Danke» dafür geben. Sage ihm, er soll sich von meinen Büchern das aussuchen, was ihm am besten gefällt und damit endlich mal klare Luft in unsere Familien kommt, soll er in Zukunft *Du* zu mir sagen – denn wenn er von Dir immer Wolfgang hört, ist es doch albern, wenn er zu mir dummen Kerl *Herr Borchert* sagen muß! Schließlich sind wir doch natürliche Leutchen und wollen in dieser Zeit, wo alles Schöne karg + selten ist, nicht mit unserer Zuneigung hinterm Deich bleiben und geizen – was können wir uns sonst noch geben?

Dieser Brief ist also für Euch Beide, aber ich habe Dich angeredet, weil mir das besser aus dem Bleistift geht. –

Aline, wir dürfen uns von diesem Krieg nicht erdrücken lassen – wir wollen stark und wir selbst bleiben und unsere kleine große Welt bis zuletzt verteidigen!

Ich freue mich schon, Briefe von Dir zu bekommen, die nicht für einen Kriegsgerichtsrat zurechtgestutzt sind.

Euch einen sehr lieben Gruß!

Dein treuer Wolfgang

FRAGMENT EINES BRIEFS AN DIE ELTERN

[Herbst 1944]

[...] Art verzichten. Ja, wenn ich wüßte, daß ich meine Arbeit bis zum 30. Lebensjahr vollendet haben müßte, oder ich würde nichts erreichen, so würde ich auch das auf mich nehmen. Lieber jung gestorben und *gelebt* – als alt geworden und die Welt nur tropfenweise genossen. Na, und allzu alt werde ich bei meiner Gesundheit kaum werden, das fühle ich. Manchmal macht sich doch schon allerlei bemerkbar. Aber noch liegt das alles weit ab – freilich, das Schöne auch und wir müssen sehen, daß wir wieder den richtigen Kurs gewinnen.

Tarpe Beek

AN DIE ELTERN

Sonntag

Meine Beiden!
Heute habe ich die Nase mal wieder so richtig voll und will man
lieber nur ganz kurz schreiben, sonst fang ich noch an zu klagen.
Aber am unerträglichsten ist doch diese unstillbare Sehnsucht
nach einem wirklichen Leben voll Leid, Arbeit und Freude – was
wir jetzt führen, ist ja nur ein magerer Ersatz. Oft denkt man, es
geht nicht weiter – aber es geht immer wieder, bis . . .
ja, wer weiß das!
Euer müder Tarpe

AN DIE ELTERN

4. X. 44

Liebe Eltern
nun ist Mutti schon drei Tage weg und ich habe noch gar keine Post
von Euch – hoffentlich seid Ihr beide gesund! Heute war ich beim
Arzt: er hat meine Stiefel befürwortet und ich muß am 9. X. zum
orthopädischen Sprechtag. – In Stadtroda hat sich nichts gerührt.
Habt Ihr mein Hamburg-Gedicht schon abgeschrieben? Macht
man gleich ein paar Durchschläge davon und zeigt es Aline. Vielleicht auch Heinrich Deiters oder C. A. Lange? In der Stadt war ich
noch nicht wieder – Margrete hab ich da nicht mehr und allein des
Essens wegen gehe ich keine drei Schritte. Da bleibe ich lieber im
Hause und schreib meinen beiden Alten. Von Feige soll ich auch
grüßen – wir haben jetzt oft dienstlich zusammen zu tun. Von
Tante Minna kam noch ein kleines Päckchen an und ich kann diese
Sonderzuteilungen sehr gut gebrauchen, das wißt Ihr ja. Das Einzige, was jetzt noch an Euern Besuch erinnert, ist Muttis Backobst
– und ich nehme mir jeden Morgen eine kleine Prise davon –
schmeckt nach Börchings. Sonst soll Vati sich man keine Sorgen
machen, ich werde wohl noch langsam wieder ruhig werden!
Liebe Grüße
Euer Hanning

AN ALINE BUSSMANN

Jena, d. 14. 10. 44

Meine liebe Aline!

Nun meint es das Leben scheinbar doch mal etwas besser mit mir, und es ist wie ein Geschenk, daß ich noch eine kurze Frist in Jena bleiben darf, um wieder Kraft für die kommende Zeit zu sammeln. So ist es: bergauf, bergab – ewige Berg + Talbahn – ewiger Jahrmarkt: in jeder Bude neue Überraschungen. Und wenn man wieder auf der aufsteigenden Linie ist, sieht man wie ein Phönix auf die dunklen Niederungen, in denen man beinahe steckengeblieben wäre, und ein gewisser grimmiger Hoch- und Lebensmut steht mit stolzen Engeln am Wege nach oben. Manchmal überschatten ihn zwar die Nachwehen der Berliner Tage, die aber wie Dämonen sind und mich zum Licht drängen, und ihre Fratzen stehen als drohende Warnung im Hintergrund. Wir können heute nirgendwo Trost finden als in uns selbst, und heute muß es sich beweisen, nun, wo wir von unseren Büchern und Bildern getrennt sind, ob wir sie nicht umsonst gelesen und besehen haben – ob sie uns wirklich etwas gegeben haben oder ob sie nur eine Unterhaltung für leere Stunden waren. Wenn ich auch erst ganz am Anfang von all diesen Dingen war, als ich Soldat wurde, so ist mir doch das Leben mit den schönen Geistern unserer Kunst der beste Talisman für die dunklen Stunden gewesen, und ich führe oft wunderbare Zwiegespräche mit ihnen – ob sie nun Sappho, Shakespeare, Rilke, Rimbaud oder Hamsun heißen – sie alle sprechen einen trostreichen Chor. Wir sind als Großstadtmenschen wohl doch nicht mehr naiv und bescheiden genug, um an den Freuden in der Natur – an den Kräften, den Sternen und den Blumen Genüge zu finden. Die Natur nimmt nicht teil an unseren Nöten, aber die großen Genien der Kunst haben wie hunderte Christusse für uns gelitten und erlösen uns nun. Wer hätte gedacht, daß wir sie noch mal so nötig haben!

Habe ich Dir schon mal diesen himmlischen Satz aus Shaws «Arzt am Scheideweg» aufgeschrieben? Hier ist er (von einem Maler gesprochen):

«– ich glaube an Michelangelo, Velázquez und Rembrandt, an die Macht der Zeichnung, an das Geheimnis der Farbe und an die Erlösung aller Dinge durch die ewige Schönheit!»

Ist das nicht wie ein herrliches Gebet? Und da sagt man, daß Shaw bestenfalls ein Literat, ein Journalist sei – diesen Satz hat aber ein Dichter geschrieben.

Ich habe von zu Hause Hans Leips «Bergung» bekommen und der Anfang ist – trotz einiger Stilunebenheiten – recht versprechend – wenn ich mal nach Hamburg komme, bringe ich es Dir mit – und wenn mein Stern es will, ist diese Gnade vielleicht nicht so unerreichbar, wie es jetzt eben scheint.

Aber auch so will ich Dich recht oft besuchen – in Gedanken – und ich fühle manchmal, daß Du auch oft auf dem Wege nach Jena bist.

Mit einem ganz lieben Gruß bleibe ich
Dein Wolfgang

AN HUGO SIEKER

Jena, 20. 10. 44

Lieber Herr Sieker,

nicht daß Sie denken, ich bin Ihnen untreu geworden, aber als ich hörte, daß Sie Ihr schönes Reich am Gänsemarkt verlassen mußten, da habe ich doch den Mut verloren, Ihnen nun noch – wo Sie jetzt auch vielleicht Soldat werden sollten – mit meinen Gedichten in den Ohren zu liegen. Ich habe mich an die Tage erinnert, wo ich meine kleine Welt aufgeben mußte, ich kann Ihnen so gut nachfühlen, wie Ihnen wohl zumute war. Wir sind wie Maler ohne Pinsel und ohne Farben geworden, und das ist schon ein bitteres Los: Sehen, Fühlen und es nicht verarbeiten können! Ja, man fragt sich, dürfen wir überhaupt jemals wieder für das da sein und leben, was bisher unsere Welt war. Verliert nicht alles angesichts dieser ungeheuren chaotischen Eruptionen seinen Sinn? Oder bekommt es ihn jetzt erst? Sollen wir jetzt die Lehre ziehen aus unserem Leben? Sollen wir nun die Weisheit und den Trost unserer

Bücher praktisch anwenden und versuchen, ob sie stark und wertvoll genug sind, diese Belastungen zu ertragen? Nun, aber wir wollen doch beweisen, daß wir nicht umsonst in den großen Philosophen geblättert haben! Ich für mein Teil habe mir jedenfalls vorgenommen, mich nicht und von nichts unterkriegen zu lassen – es sei denn, daß der Tod es fordert. Wenn ich Ihnen also nun doch wieder Gedichte schicke, dann sollen sie nur für Sie sein – als ein kleines Zeichen meiner anhaltenden Freundschaft zu Ihnen und vielleicht auch als ein kleiner Trost und Beweis, daß man auch in vier Jahren noch nicht seelisch zu versturen braucht – vielleicht sogar im Gegenteil – daß man noch empfindlicher (im guten Sinne) wird! Und nicht nur wir gehen durch eine schwere Prüfung – auch Mozart, Hölderlin oder van Gogh meinetwegen müssen uns zeigen, daß sie zu mehr getaugt haben, als zur Füllung und Unterhaltung unserer Mußestunden! –

Lieber Hugo Sieker, ich kann mir denken, daß Ihnen neben Arbeit und Alarm nicht viel Zeit bleibt, aber ich würde mich doch freuen, wenn ich mal ein Lebenszeichen (und vor allem ein Lebensmutzeichen) von Ihnen bekäme. Ich will jedenfalls versuchen, Ihnen von Zeit zu Zeit einen längeren Brief zu schreiben.

Wie immer
bleibe ich mit den
herzlichsten Grüßen
Ihr Wolfgang Borchert

AN RUTH HAGER

Jena, 20. Oktober 44

Liebe Ruth,

von mir hast Du wohl zuletzt einen Brief erwartet und ich kann mir lebhaft Dein kritisch-spöttisches Gesicht vorstellen, das erstaunt fragt, was dieser mehrfach vorbestrafte Mensch von Dir wollen könnte. Ja, ich will gar nichts von Dir – ich habe nur das Bedürfnis, Dir zu schreiben. Nicht etwa, weil Du zufällig ein Mitglied der Familie Hager bist, sondern weil Du für mich – seit ich meine hoffnungs- und hemmungslose Verliebtheit in Dich überwunden habe – so etwas wie eine richtige Freundin bist. Vielleicht hast Du da gar nichts von gemerkt – aber ich habe mir oft in der letzten Zeit gesagt: Was würde wohl Ruth dazu sagen. Und da ich das Pech hatte, oft in recht kläglichen und häßlichen Lagen zu stecken, habe ich – mich manchmal sogar etwas geschämt vor Dir. Nicht, daß ich mich schäme, weil ich im Gefängnis gesessen habe – solche bürgerlichen Gedankengänge habe ich nicht – aber es bleibt doch von all diesen unwürdigen Situationen eine ganze Menge an einem hängen. Auf der einen Seite hat man Gewinn – aber auf der anderen bekommt man doch einen kleinen Riß. So bin ich nun in Deiner Männerkollektion eine etwas dunkle und wohl allein dastehende Erscheinung – aber wenn Du Dich noch ein ganz klein wenig an mich erinnerst, dann wirst Du wissen, daß ich wenigstens ein ehrlicher Freund bin – ehrlich in meiner Zuneigung zu Dir – und trotzdem ehrlich, obwohl ich weiß, daß Dir da gar nichts an liegt. Ich bin sonst selten bescheiden – aber Du bist eine große Ausnahme. Ich habe für Deine Schwestern zwar niemals die Liebe – wohl aber die Achtung verloren. Es geht natürlich zu weit, warum und wieso, und Du wirst es auch so begreifen – jedenfalls bist Du mein letzter Engel, der immer noch makellos für mich ist. Vielleicht ist es immer so, daß wir das, was uns nicht gehört, anbeten müssen und es begehren, bis das Idealbild, das wir uns von einem Menschen gemacht haben, an der nackten Wirklichkeit zerbricht. Mir geht es aber so, daß ich einen Engel brauche, bei dem keine Gefahr ist, daß meine Illusion über ihn eines Tages zerstört werden kann – und das kann sie immer nur dann, wenn sie Wirklichkeit wird; aber das ist eben in unserem Falle nicht möglich. Siehst Du, und deswegen bin ich glücklich, daß es Dich gibt, daß Du da bist, wenn auch nicht für meinen Alltag, wohl aber für meinen Sonntag. – Ich weiß nicht, ob Du verstehst, wie ich das meine und ob Du überhaupt meinen Brief bis hierhin liest – aber es ist eben so und es bleibt auch so!

Weißt Du, Ruth, ich habe früher immer gedacht, um gotteswillen nicht merken lassen, daß man aus Hamburg ist, und ich habe absolut nichts von Hamburg gehalten – aber nun bin ich geradezu ein fanatischer Hamburger geworden – vielleicht aus Heimweh, aber auch, weil ich begriffen habe, daß wir letztenendes doch die Kinder unserer Heimat bleiben. Und je länger ich von Hamburg weg bin und von seinen Menschen, umso mehr fühle ich, daß ich dazu gehöre und daß dies doch unsere eigenste Welt ist (auch wenn wir in Alsterdorf oder Winterhude wohnen): Der Hafen, die Elbe, St. Pauli, Blankenese — ich glaube, das sind Dinge, auf die man – ohne Lokalpatriot zu sein – ruhig stolz sein kann!

Und wenn ich das Glück habe, zu den Überlebenden dieses Riesenkrieges zu gehören, dann sollen mich auch die schönsten Gletscher oder Weinberge nicht mehr darüber täuschen, daß unser nebeliges und verregnetes Hamburg über allem steht!

Eigentlich mag ich diesen Brief gar nicht in den Eppendorferstieg schicken – am liebsten würde ich ihn ganz heimlich postlagernd schicken, damit niemand weiß, daß Du solche Bekanntschaften hast. Aber das geht ja nicht.

Ruth, Du weißt doch wohl, daß ich mich furchtbar freuen würde, wenn Du mir auch mal einen Gruß zukommen läßt – vielleicht mit der Bemerkung, daß ich Dir auch weiter schreiben kann, wenn es mich dazu treibt, denn ich habe doch manchmal einen ziemlichen Kater von diesem Ausflug nach Berlin und Du bist für mich gerade hell genug, ein wenig Licht in diese Dunkelheit zu bringen.

Mit einem lieben Gruß

bin ich Dein

Wolfgang

AN CARL ALBERT LANGE

Jena 22. X. 44

Lieber Carl Albert Lange!

Wieviel Mal habe ich mir schon vorgenommen, Ihnen einen Brief zu schreiben – aber immer wieder habe ich es unterlassen – was schreiben, jetzt, wo unsere ganze geliebte Welt in Trümmer zu gehen scheint? Und was sollte ich gerade Ihnen aus diesem Kriege schreiben – ich hätte doch nur die furchtbaren Erlebnisse des ersten Krieges bei Ihnen berührt! Doch nun habe ich mir gesagt, es ist vielleicht doch richtiger, wenn wir in dieser Zeit, die alles zerreißt, uns dann und wann ein Trostwort zurufen – und so kommt nun dieser Brief.

Es ist aber jetzt so, daß unser ganzes Denken nur um den einen Punkt kreist: Wieder nach Hause, wieder arbeiten und tätig sein können – etwas schaffen und schöpfen dürfen – danach schreien wir, nach unserer Welt, nach unserem Leben! Und die Erinnerung an die Vergangenheit muß nun stark genug sein, uns Trost für die Zukunft zu geben, Zukunft, «Morgen» – das ist unser tägliches Gebet – und währenddessen vertrocknen meine Schminkstifte zu Hause ruhmlos und einsam.

Mit viel Freude habe ich gehört, daß Sie von der neuen Zeitung mit übernommen sind und wenn die Musen jetzt auch ganz verstummt sind, so klingen sie doch noch in uns nach, und ihr Gesang soll unsere Muttermilch sein, die uns Kraft gibt für das, was noch alles kommt und uns erdrücken will. Nun sind wir bald wieder wie die Vaganten geworden, die auf ein paar losen Blättern ihre unsterblichen Werke in der Tasche tragen – bis sie vielleicht eine spätere Zeit für würdig befindet, in Bücher zu binden. Vielleicht aber werden wir diese Visionen des Grauens und der Erschütterungen selber einmal zerreißen, wenn wir aus diesem apokalyptischen Traum erwachen und uns dann in der reinen großen Schönheit baden wollen, bis wir in ihr ertrinken – das soll unsere Vergeltung sein! Wenn wir wieder eine Blume oder die Sterne, die Vögel oder die dunklen Wimpern eines Mädchens besingen dürfen – mag sein, daß dann das Entsetzen von uns abfällt wie eine spukgewordene Maske und daß von diesem teuflischen Schauspiel nur noch ein leiser Schauder bleibt – als Mahner, jede Minute des Glückes ganz auszutrinken! – So schwankt man aber umher zwischen der Flucht ins Idyll und dem Zwang, dieses Grauen doch zu gestalten, um es zu bannen – so wie man nachts ein Gespenst anspricht, um die Angst loszuwerden.

Ist es dann ein Trost, daß die Elbe, der Nebel im Hafen und der große Bär unsterblich sind? Nehmen Sie uns denn mit in ihren Reigen, die Unvergänglichen? Es will doch oft scheinen, als stünden wir abseits und beziehungslos da mit unserer Not, weil es keinen Gott gibt als die Natur – und die ist erbarmungslos. Oder wir müssen ihre Gesetze zu unserer Religion machen – aber dann kommen wieder die Augenblicke, wo man sich mehr dünkt als ein Baum oder ein Pferd – wo man vielleicht etwas Göttliches ahnt und sich dagegen auflehnt, auf dem Acker zu verfaulen! Aber das ist wohl unser Los – wir erkennen und erstreben das Vollkommene und zerbrechen an unserer Unzulänglichkeit.
Trotzdem: Uns geht die Sonne nicht unter!
Ich bin mit vielen guten Wünschen
Ihr Wolfgang Borchert

AN DIE ELTERN

Sonntag, 22. X. [1944]

Liebe Eltern,
Heute kam der Kandis und ich habe ihn gleich probiert – herrlich! Ich war ja schon immer ein Zuckerjunge. – Gerade habe ich an C. A. Lange geschrieben und ihm auch ein paar Verse mit eingelegt. Muß Vati auch zum Volkssturm? Oh oh! – Könnt Ihr mir nicht in Reclam «Die Räuber» schicken und ein Inselbändchen: Gedichte vom Rimbaud! Da ich fast gar nicht weggehe, will ich abends doch wenigstens immer etwas lesen. «Die Bergung» war gut – aber auch nicht mehr. Es fehlte irgend etwas daran und war in der Sprache oft profan. Der Brief von Kinau könnte auch von Graveley sein – n' beten to seut!
Tuschis! Hanning

AN ALINE BUSSMANN

Jena, Sonntag, 29. X. 44

Meine gute Aline!

Das sollst Du aber nicht wiedertun: mir etwas schicken, was bei
Euch selbst so knapp ist! Ich komme ja sonst überhaupt nicht
mehr aus Eurer Schuld heraus! Vielleicht werden wir für all die
Liebe, die wir nun entbehren müssen, eines Tages entschädigt –
sonst wären wir um unsern Lebenssinn betrogen! Denn unser Leben ist doch Liebe: Liebe zum Leben selbst, Liebe zu unserer Arbeit und die süßere (aber treulosere) Liebe zu unsern Freunden.
Aber ich denke immer, daß wir uns einmal doch fest bei der Hand
halten dürfen und mit der großen seligen Sendung vor den Trüm-
mern stehn, neu zu schaffen und aufzubauen! Das ist der sehr
schmale, aber trostreiche Silberstrich am schwarzen Horizont.
Ohne ihn müßten wir verzweifeln. Und dann will ich Dich ganz
fest in den Arm nehmen und Dir sagen, was für ein treues und
liebes warmes Licht Du in diesen dunklen Tagen warst – und
wenn Du sonst vielleicht auch eine kleine Unruhige bist – für
mich bist Du immer wie eine ruhige und heimatliche Lampe in der
Nacht! Aber Du sollst auch wissen, Alinchen, daß Du an mir
einen – wenn auch nur kleinen – aber doch treuen Freund hast – so
treu, als wenn Du meine Mutter wärst – nicht von irgendwelchen
augenblicklichen Ereignissen abhängig – sondern so beständig,
als wären wir aneinandergekettet. Und als man mir in Nürnberg
an den Kragen wollte, da habe ich mich heimlich vor Dir geschämt, daß ich überhaupt in so einen Verdacht kommen konnte.
Aber ich glaube, Du hättest auch dann noch zu mir gehalten, nicht
so sehr, weil Du es verstanden hättest, sondern weil wir aus einer
Erde gemacht sind und um das Lied und das Leid wissen, das in
uns singt und weint. – Ich habe von Berlin doch mehr mitgenommen, als ich gedacht habe: Ich hatte diese Tage einen kleinen halb
ernsthaften, halb scherzhaften Streit mit einem Kameraden und
ich habe mich richtig mit aller Macht zurückreißen müssen, sonst
hätte ich ihn glatt erwürgt. Ich habe Mutti schon von diesen
merkwürdigen «Anfällen» erzählt und es auch sofort bereut:
meine beiden guten Eltern haben sich natürlich noch mehr beun-

ruhigt. Aber ich hoffe, daß es vielleicht irgendwelche Nerven sind, die einen kleinen Stoß bekommen haben und daß sich das nach und nach verliert. Und wenn ich früher vielleicht zu friedfertig war – nun habe ich direkt Angst, mit jemand in Feindschaft zu geraten – Angst um den andern. Aber sei Du auch ohne Sorge: Das dritte Mal kommt nicht! Die Erinnerung an Nbg + Bln sind so stark, daß sie mich Tag und Nacht wie zwei warnende Schatten begleiten – und in das letzte Abenteuer bin ich doch bestimmt schuldlos reingetappt, denn für so kleinlich und humorlos habe ich die Justiz nicht gehalten.

Alinchen, ich komme bald wieder auf einen kleinen Besuch! Dein treuer Wolfgang

AN DIE ELTERN

31. X. 44

Ihr beiden Guten!

Nun ist doch eine Ladung Keks gekommen und ebenso wohlbehalten ein Glas Marmelade. Denkt mal, ich habe sogar noch von dem damals mitgebrachten Backobst!

Gestern abend waren wir im Konzert – leider kamen zum Schluß die barbarischen Insulaner und störten die andächtige Feier.

Jetzt, wo ich etwas mehr zur Besinnung komme, merke ich doch, daß die Nürnberger und Berliner Tage immer noch große Schatten über mich werfen. Beim Konzert wäre ich am liebsten rausgelaufen – so plötzlich packte es mich. Musik hat mich schon immer so merkwürdig berührt – die braucht nicht einmal ernst zu sein. Es überläuft mich immer eiskalt, wenn ich manchmal aus irgendeinem Radio leichte + verrückte Musik höre – jetzt, wo im Augenblick die ganze Welt aus den Fugen zu gehen droht!

Bald hätte ich es vergessen: Heute abend erschienen die beiden Faltinasse auf dem Sofa in Großaufnahme – oh oh! Wer hat denn das gemacht? Es ist sehr gut geworden – nur der Stoff des Kissens hätte nicht so ähnlich sein dürfen wie Muttis Bluse – so kann man ev. denken, Hertha hat einen Ast! Oh!

Carl Hager hat einen drolligen kleinen Brief geschrieben – aber man merkt daran, daß er so ganz aus seiner Reserve raus geht, wie er doch auch unter der Zeit leidet und von ihr angegriffen wird.

Ich habe ein bißchen den Franz Moor geübt, aber ich fühle mit Grausen, daß mein Kehlkopf glatt abbaut, wenn er etwas stärker beansprucht wird! Na, vielleicht ist es das Ungewohnte! Hüt obend kann ick mien bei ol lütt Schieters man n' Seuten geven! Hanning

AN ALINE BUSSMANN

Sonntag, 17. XII. 44

Liebe Aline!

Umstehender Kopf grinst wohl etwas zu genießerisch und frivol für unsere Zeit – aber er hat doch seine Anmut. Unseren Tagen fehlt es an Anmut – sie sind grob und entsetzlich nackt – nur von den Frauen kommt uns ein Licht und eine herrliche Zartheit – aber ich fürchte, das ist auch nur ein Quichote-Traum von mir. Alles ist von Profanem und Alltäglichem durchseucht – vielleicht ist es nur die Kunst, die wahrhaft groß und rein ist – darum müssen wir auch immer wieder zu ihr flüchten und neue Kraft aus ihr trinken, um lebensfroh zu bleiben. Aline, wenn Du wüßtest, wie hungrig ich oft bin. Ich habe ja nun den körperlichen Hunger längere Zeit kennenlernen können – aber er ist ein Nichts gegen diesen Hunger nach – ja, wonach? Ach, Du weißt – wonach! Es gibt eine Sehnsucht und einen Schmerz, den wir wohl lieben können – aber diese Sehnsucht fängt langsam an, unerträglich zu werden, weil uns alles fehlt, was uns Hoffnung geben könnte – denn werden wir diese Visionen des Grauens je wieder loswerden, um unserem Leben den Inhalt geben zu können, damit es sich sinnvoll erfüllen kann? So haben unsere Briefe und unsere Stunden immer wieder denselben Inhalt: Die Frage nach Morgen – der Ruf nach Licht – der Schrei nach Befreiung. Vielleicht ist es aber ein Irrtum von mir anzunehmen, daß dieses Leid ohne Frucht ist – ist dieser Krieg nicht zu entmenscht, um von der Nachwelt später verherrlicht zu

werden – oder waren die anderen Kriege weniger fruchtbar? Denn nicht ihre Teilnehmer haben ihn uns in künstlerischen Werken erhalten, sondern die, die nachher lebten. Ist der Kopf auf der Umseite von Breker der Ausdruck unserer Zeit? Ist er heroisch verzweifelt oder nur brutal? Ja, es fehlt uns wohl heute an jeder Klarheit – alles ist in Nebel gehüllt...

Liebe Aline, wir wollen uns aber mit unserer Liebe solange Mut zusprechen, bis wir es überwunden haben.

Immer
Dein treuer Wolfgang

AN CARL HÄGER

Den 3. 3. 45
Lieber Herr Doktor!

Es geschieht zuviel Entscheidendes und man lebt zu sehr auf dem Sprung, um einen geregelten Gedankenaustausch in Form von Briefen pflegen zu können. Nun kam aber so ein langer Brief von Ihnen, der wie ein Tau war, das man dem anderen zuwirft, daß er sich daran halte – und ich habe es getan und hatte eine Weile wieder Oberwasser. Die bewährten Formen, in die wir bisher unser Leben gegossen haben, beginnen zu verschwimmen und wir leben derart planlos von Mahlzeit zu Mahlzeit, daß jeder Brief wie eine Offenbarung wirkt – so auch der Ihrige. Was haben wir noch? Erinnerung, die mehr schmerzt als beglückt – und die Gegenwart überschattet uns so stark, daß wir aus einer besseren Zukunft nur wenig Kraft gewinnen können. Was wollen wir uns also geben? Ein wenig Mut, Zuversicht und Liebe – das ist alles! Kann man jetzt, wo alles Lärm ist, von den stillen Dingen sprechen – der Lärm ist allgewaltig und unser inneres Reich igelt sich ein. Welcher Prinz erweckt es aus seinem Dornröschentraum?

– *Ich* tue schon lange nichts Vernünftiges mehr. Wenn es irgend geht, steuere ich abends das Stadtinnere an, um da die Stunden irgendwie dumm oder verliebt zu vertun – oder die Insulaner jagen uns in den Keller und dann pinsel ich Papier voll, um nicht in Wut zu geraten. Ein solches Produkt haben Sie hier – das riecht etwas nach «Ose von Sylt» – besonders das erste Bild. Aber wenn ich geduldiger wäre, wären es vielleicht mittelmäßige Bilder geworden – so können sie höchstens als Skizzen bestehen. Aber in dieser Form und dann exakter denke ich mir später einmal einen kleinen Band Gedichte. Das ist allerdings höchstens Literatur und keine Dichtung – aber wenn ich überhaupt für irgendeinen Zweck schreibe, dann für keinen anderen als für den: in einer eignen, wenn auch nicht besseren, so doch mir gemäßen Welt zu leben und in ihr glücklich zu sein. Wenn nebenher ein zweiter oder dritter auch noch für eine Stunde daran Erbauung findet, dann ist das zwar ein schönes Gefühl – und man darf den Ruhm als Glücksgefühl nicht unterschätzen –, aber arbeiten tu ich ganz für mich allein!

Nun wünsche ich Ihnen
– auch Aline und Ruth –
viel Licht für morgen und übermorgen!
Recht herzlich grüßt
Ihr Wolfgang

WOLFGANG BORCHERT

Hafenbaßade

Ich muß mich an Prosa gewöhnen   1945/47

Nach seiner Rückkehr nach Hamburg im Mai 1945 ist Borcherts Leben von der sich verschlimmernden Krankheit bestimmt. Seine hoffnungsvollen Theaterpläne muß er aufgeben, das Engagement bei der «Komödie» kann er nicht antreten. Ab Ende Oktober ist er völlig bettlägerig. Die ärztliche Versorgung wird erschwert durch die von Not und Hunger geprägte Nachkriegszeit. In dieser Situation entstehen die wichtigsten Werke Wolfgang Borcherts. Seine erste Kurzgeschichte «Die Hundeblume» schreibt er im Februar 1946 im Hamburger Elisabeth-Krankenhaus. Weil man ihm dort auch nicht helfen kann, wird er ab Ostern von den Eltern zu Hause gepflegt. Auf dem Krankenlager entsteht das Stück «Draußen vor der Tür». Im Dezember 1946 erscheint Borcherts erstes Buch, ein schmaler Gedichtband: «Laterne, Nacht und Sterne».

AN CARL HAGER

[Krankenhaus Alsterdorf] 12. 7. 45

Lieber Herr Doktor!

Es ist doch sehr bedauerlich, daß wir nun – nachdem wir soviele Hürden und Hindernisse im Sprung genommen haben – immer noch so weit voneinander getrennt sind. Ich hatte mir immer gedacht, wir würden allmonatlich ein literarisch-philosophisches Techtelmechtel entweder auf Ihrem oder auf meinem Teppich zu Füßen von ungeheuren Bücherpyramiden abhalten können (darauf hatte ich mich in Gefängnissen und Gefechten der letzten Jahre gefreut), stattdessen bin ich schon wieder von unfreiwilliger Einsamkeit und Abstinenz umgeben, diesmal allerdings sehr viel wohltuender. Zusätzlich zu meiner strengen Bettruhe hat mir ein ganz weiser Arzt noch ein großes Kontingent von ausgesucht häßlichen Krankenschwestern verordnet – ich kann also tatsächlich an Leib und Seele ausruhen und ich fühle buchstäblich große Schlacken von mir abfallen. Der Krieg hat doch wie eine elende Seuche unser Leben verpestet – und ich habe festgestellt, daß wohl noch niemals die Frauen soviel Mitschuld an einem Krieg gehabt haben wie an diesem. Die große Masse der ungestillten alten Jungfern (Lehrerinnen, Krankenschwestern usw) lief wie besessen hinter der konzentrierten Männlichkeit dieses Soldatenregimes her. Ja, ich habe hier im Krankenhaus noch zwei Jungschwestern entdeckt, die noch immer heimlich dem braunen Spuk nachtrauern und sogar Bilder – als Fetische? – dieser Banditen zwischen ihren Hemdhöschen und Büstenhaltern verborgen halten. Die eine, Jurastudentin aus Breslau, gibt ihr Studium auf, «weil doch jetzt gar kein Recht und Gesetz mehr besteht ...» Die andere, eine junge Lehrerin aus Astpreissen, meint melancholisch schwärmend, sie wären von der H. J. doch so zum klaren einfachen Denken erzogen, daß sie es jetzt als Charakterlosigkeit ansehen würde, den Kindern diese neue «merkwürdige» Weltanschauung zu predigen. – Sie sehen, so ganz frei von Ärger bin ich selbst hier nicht – oder soll man den Dummen ihr Himmelreich lassen?

Aber für diese menschlichen Unzulänglichkeiten entschädigen mich hier bemerkenswerte Blumensträuße, von denen jeder seinen Charakter – oder besser: seine Idee – hat.

Da sind einmal 6 Plusternelken, die ihren Namen so verdienen, denn sie stehen so bunt und wuschelköpfig da, als ob ein Kind sie mit tollpatschigen Fäusten irgendwo abgerupft hat – sehr viel ordentlicher benehmen sich da die apfelsinenfarbigen Ringelblumen, die trotz ihres saftigen Teints etwas Pedantisches, Bürgerliches an sich haben. Man sieht förmlich den Schrebergärtner, der sie nach schwerer Tagesarbeit in eine nüchterne steife Glasvase auf den Küchentisch stellt. Ringelblume ist ein viel zu anspruchsvoller Name – sie müßte heißen: das Schönheitsbedürfnis des einfachen Mannes. Sie gedeiht zwischen Etagenhäusern – deswegen ist ihre Farbe so sehnsüchtig exotisch.

Man sage nie mehr die Gedankenlosigkeit, daß die Rose eine romantische Angelegenheit ist – meine beiden Rosen, deren Blütensamt mehr violett als weinrot ist, sind jedenfalls von einer klassischen Kühle und Klarheit – wie kann man eine so geometrische Figur romantisch nennen? Ihre Reinheit und Sauberkeit in Wuchs, Anordnung und Haltung sind zwar etwas melancholisch, aber streng und korrekt wie das Versmaß eines Gedichtes von George. Vor allem sind sie sehr einsam. Sie sind von einer alten Dame, die gut griechisch kann. – Aber dann kam gestern doch ein rotmündiges Mädchen mit einem ganzen Arm voller Blumen, deren Namen ich nicht alle weiß – Margereten, die sehr vornehm und porzellanen sind, Rittersporn, die himmelblau und enzianblau durcheinander stehn – ich habe sie die Blume «Huldvoll» genannt – und dann die vielen bunten Blumen Namenlos – diese vier Sträuße sind die vier duftenden Säulen, unter deren Dach ich gesund werden soll – habe ich Ihren Geist auch etwas mit dem sanften Duft meiner Freundinnen eingelullt, so daß er nun geduldig und so friedfertig ist, daß ich einen kleinen Angriff auf ihn machen kann? Also:

Ich nahm an, weil wir doch soviele gemeinsame Sympathien für eine große Menge von Dichtern und Literaten hatten, daß mein mangelndes Verständnis für Goethe, den Sie so verehren, irgendwie unbegründet, ungeduldig und unreif wäre. (Ich meine nicht den Goethe des «Clavigo», «Faust», «Tasso» oder «Stella», sondern den Goethe der Romane, den Goethe des Eckermann). Nun habe ich mit den besten Vorsätzen «Werther», «Wahlverwandtschaften» und «Wilhelm Meister» – dazu den Eckermann – mit in mein Krankenzimmer genommen, um es hier, von nichts abgelenkt oder beeinflußt, noch einmal zu versuchen. Aber es ist wieder eine Niederlage geworden – meinerseits jedenfalls. Oder sollte Goethe kein Dichter für junge Menschen sein?

Ich habe «Werthers Leiden» da abgebrochen und als unerträglich empfunden, wo er bei Tisch eine Rede über Humorlosigkeit und böse Laune hält und über ihren Inhalt selbst so gerührt ist, daß er sein Schnupftuch vors Gesicht halten muß, um die hervorstürzenden Tränen zu verbergen und erschüttert nach draußen eilt.

Den Eckermann habe ich da zugeklappt, wo Goethe erfährt, daß «sein Fürst» tot ist und nun – um sein wankendes Weltgebäude wieder aufzurichten – nach Dornburg fährt. Hier erholt er sich von seiner großen Erschütterung.

Gewiß ist die Goethe-Zeit eine empfindsamere als die unsere gewesen, und er war Abgott eines Kreises, dessen Lyrik von Tränen, Seufzern und Sensibilität überfloß. Bei dem, was uns heute alles überschüttet hat, sind wir anders geworden, vielleicht weicher und roher zugleich – aber bestimmt zurückhaltender in unseren Stimmungen.

Und dann muß ich gestehen, daß es mich ärgert, wenn Eckermann Goethen dauernd in der «anmutigsten Laune; freundlichsten Stimmung; jung wie der Lenz, aber uralt an Weisheit» findet. War Goethe denn so ein Gott, daß es eine Gnade für seine Mitmenschen war, ihn freundlich zu sehen, statt mit zürnenden Blitzen und grollenden Donnern um das olympische Haupt? Steinigen Sie mich ruhig, lieber Herr Doktor, aber es trieft mir zu sehr von göttlicher Weisheit und von «über dem Alltäglichen stehen». Vielleicht bin ich ein Banause – aber ich bin gern zu Villon, Grabbe, Shakespeare und Rilke (usw) zurückgekehrt. Lieber zehnmal «Die Räuber» lesen – als einmal «Werthers Leiden»!

Nun zweifeln Sie sicher ganz an meiner gesunden Kritik – aber dabei bin ich es nicht einmal allein, der sich gegen den Bombastus Wolfgangus auflehnt, die Mehrzahl der jungen Menschen tun es. Einen Freund habe ich, der mich mitleidig belächelt und auf Goethe schwört – aber er war schon als Schuljunge ein Greis und kein Junge.

Seien Sie mir nicht böse über diesen ketzerischen brieflichen Besuch – vielleicht wissen Sie eine Antwort darauf?

Sonst bin ich

Ihr – für so vieles dankbarer –

Wolfgang

AN WERNER LÜNING

3. 9. 1945

Lieber Werner!

Ich kann nicht umhin, Dich einen fürchterlichen Weihnachtsmann zu nennen – Du treibst Dich in Hamburg rum, ohne Deine Visitenkarte bei mir abzugeben!!!

Vor mehreren Wochen fragte ich bei Anita nach Dir und nun war ich zufällig bei Deiner Tante in Blankenese und muß hören, Du wärest da! Aber als ich dann endlich Backebergs erreichte, warst Du bereits entfleucht – Dein Kusinchen Edda, die ich am letzten Sonntag traf, bestätigte diese traurige Nachricht. Und dabei hätten wir uns eigentlich sehen müssen! Und zwar auf der Hauptprobe von «Jedermann». Wahrscheinlich haben wir uns wohl so verändert, daß wir so aneinander vorübergedammelt sind. Edda sagte, Du kämest demnächst zurück – darf ich mich in der Hoffnung wiegen, daß dann ein Wiedersehensfest zwischen uns doppelten Kollegen stattfindet? Wieso doppelt? Ich werde es Dir erzählen und Du wirst dann zugeben, daß ich Dir und Deiner politischen Erziehung keine Schande gemacht habe!

Läßt Du von Dir hören?

Immer noch

Dein Wolfgang

AN WERNER LÜNING

Oktober 1945

Mein Führer!

Bitte melden zu dürfen, daß alle Vorbereitungen zu Euer Ex. Empfang getroffen worden sind.

Leider ist Endunterzeichneter durch Mitwirkung an zwei Stunden Blödsinn verhindert, persönlich an der Begrüßungs-Zeremonie Euer Gnaden teilzunehmen. (Will sagen: «Janmaaten im Hafen» in Volksdorf am Donnerstag)

Die Generalprobe von «Tarzan dem Leisen» findet erst am Sonntag morgen in Eppendorf statt. Am Sonnabend habe ich im selben Haus die «Janmaaten» – wenn Du jeglichen Glauben an mich als ernsthaftem Künstler verlieren willst, kann ich Dir + Eddi noch 2 Plätze besorgen. – Auf alle Fälle lohnt es sich, bereits am Freitag früh zur Probe des «Tarzan» zu kommen.

Zu großen Saufgelagen wird es kaum kommen, da der armselige Briefschreiber sich nur durch strenge Abstinenz auf nikotinem, alkoholischem + erotischem Gebiet notdürftig am Leben hält.

Dafür können wir auf geistigem Feld umso tollere Orgien feiern!

In diesem Sinne:
j'attendrai!
Dein W.

AN CLAUS DAMMANN

[2. 11. 45]

Lieber Claus,
lache nicht – aber ich habe elend kapituliert! Ich liege! Zwar hat nicht die Schwachheit über meinen Willen gesiegt, aber eine ganz dumme Streikwelle hat meine Gelenke (besonders die Hände) ergriffen und dieselben verweigern mir den Dienst. Ich muß mich manchmal an- + ausziehen lassen.

Wenn Du Dich demnächst mal für eine Stunde von Deinem Botticelliengel trennen kannst (ich könnte es nicht) – dann klopfe mal an meine Tür.

Grüße alle drei Dich umsorgenden Frauen!

Dich grüßt

Dein Wolfgang

AN WERNER LÜNING

5. 11. 1945

Lieber Werner,

leider ist es mir trotz aller Willensanstrengung nicht gelungen, mich nach der Generalprobe wieder zu erheben – dazu kam so ein Adolf Hitler-Gedenk-Rheuma in den Händen und Knien, daß ich jetzt gerade den Federhalter einigermaßen festhalten kann.

Was Deine Geldsendung betrifft, sehe ich mich genötigt, dieselbe zurückzuerstatten, alldieweil keine Vorstellung mehr ist. Selbst wenn noch eine Aufführung wäre, müßte sie ohne mich sein – ich bin braun wie ein SA-Mann und wackelig wie der Weltfriede. Beruhigend empfand ich die Nachricht, daß ehem. S. Fischer wieder arbeitet und ebenfalls Insel Vg. Du wirst es auch gehört haben? S. F. bringt Barlachs Werke – vielleicht kann man die erstehen – ich hätte mich mit Barlach gerne mal auseinandergesetzt (mit dem Dichter B.). –

Stell Dir mal vor und stell es schnell wieder weg – zum Totensonntag hätte ich – falls ich nicht *ill* geworden wäre, Hofmannsthals «Tor u. d. Tod» inszenieren können. Eddi + Bleckmann hatten bereits zugesagt!!! Oh!!!

Du mußt mir noch mal Deine Eindrücke über den «Nathan» schreiben, ja?

Heute abend hörte ich eine Sendung über Kant, den ich nie geliebt habe – aber er hat als 40jähriger, ganz im Gegensatz zu seinem Schüler Schopenhauer und dessen Schüler Lüning, sehr schöne und objektive (er war ja eingefleischter Junggeselle) Dinge über die Frauen gesagt. –

Neulich hat jemand mir ein Nietzsche-Zitat gewidmet:

Es gibt Dinge, von denen ich grundsätzlich nichts wissen will!

Ich finde es schön!

Daß Dein Bruder noch so glücklich war – wer weiß, Werner, was ihm erspart bleibt.

Wie immer!
Dein Wolfgang

AN WERNER LÜNING

17. 12. 1945

Mein lieber Werner!

Wundere Dich nicht über meine Schweigepause – ich liege seit 14 Tagen im Elisabeth-Krankenhaus. Es ging beim besten Willen nicht mehr: Ich wachte jeden Morgen mit 39° Fieber auf und machte sonst noch allerlei Zicken. Dann wurde im großen Freundes- + Familienrat beschlossen, mich ins Hospital zu schaffen. Leider geht mir nun in Barlachs «Sündflut» eine größere Rolle verloren. Ich schrieb Dir doch, daß ich in der «Komödie» für 250,- engagiert bin? Nun werde ich aber bis Februar nicht gesund werden. Und dann lockt etwas ganz Tolles: Der Intendant des Landestheater Nordfriesland bedankte sich brieflich bei mir für die Ausleihung einiger Rollenbücher (Shaw + Klabund) und fordert mich auf (!!!), im Januar (bezw. Februar) Wildes «Salome» bei ihm als *Gastregisseur* zu inszenieren! Und zwar tagt seine Bühne in Westerland auf Sylt u. bereist nebenbei Schleswig-Holstein. Diese einmalige Chance kann ich mir natürlich nicht entgehen lassen – mit 24 Jahren! Ausserdem komme ich auf diese Art auch in Hamburg vielleicht eher dazu, mich als Regisseur bemerkbar zu machen.

Auf meinem Krankenlager habe ich mich zur Zeit etwas der russischen Literatur gewidmet: «Der Idiot», «Anna Karenina», Tschechow: «Tragödie auf der Jagd» u. Turgenieff: «Frühlingswogen». Tschechows Roman kommt nicht über einen Durchschnitts-Kriminalroman hinaus, er ist gut und mäßig. Aber Turgenieffs Erzählung ist der entsetzlichste Kitsch – ich muß dringend «Väter + Söhne» lesen, um nicht ganz an T. zu zweifeln. Tolstoi ist groß, Dostojewski noch tiefer – aber letztenendes ist mir alles russische Milieu nicht recht sympathisch. Ich empfinde hier wie sonst nie so stark, daß ich ein Mann des Westens, ein Europäer bin. Außerdem gibt es dieses Rußland ja längst nicht mehr. Das Rußland, das wir kennengelernt haben, kann man nur als bedrückend empfinden – als trübe, faule, schmutzige, graue Masse.

Wir müssen mündlich mal ausführlich über diese Dinge disku-

tieren – ich habe in letzter Zeit keine richtige Ruhe zum Brief-
schreiben. Man hat den ganzen Krieg behelfsmäßig gelebt und
sich nach allem gesehnt – nun wollen wir endlich mal leben, um
wenigstens noch einen Teil unserer Jugend mit dem zu erfüllen,
wonach man sich jahrelang gesehnt hat: *Mit Arbeit*!!! Bekomme
ich einen Weihnachtsbrief von Dir?

Wie immer!
Dein Wolfgang

Unterbringen wollen wir Dich in Hbg. schon!

AN WERNER LÜNING

24. 12. 1945

Lieber guter Weihnachtsmann!
Dieses Mal mußt Du Dir diesen Titel aber gefallen lassen! Oben-
angeredeter hat mich doch ausserordentlich beschämt – und noch
mehr erfreut. Ich gehöre nämlich zu den verkommenen Existen-
zen, die kein Hemd mehr «überm Mors» haben. Meine Mutter
fiel beinahe in Ohnmacht.

Vor ein paar Tagen hatte ich mit meinem Vater einen Streit,
weil er mir so mieses Briefpapier besorgt hatte – mein Trumpf
war: «Es gibt doch besseres – Lüning hat doch welches!» Der erste
Brief geht denn auch an Dich!

Leider habe ich diese Woche zwei häßliche Anfälle mit 40° Fieber gehabt und bin eigentlich recht verzweifelt. Aber sobald ich
wieder etwas aufgeblüht bin, werde ich versuchen, weniger in-
halt- und geistlose Briefe zu schreiben.

Vielleicht kann ich Dir die Hemden ja ein mal heimzahlen!
Krieche auf allen Vieren alkoholgefüttert in das erste Friedensjahr –
Immer! Dein
Wolfgang

Meine Eltern wünschen Dir viel Arbeit im neuen Jahr!

AN HUGO SIEKER

6. Januar 1946

Lieber Herr Sieker!

Da ich mich noch auf eine lange Krankheit gefaßt machen muß, kann ich Ihnen vorerst doch nicht persönlich die Hand geben und erscheine nun also per Bleistift bei Ihnen. Nun – nachdem wir all das, was *uns* so quälte, überstanden haben – kann ich Ihnen endlich für etwas danken, was mir so viel Kraft gegeben hat:

Sie haben während dieses unseligen Krieges zweimal ein Gedicht von mir gebracht, währenddessen ich unter den häßlichsten Umständen war. Daß Sie das taten und sich dabei in Gefahr begaben, dafür soll der Dank sein. Ich weiß nicht, wie weit Sie jemals über diese Dinge unterrichtet waren. 1942 saß ich in Nürnberg (!) wegen Zersetzung der Wehrkraft und heimtückischer Angriffe auf Partei, Staat und Wehrmacht und der Mann von Aline Bußmann rettete mit geraumer Not meinen Kopf, und dann brachte ich 1944 neun Monate in Berlin-Moabit (!) wegen desselben Deliktes zu. Meine Mutter brachte es fertig, in Nürnberg und Berlin zwei Gedichte rauszuschmuggeln und Hugo Sieker sagte *ja* und druckte sie. Können Sie sich denken, wieviel Kraft zum Aushalten (auch bis zum eventuell bösen Ende!) und wieviel Mut Sie mir damit machten? Vielleicht hat mich damals dieser kleine Größenwahn getröstet:

Nicht ganz sterben zu können – etwas zu haben, das das eigene Leben um ein paar Herzschläge überdauert. – Im Augenblick bin ich allerdings ganz ohne Mut zu mir selbst – nach einem sehr schönen Arbeitsbeginn (Regieassistenz bei «Nathan dem Weisen») liege ich tatenlos seit Wochen im Bett. Am Heiligen Abend erschienen Sie als dreifacher Weihnachtsmann mit viel Trost bei mir: «Fracht des Lebens», «Jahresuhr» und «Gast bei Tieren» («Tiere im Regen» war so herrlich!).

Lieber Hugo Sieker, darf ich Ihnen von nun an (und mit welchem befreiten Gemüt!) wieder alles Geschriebene anvertrauen und Sie als Wegweiser «benutzen»?

Mit den herzlichsten Grüßen bin ich wieder
Ihr Wolfgang Borchert

AN HUGO SIEKER

Hamburg, 16. Januar [1946]

Lieber Herr Sieker,

ich will Sie nicht unnötig behelligen – aber das möchte ich doch nicht versäumen: wenn Ihnen mein bißchen Vergangenheit (pol.) und das, was Sie damals für mich getan haben, irgendwie mit von Nutzen sein kann, dann will ich hier vom Bett aus mein Möglichstes tun. Wundern Sie sich nicht über das Komitee – das wird uns keinen Ruhm einbringen, denn von dort aus will man Gaskammer mit Gaskammer vergelten.

Ich für mein Teil habe das Zimmer der Kulturpolitik immer als Hochburg empfunden – als Hochburg für das, was man in den 12 Jahren nur flüsternd mitteilen konnte – man brauchte sich doch nur *anzusehen* und wußte, was man voneinander zu halten hatte. Wir Beide haben uns jahrelang geschrieben, ohne uns zu kennen – aber zwischen den Zeilen stand immer: Ich bin einer von denen! Wir gehören zusammen! Haben diese Leute denn gepennt? Es war doch fast eine kleine Parole: «H. A.» und «H. S.» und «C. A. L.» und «B. M.-M.» – Das Feuilleton des «H. A.» war ein Asyl der Verfemten – aber 12 Jahre Heucheln und Runterschlucken und Flüstern hat wohl unser aller Charakter verdorben – wollten die Engländer bei jeder solcher gemeinen Anzeige ausspucken (und sie tun es mit Recht!), so müßte man Badewannen statt Spucknäpfe aufstellen!

Das wollte ich nur schnell los werden.

Ich melde mich – wenn Sie wollen – bald wieder!

Ihr Wolfgang Borchert

AN CARL HAGER

21. Januar 1946

Lieber Herr Doktor!

«Man kann die Erfahrung nicht früh genug machen, wie entbehrlich man in der Welt ist.» Ich bilde mir zum Teil ein, sehr früh recht viele Erfahrungen sammeln zu müssen. Nebenher sehen Sie

an diesem Satz, daß ich nicht nur den Kampf mit den Würsten –
sondern sogar den «Wilhelm Meister» gelesen habe – beide, Rabelais + Goethe bis zur letzten Seite. Bei Ra. tat mir oft die Leber
weh – vor Lachen! Wenn ich könnte, würde ich hundert kleine
Komödien daraus machen – es ist gar nicht auszudenken, was auf
der Bühne alles geschehen könnte! Aber – Aber – Aber wer rettet
mich aus dieser entsetzlichen Gemeinschaft von + mit Männern?
Immer in dieser entsetzlichen Gesellschaft von Männern zu sein,
ist für mich eine Strafe. 4 Jahre lang unter Plebejern, Obergefrei-
ten usw. ... und nun wieder: Männer! Warum legt man Männlein
+ Weiblein nicht zusammen? Man könnte ärztlicherseits vielleicht gewisse Vorsichtsmaßnahmen treffen, aber man erlöse
mich endlich von diesen Männerbünden!!!

«Ich bin der Ansicht, daß die Dinge der Kunst nur unter Aristo-
kraten verhandelt werden sollten. – Ein wenig Unpopularität ist
eine bestätigende Weihe.» Sowas Schönes hat Baudelaire geschrieben – ich lese gerade 2 dicke Bände Prosa von ihm.

Das begreife ich nicht. Ich hab es mehrfach ausprobiert. Ich lese
jemandem meine Gedichte vor und behaupte, es wären Übertragungen eines Franzosen – Verlaine oder Baudelaire –, und alle
Zuhörer sind begeistert. Dann lese ich noch einige hinterher und
gebe sie als meine aus – «ja – auch ganz begabt, talentiert und ganz
nett». Wie kommt das? Warum sind die Menschen nicht ehrlich in
ihrem Urteil. Man verliert ja jeden Glauben an eine gerechte Kritik – wozu sich da noch ernsthaft bemühen um einen Vers?
Warum wird man immer verglichen? – Ich habe nun wieder «9
tröstliche Lieder» zusammen und werde die Ellermann anbieten –
er wird sie ablehnen, denn wer ist Wolfgang Borchert? – Sage ich
aber, es sind Übertragungen von Rabelais – dann aber! Siehe Klabund. – Ich darf Ihnen bald wieder einen Lagebericht senden?
Wie immer!
Ihr Wolfgang Borchert

AN CARL HAGER

27. I. 46 Sonntagmorgen

Lieber Herr Doktor!

Ich bekomme gerade von einem Freund aus Braunschweig, der sich eben zum Mitarbeiter Rowohlts aufgeschwungen hat, einliegenden Artikel geschickt, der Sie sicher interessiert. Zu diesem Thema kann ich aus eigener Erfahrung sagen: Von den vielen Fahnenflüchtigen, die ich in der Lehrterstraße kennenlernte, war kaum einer aus Überzeugung übergelaufen oder fahnenflüchtig geworden – diese Typen wären auch aus einer anderen Armee getürmt. Nun habe ich noch eine theater-literarische Frage und Bitte: Haben Sie wohl in Ihrem Besitz Dramen, vorwiegend möglichst Komödien mit wenigen Bildern und Personen, die in den letzten 12 Jahren nicht gewünscht waren (oder sonst selten sind)? Ist der «Blaue Boll» eine Komödie? Es brauchen nicht unbedingt Komödien zu sein, aber der Fehler unserer Spielpläne heute ist, daß sie den belasteten Menschen noch belastende Probleme aufgeben wollen. Nun hat man mich (wieso ich dazu komme, I don't know!) aufgefordert, Vorschläge für den Spielplan eines Theaters zu machen. Das ist vom Bett aus nicht leicht – und es sollen vor allem natürlich Stücke sein, die zur Vervielfältigung ausgeliehen werden könnten. (Also keine Kostbarkeiten wie Rabelais – aber es würde den Büchern auch so *nichts* geschehen!) Es dürfen dazu nur Stücke mit wenig Personen und noch weniger Ausstattung sein – also ein Haufen Schwierigkeiten.

Sonst geschieht hier nichts, außer daß ich in der Bibel lese.

Wie immer Ihr Wolfgang

AN HUGO SIEKER

18. Februar 1946

Lieber Herr Sieker!

Nun muß ich Ihnen zum ersten Mal eine Erzählung schicken und Sie gleichzeitig um Rat fragen: Was soll ich damit machen? Denn ich *muß* da etwas mit machen – ganz einfach, weil ich Geld verdienen muß, um meinen Krankenhausaufenthalt bezahlen zu können. Meine Bühnenverträge kann ich leider nicht einhalten – also heißt es: Schreiben.

Für eine Zeitung ist die Erzählung zu lang – für ein Buch zu kurz. Es sei denn, ich finde einen Graphiker, der ein paar Blätter dazu arbeitet, dann könnte man ein schmales Büchlein von 30–40 Seiten daraus machen. Meinen Sie, daß ich Husmann behelligen darf – oder berechtigt die Geschichte nicht dazu? Oder wer würde es sonst tun? Da wissen Sie sicher einen Rat.

An Verlagen kenne ich nur diesen neuen Parus-Verlag, der zwar um Einsendungen gebeten hat – aber wird er so einen Neuling wie mich rausbringen?

Aus lauter Verzweiflung auf der Suche nach Geld hab ich schon 3 Kabarettsendungen für den Funk gemacht – habe allerdings noch keine Nachricht.

Sobald ich wieder etwas überschüssige Kraft habe, möchte ich Ihnen ein paar Gedichte schicken – mit zoologischem Inhalt.

Bis dahin bleibe ich mit herzlichen Grüßen

Ihr Wolfgang Borchert

VON ALBRECHT GOES

[4. 3. 1946]

Verehrter Herr Borchert,

da wir in der NZ vom 28. II. auf einer Seite prangen, sind wir ja gewissermaßen schon miteinander bekannt. Ich möchte Ihnen nur sagen, daß ich Ihr Großstadtlied ein vortreffliches Gedicht heißen möchte, es gefiel mir sehr – u. die unreinen Reime bzw. Reimfolgen (Schwindel / Bündel) sind wie bei Heine ausnahms-

weise ein Plus. Nur *eines* macht mir Sorgen und Nachdenken:
Wenn das Gedicht aus unserer Zeit ist, wo kommt der «späte Ze-
cher» her? Wer zecht wo? Wer zecht mit welchem Stoffe? Sagen
Sie das – (ich möchte auch –) Ihrem herzlich grüßenden
Albrecht Goes

AN ALINE BUSSMANN
                              [Elisabeth-Krankenhaus] 6. März 46
Liebe Aline,
aus den paar Gedichten, die meine Vernichtungswut überlebt haben, habe ich nun auf Anforderung 3 Sammlungen zusammenge-
stellt.

«Der kleine Hering» (für Sieker) und für den Rowohlt-Verlag:
«Laterne, Nacht und Sterne» oder «Vademecum». Und eine
Sammlung einzelner Verse zur Einzelveröffentlichung. Es ist viel
Schlacke dabei, das weiß ich. Aber siehst Du die 3 Haufen mal
durch – möglichst flüchtig – und nicht zu streng. Und – wenn es
geht: bald!

Dein gelber Wolfgang

AN ALINE BUSSMANN
                         [Elisabeth-Krankenhaus, März 46]
Liebe Aline,
ich möchte Dir vor Deinen Operationstagen noch schnell danken
für die Arbeit + Mühe, die Du Dir mit meinen Sachen gemacht
hast. Auch muß ich jede 5 Minuten ausnutzen, wo ich einigermaßen klar bin – die Röntgenstrahlen greifen mich dermaßen an, daß
ich nur noch träge vor mich hin glotzen kann. Dazu kann ich nur
noch stoßweise flüstern, da meine Leber solche Ausmaße angenommen hat, daß mir die Puste wegbleibt.

Darf ich auf einige Deiner Bemerkungen näher eingehen und

mich verteidigen? Also: 1) Du fragtest mich schon, ob ich «Krieg
+ Frieden» von Tolstoi gelesen hätte – nun schreibst Du zu meinem Satz: «die Tür läßt sich auf nichts ein» – das erinnert an Rilke
– oder das Wort «Arbeitssymphonie» erinnert an Otto Ernst.
Wenn Paul Alverdes oder Eckart von Naso mir damals – als ich
16–17 Jahre alt war – schrieben, man könne deutlich meine Vorbilder Stefan George, Rilke oder Shakespeare herausfühlen – so
war ich damals furchtbar stolz auf so ein Urteil. Heute – empfinde
ich das natürlich als Vorwurf, gegen den ich mich wehre – «Krieg
und Frieden» kenne ich (beschämender Weise) nicht – Otto Ernst
(gottseidank!) noch weniger! Wenn ich aber – und noch dazu im
Gefängnis – tote Dinge lebendig mache und ihnen ein Wesen zu-
gestehe – z. B. «Die Mauern haben kein Herz» oder «Die Tür läßt
sich auf nichts ein» – muß man deswegen an Rilke erinnern? Nur,
weil es bei ihm zur Manie wurde, tote Dinge mit Seelen zu begaben – darf ich deswegen meinen Trinkbecher in der Zelle oder
meinen Strohsack nicht mit *Du* anreden, wo sie doch meine Einsamkeit mit mir teilen?!

2) Wenn ich einem *Menschen* den Namen Perücke gebe – dann
kann ich doch sagen: die Perücke tritt ab. (Die Perücke als solche
kann natürlich nur an den Nagel gehängt werden).

3) Die Blume sollte mir ganz gehören – jawohl, denn ich will sie
nicht nur aus der Ferne sehen und mit 80 Häftlingen teilen – ich
will sie in der Hand halten als mein Eigentum!

4) Die Perücke unterlag dem Leben – nicht dem Tode! Das Leben als Großes gesehen, das den Tod als Vers in sein Lied mit
einschließt. Das letzte Aufbäumen des Lebens *vor* dem Tode treibt
die Perücke zu den Kapriolen.

5) Wenn ich schreibe: *zurück*kehre – so kann das nur zu dem
Ausgangsort sein, das liegt doch in dem Wort *zurück*. Wohin
sollte er denn *zurück*, wenn nicht *hierher*? Also ist *hierher* überflüssig.

Das waren Deine Einwände zur «Hundeblume» – nun muß ich
auch meine Gedichte etwas verteidigen, wenn Du auch zum weitaus größten Teil im Recht bist.

Ich gebe zu, daß ich Gedichte oder Prosa nie während des

Schreibens erarbeite oder erkämpfe. Der Einfall kommt, wird hingeschrieben und wird nicht mehr verändert. Ich brauche zu einem Gedicht kaum mehr Zeit als nötig ist, die gleiche Menge Worte aus einem Buch abzuschreiben. Hinterher feilen oder ändern kann ich nicht – lieber schreibe ich es in 3 Jahren noch einmal. Du fühlst sicher diese gewisse Oberflächlichkeit und Flüchtigkeit in meiner Arbeit, die keine Arbeit ist – sondern höchstens ein kurzer Rausch. Aber so oberflächlich bin ich doch nicht, daß ich ein Wort gebrauche, von dem ich keine genaue Vorstellung habe. Meinst Du, ich hätte die *Pagode* als Reimwort gebraucht? Weißt Du, was Pagoden sind? Eine von Indien nach China eingewanderte Bauform von Gottes- oder Götzenhäusern mit einer besonderen Architektonik des Daches. In Indien schwer, tropisch – üppig und kolossal – im nüchternen China zu einem graziösen, schlanken Turm geworden mit unzähligen Stockwerken. (Sammlung chinesischer Liebesgeschichten: Die *13*stöckige Pagode). Ob nun der Bau seinen Namen von den Götzen hat – oder die Götzen von dem Bau – weiß ich nicht. – Gedanken, die ungeboren starben – können doch verkünden! Tote verkünden uns – als Erscheinungen – doch auch etwas. Gedanken, die ungedacht blieben, kommen in der Dämmerung und verkünden: Abendstunde.

Soll ich als 24jähriges Kind meiner Zeit frei sein von Modewörtern – wie unerhört oder enorm? Hat Goethe nicht im Werther auch in diesem Sinne Modewörter gebraucht, als daß wir sie heute als alt«modisch» empfinden?

Hoffentlich hast Du nun nicht das Gefühl, ich könne keine Kritik vertragen. Ich bin selbstkritisch genug gegen mich, denn von den vielen 1000 (bitte nicht lachen!) Gedichten und -zig Theaterstücken sind lediglich diese paar Gedichte übrig geblieben und in einem Jahr wird auch von ihnen – sollten sie sich nicht in den Druck geflüchtet haben – keins mehr da sein.

Ich freue mich schon, daß wir bald unter einem Dach schlafen!

Dein gelber Wolfgang!

AN ALINE BUSSMANN
                    Sonntagfrüh [Elisabeth-Krankenhaus, März 46]
Liebe Aline!
Guten Morgen! Ist Dir auch nach Sonntag zumute? Ein paar Wochen weiter – dann ist uns beiden geholfen.

Kannst Du dieses Heft enträtseln? Es ist eine ganz belanglose Angelegenheit, zu der mich mein momentaner Bettnachbar reizte: Er ist Ludowico und die beiden «Damen» stimmen auch.

Ich muß mich erst an Prosa gewöhnen – Prosa geht mir zu langsam, ich bin zu sehr an Tempo gewöhnt.

Stilistische Fehltritte wirst Du mehr finden als stilistische Schönheiten. Aber – ich muß mir in der Prosa *noch* viel mehr die Eierschalen abscheuern als in der Lyrik. Nimm es also als einen «auch – Versuch».

Ruth ist schön, aber Karin (trotz Biebervater und Porzellanmutter) ist auch schön und hat auch ein Herz – wenn auch hinter viel Eis. Aber es taut – hab ich umsonst dauernd Temperatur und sollte so ein Eis mich abschrecken?
Wir beide, Du und ich, haben kein Eis!
Einen schönen Sonntag!
Dein Wolfgang

AN ALINE BUSSMANN
                         [Elisabeth-Krankenhaus, März 46]
Liebe Aline!
Ich habe heute sooo oft an Dich denken müssen, aber die Rö.-Strahlen machen es mir nicht möglich, selbst nach Dir zu sehen.

Was macht Dein Bein? Armer Tier mit lahmer Bein!!! Aber wenn es Dir schlecht ginge, wäre Ruth wohl mal zu mir gekommen. Morgen komme ich abends für einen Augenblick zu Dir, ja?

Und Sonntag bringe ich Dir wieder etwas zu lesen, streiche *bitte* wieder alles an! Manchmal bin ich erschüttert über meine

Unfähigkeit, gutes Deutsch zu schreiben. Ich brauche immer jemanden mit roter Tinte! Sei Du es man!
Eine gute gute Nacht ohne Schmerzen und Traurigsein!
Dein Wolfgang

AN ALINE BUSSMANN
                    Montag [Elisabeth-Krankenhaus, März 46]
Meine liebe Aline!
Ich habe diesen Herrn E. ... jetzt aber ganz gründlich satt! Seit gestern habe ich wieder Temperatur und dieser Mensch antwortet mir auf meine Meldung vom Eintreffen des Pen.: *Erst mal* machen wir die Röntgenbestrahlung und dann *müssen wir mal sehen – das hat immer noch Zeit*!!! Hast Du Töne, Aline! Als ob ich Zeit hätte! Inzwischen habe ich nun eine lange ausführliche Besprechung mit dem Röntgenarzt gehabt. Er sagt: Gehen Sie nach Hause. Diese Kaserne bedrückt nur Ihre Seele. Die Freude, nach Hause zu kommen, hilft vielleicht mehr als meine ganzen Strahlen! Ich wollte sowieso eine Pause einlegen, damit der Körper es aushält. – Er will Ende der Woche aufhören und – wenn das Pen. nicht geholfen hat – in 3 Wochen wieder anfangen. Ambulant. Dieser Engel von Arzt will mich sogar zur ambulanten Behandlung an seinen *Freund* Dr. Timm in Alsterdorf überweisen, damit ich es näher habe. Er sagt: Wozu noch wochenlang Rö.-Strahlen, wenn Pen. vielleicht hilft!!!
    Ich werde also Sonnabend oder Montag abdampfen – was soll ich hier noch? Wenn ich Fieber habe, glotzt E. mich nur tiefsinnig mit seinen Röntgen-Augen an – und macht: Nix!!! Mit seinen seelenvollen Augen mag er vielleicht bei Frauen Erfolg haben – bei mir nicht! Tui Hoo – ein Mann saust ab nach Alsterdorf. – Wir können es ja noch mal alles genau besprechen. –
    Du hast heute schon gesessen im Bett? Oha, Ruth war ganz froh darüber! Und ich – aber das weißt Du ja!
Einen *lieben lieben* Gutenachtgruß
von Deinem Wolfgang

AN WERNER LÜNING

24. 3. 1946

Lieber guter Strolch!

Hinrichtungsrechnung dankend empfangen und meinem Anwalt
als Kuriosum vorgelegt – aber wie gerne würde ich für unsere
Freunde in Nürnberg diese Kosten aufbringen. Die schämen sich
nicht und jammern so schamlos um ihr Leben. Was für ein kläg-
liches Schauspiel bieten wir der Welt – armes armes Deutschland!

«Pinguin» kam auch geflogen – singt schon ganz nett, vielleicht
wird sein Schnabel mit der Zeit noch etwas origineller und präzi-
ser (oder mit ie?).

Als drittes kam Deine Karte. Veröffentlichung der «Pferdenelke» dankbar begrüßt. Nur kannst Du nicht von mir verlangen,
daß ich meinen ersten Prosasäugling gleich selbst kastriere und
amputiere – zumal das Erlebnis tatsächlich mehr ein priva*testes* als
ein dichterisches ist. Aber ich habe soviel Vertrauen zu Dir, daß
ich mein Baby getrost Deinem Seziermesser übergebe. Als unglaublich feige empfinde ich, daß Du es nicht wenigstens für nötig
gehalten hast, mir Dein (mir *sehr* maßgebliches) Urteil über diesen
Bankert mitzuteilen. Meinst Du denn, Werner, daß ich es wagen
kann, mal wieder etwas in Prosa aus der Hand zu geben? Natürlich muß ich mir erst gewaltige Mammuteierschalen vom Hintern
abscheuern. Ich habe ja bisher nur gelyrikt und mit 24 Jahren kann
man sowieso kein Meister des Stils sein – ja, vielleicht kaum einen
fertigen Stil haben.

Nächste Woche wälze ich meine restlichen 150 Gedichte auf
Dein überarbeitetes Haupt ab – stelle eine Auswahl daraus zusammen, gib sie Herrn Ledig.

Zu Ostern werde ich dieses ungastliche Haus verlassen – man
hat nix mehr für mich und eingehen kann ich zu Hause auch. Die
letzte Hoffnung bleibt: *Penis-cilin*. Im anderen Falle vermache ich
Dir meinen Nachlaß und gebe Dir die Erlaubnis, mir einen Epilog
zu meinen gesammelten Werken zu schreiben. – Du hast sicher
viel zu tun – aber *was* tust Du?

Auf ein baldiges Wiederhören!

Immer Dein Wolfgang

AN WERNER LÜNING

26. 3. 1946

Alleinseligmachender!

Auf Deine Frage nach meinen Plänen kann ich Dir nur Folgendes
antworten: Ich werde nach diesen Jahren mit N. S. Einheitsfrisur
und Einheitscharakter und Mittelmäßigkeit etwas ganz Verrück-
tes aushecken!!! Sollte ich *trotz* ärztlicher und klinischer Therapie
dennoch wider Erwarten gesund werden, dann fahre ich natürlich
nach Westerland und inszeniere zum Beginn der Sommersaison
die «Salome». Meine 24 Jahre werde ich dann streng geheimhal-
ten. Vielleicht kann man auch etwas Aufregendes unter freiem
Himmel im abendlichen gelben Dünensand spielen. «Lilofee»
oder so etwas. Bleibe ich aber krank, so nehme ich das Angebot
eines Bekannten an: Wachhund auf einer einsamen Hühnerfarm.
Dann werde ich schreiben und Eier essen. Bis ich wieder fähig
bin, auf anständige Abenteuer – diesseits oder jenseits des Rasens –
auszugehen. Sollte ich sogar soweit gesund werden, daß ich bei
[…] kein Fieber mehr bekomme, dann möchte ich zwischendurch mal den St. Just in «Dantons Tod», Hans Sonnenstößer
oder in einer Stadt, wo mich keiner kennt, den Franz Moor oder
Hamlet spielen. Aber das sind Dinge, die auf einem Kalender stehen, der noch nicht gedruckt ist. Wenn ich mehr als 30 mal ausge-
pfiffen werde, werde ich Souffleur und schreibe hin und wieder
ein «durchgängig gearbeitetes Stück» (Goethe über «Hamlet»).
Genügt Dir das, lieber Werner, für einleitende Worte? Oder muß
ich Dir noch sagen, daß ich mir größte Mühe geben werde, mit
den neuen Regierungen unseres Klein-Germaniens nicht in ähn-
liche Konflikte zu kommen wie mit der verflossenen! –

Bis bald,
innigst Vertrauter,
Dein Icterus-Prometheus
Wolfgang

AN WERNER LÜNING

27. 3. 1946

Regsamer, Rühriger, Aufregender!

Heute morgen schreckte mich das blutige Rot eines Eilbriefes aus meiner Lethargie. Gestern beantwortete ich bereits Deine Karte mit Anekdoten aus meinem kaum begonnenen Leben. Heute will ich Dir noch Einzelheiten als Zugabe mitteilen.

Nachdem ich mich während des Staubwischens und «mit Globus Fußballspielens» bei Helmuth Gmelin ernsthaft auf Franz Moor, Oswald, Hamlet und den Dauphin (Shaw: «St. Joan») vorbereitet hatte, ging ich mit Mammutrosinen nach Lüneburg, mußte mir auf den ersten Proben sagen lassen, ich hätte lieber Schlosser werden sollen und spielte statt meiner Klassiker: den Lehrer in «Krach um Jolanthe». Furchtbarer Krach nicht nur um Jolanthe, sondern auch um meine Unfähigkeit. Selbstmordgedanken auf der Generalprobe. Premiere: Lacher über Lacher und tragischerweise immer da, wo ich ganz ernst war und wo mir jeglicher Sinn für Komik abhanden gekommen war. Dann noch etliche Liebhaber- und Komikerrollen – nur nicht das, wozu ich mir einbildete, berufen zu sein.

Nachdem ich 17 Gestellungsbefehle mit Erfolg ignorieren durfte, brach mir der 18. mein seelisches Genick. Über die Jahre in Uniform (sprich: Einform) brauche ich wohl nichts zu sagen. Krieg aus: himmlischer Tippelmarsch (ganz solo) aus dem Raum Frankfurt/M. nach Hamburg mit hohem Fieber und hohem Genuß der Landschaft, Landstraße und des Bettelns. Vollbärtig und halbtot in Hbg ins Krankenhaus – aber da regt sich das Kulturleben. Rezitationsabende mit Paul Th. Hoffmann über Shakespeare. Rums: Rückschlag, Fieber. – Regieassistent beim «Nathan», notdürftiges Existieren durch Unmassen von Zucker. Dann «Janmaaten». Berge von Dramen und 5000 Gedichte vernichtet. Wiederum Krankenhaus. – Meine Pläne sagte ich Dir in dem gestrigen Brief.

Bis bald!
Dein Wolfgang

[Randbemerkung auf der 1. Seite:] Einen der wichtigsten ersten Spatenstiche in tiefere Bezirke guter Literatur verdanke ich einem Buchhändlerkollegen von C. B. Dieser Kollege blieb auch Kollege hinter schwedischen Gardinen. Sein Monogramm ist: W. L.

[Randbemerkung auf der 2. Seite:] Mehr weiß ich wirklich nicht. Gründgens' Hamlet Ursache zu meinem Theaterfimmel – und Shakespeare.

AN ALINE BUSSMANN

am 1. Mai 1946

Meine liebe Aline!

Nun sind Deine *beiden schönen* Briefe gekommen! Der Osterbrief Montag, der andere Dienstag. Ich habe mich so gefreut!! Und ich freue mich so, daß Ruth sagt, Du wärst *bald* wieder gesund! Wie herrlich und himmlisch, daß Du nicht auf den Sommer zu verzichten brauchst. – Ich habe mich allmählich mit Sonstwas abgefunden – wenn ich nicht ins Gefängnis gekommen wär, hätte ich keine «Hundeblume» geschrieben – wenn ich nicht krank geworden wäre, hätte ich überhaupt kein Wort geschrieben. Das Leben ist doppelseitig wie ein Fisch: Manchmal blinkert die Unterseite ganz silbrig. –

Wenn ich an Dich denke, muß ich an Karin denken – wenn ich an sie denke, stehst Du neben mir. Ich habe noch nie einen Menschenfrühling erlebt – immer nur auf- oder abgeblühte. Ich habe noch nie mit einer Neunzehnjährigen zu tun gehabt. Ich möchte, daß daraus etwas Schönes wird – solange es dauert: drei Monate, drei Jahre oder drei Ewigkeiten. Wenn sie lacht (lautlos!), reißt alle Philosophie mittendurch wie eine Papierkulisse und die ganze Welt lacht uns an!

Liebe liebe Grüße!

Wolfgang

AN WERNER LÜNING

1. 5. 1946

Lieber Werner,

Diesen Brief solltest Du eigentlich zu Ostern haben – aber eigentlich ist ein Wort, das man eigentlich nicht gebrauchen soll und deswegen bekommst Du ihn drei Wochen später. Das Tagebüchlein habe ich für Dich gebastelt, ich dachte, Du würdest vielleicht Spaß daran haben. Ob es darüber hinaus … überlasse ich Dir. Das Bild – von Rosemarie Clausen – ist für die Augenblicke Deines Daseins, in denen Du absolut nicht weißt, worüber Du grinsen oder Dich ärgern sollst. Dann betrachte das Profil Deines omelettigen Freundes, und Dir ist geholfen.

Das beiliegende Bildchen kannst Du nach Betrachtung Gustl Fröhlich schicken – vielleicht muß er nachweisen, daß er nie Nazi war u.s.w.

Die übersendete «Gegenwart» liegt auch weit über dem, was es hier gibt – ach, hier gibt es gar nix!!! Wenn Du nicht für mich in wirklich so rührender Art sorgtest, würde ich nicht nur dumm bleiben, sondern *noch* dümmer werden.

Übrigens bringt Goverts Melvilles «Moby Dick» raus – ich schätze, daß Du es sehr schätzt, wenn ich es mir zulege – oder?

Inzwischen bin ich auch nicht direkt faul gewesen: Zwei stories liegen schon reisefertig da und ich bitte Dich, daß Du mir mitteilen mögest, ob Herr Ledig keinen Anfall bekommt, wenn ich ihn schon wieder überhäufe. Andernfalls schicke ich sie erstmal Dir, und Du gibst sie ihm, wenn Du meinst, daß er es mal vertragen kann. Zwei Dinger habe ich noch in Arbeit – eine lange Geschichte und eine kurze. Dann habe ich in drei Monaten bei unentwegtem Fieber zehn stories gebaut – na, in 20 Tagen werde ich 25 Jährchen – so habe ich doch wenigstens etwas getan.

Ich lese im Moment eine Grammatik und die «Seele der weißen B-meise» – beides kann sicher nicht schaden. Wenn ich mit dem Schreiben mal eine Pause mache, werde ich auch wieder andere Sachen lesen – jetzt ist es besser so.

Ungefähr vor einem Jahr kam ich nach Hause – seit der Zeit habe
ich Fieber – Aber: Es lebe das Leben!
Dein Wolfgang

MEINER MUTTER ZU MEINEM GEBURTSTAG
20. 5. 1946

Heute nacht vor 25 Jahren, früh 3 Uhr, unternahm ich den anma-
ßenden Versuch, das Abenteuer dieses Lebens allein und ohne
meine Mutter zu bestehen. Ich verließ sie, wandte mich ab,
trennte mich von ihr. Das heißt, eigentlich brachte ich nicht einmal diese Trennung aus eigener Kraft zu wege. Ich quälte sie so
lange, bis sie mich freigab.

Heute nacht nach 25 Jahren, früh 3 Uhr, nach einem ersten bescheidenen Hineinriechen in das große gewürzige Leben, beginne
ich zu ahnen, daß mein Versuch gescheitert ist. Ich komme kein
Jahr und keinen Herzschlag ohne Mutter aus – ich nicht, Du nicht,
keiner. Und selbst in den Zeiten, wo 2000 Kilometer zwischen
uns lagen, fühlte ich den Riß der Nabelschnur. Und um das Abenteuer dennoch durchzuhalten, suchte ich mir eine Mutter, 17jäh-
rige manchmal, die eine Zeitlang tapfer neben mir aushielten.
Aber immer nur: eine Zeitlang.

Heute nacht nach 25 Jahren, früh 3^{00}, trennen uns nur 6 Meter
und eine Wand. Der Himmel rauscht einen wohligen Regen
durch das Dunkel auf die Erde, der die Pflanzen im Schlaf vor Lust
seufzen macht. Oder weint er Tränen der Reue, daß er tatenlos
schwieg, als ich mich vor 25 Jahren untreu und dumm davon-
stahl? Hätte ich bleiben sollen? Vielleicht sollte mich das Solo-
abenteuer meine Schwachheit lehren, meine Unfähigkeit, ohne
sie zu sein. Die Trennung ist unwiderruflich. Doch ich muß pro-
bieren, die nächsten 25 Jahre nicht restlos zu versagen und zu ver-
zagen.

Aber ich werde mich oft bei ihr verstecken müssen, wenn das
Abenteuer zu groß ist.

AN WERNER LÜNING

27. 5. 1946

Lieba Wäna!

Für alle Sendungen, die inzwischen hier eingetroffen sind, innigen Dank. Mir ging es während der letzten Zeit so grandios, daß ich meinen Eltern schon sagte, daß Du meine Bücher haben solltest – aber die Götter haben es nicht gewollt, und mein Körper hat sich noch wieder aufgefangen.

Vorerst: Die Gedichte sind noch vollzählig! Daß Du nicht so von ihrem Wert überzeugt bist, fühle ich mit Dir und ich glaube, ich hatte das auch geäußert. Sie sind hingehauen, stilistisch ein Mischmasch, uneinheitlich und oft konstruiert. Aber so unreif und unvollkommen sie sind: Sie entsprechen doch meinem Lebensgefühl. Über die Zeiten, wo ich mich hinsetzte und aus *nix* ein Verslein machte, sind lange gewesen. Ob sie nun an Villon oder Rilke anklingen, so kann ich nichts dagegen sagen, wenn Du es so empfindest! *Aber* ich glaube, ich befreie und beglücke mich nur dann durch das Schreiben, wenn ich mein *eignes* Lebensgefühl ausdrücke. Und das habe ich eigentlich gewollt. Mache Dir, Hochverehrter, also keine Sorgen über Deine *gerechte* Kritik: dichterischen Wert haben die Gedichte nicht, nur einen persönlichen. Vielleicht sind wenig darunter, die etwas gelungener sind – der Rest ist – – – – – Soweit das lyrische Kapitel.

Wesentlich anders sehe ich Dein Urteil über meine Prosa an. Du hast recht, wenn Du sagst, daß die «Silberstriche» den Horizont verdunkeln und man hätte das Ganze auch auf 5 Seiten erledigen können. Wenn ich jetzt nach 8 Wochen das ansehe, gebe ich Dir recht. Über «Adrianol» und «Gedichte in der Nacht» hast Du Dir wahrscheinlich endgültig die letzten Haare ausgerauft? Vergiß aber nicht, daß ich ein blutiger Anfänger bin und noch die meiste Eierschale am Hintern kleben habe. Was aber Deine Mahnung betrifft, nicht zu «dichten», sondern mich an mein eigenes Erleben zu halten, so muß ich mich dagegen streng verwahren. Ich habe mir nämlich vorgenommen, nie zu «*dichten*», Stoffe aus den Fingern zu saugen usw. Aber das Recht mußt du mir lassen, Dinge zu schreiben, die vielleicht mein Nachbar erlebt hat oder wozu mich eine überfahrene Katze anregt. Oder was meinst Du? Vorbilder – sei es nun Hölderlin oder Hemingway – muß ich grundsätzlich und prinzipiell ablehnen. Ich hoffe mir meine prosaische Unbefangenheit und Naivität besser zu erhalten, wenn ich so schreibe, wie mir die Feder gewachsen ist: Lieber ein unbedeutender Borchert bleiben als ein bedeutender Hemingway-Epigone. Oder nicht?

Und nun wappne Dich, mein Kuter! Ich glaube, bisher hat Deine Kritik zu recht bestanden und auch meine Einwendungen sind nicht ganz unberechtigt – *aber* in Bezug auf den «Thie Hoo» begreife ich Deinen Tadel absolut nicht. Mag er stilistisch unreif sein, künstlerisch minderwertig oder stofflich zu gewollt – alles gebe ich zu! Nur wenn Du meinst, daß der Wind nichts *Wirkliches* ist, dann verstumme ich erstaunt. Was ist denn wirklicher als der Wind? Ein Mensch etwa, von dem nach 50 Jahren nichts mehr da ist, während der Wind schon war, als noch nichts anderes neben ihm war – und der noch sein wird, wenn nichts mehr ist, was wir jetzt als Wirkliches ansehen. Und ist der Wind kein Handelnder, der in unser Leben eingreift? Der Tausenden den Tod bringt und der auch – wenn wir ein Ohr haben – eine Stimme hat?!?! *Ich* sehe ja im «Thie Hoo» nicht den Wind als handelnde Person von mir aus, sondern von dem feisten feigen Barbesitzer, den nachts plötzlich die Angst und das böse Gewissen überfällt. Er bildet sich den Thie Hoo so stark ein, daß er an ihm stirbt. Ist noch niemand an einer Einbildung gestorben? Ist der Wind nicht *wirklich* genug, uns lachen oder weinen zu machen? – Oder habe ich so sehr unrecht, Werner? Äußere Dich mal dazu.

Diese Tage war Fräulein Wolfram hier. Ich habe ihr Hemingway: «In unserer Zeit» geliehen – sie leiht mir seinen Spanien-Roman.

Dann war noch eine herrliche Überraschung zu meinem 25. Geburtstag: Dein süßes Eddilein kam plötzlich angesegelt und hat mir eine Menge Sonne ins Zimmer gebracht. Versprochen war der Besuch ja seit Januar, aber wir sind großzügig.

Wenn Du erlaubst, werde ich Dein großes Bild behalten. Das kleine mit Dank retour. Übrigens, Du kleiner Verschweiger,

Eddi Polo berichtete mir von Deiner etwaigen Übersiedlung nach hier!!! Das wäre in der Tat ein Ereignis! Dann würde eventuell doch noch ein mittelmäßiger Journalist aus mir – also: Komm lieber Wäna und mache ...

Demnächst – wenn Du es noch ohne übel zu werden lesen magst – werde ich Dich wiederum bedenken mit einem Schrieb!
Ever!
Dein Wolfgang

AN WERNER LÜNING

30. 5. 1946

Unvorstellbar Toller!
Glatt Unvorstellbarer!
Toller Glatter!
Unvorstellbar Toller!

Wie Du siehst, Wäna, bin ich auf dem besten Wege, mir diese drei Wörter abzugewöhnen – endgültig! Ich habe mich tatsächlich darin verliebt – aber dank Deines Eingreifens werde ich mir in Zukunft etwas mehr auf die Finger sehen.

Unsere letzten Briefe haben sich direktemang gekreuzt: Meiner war weg – Deiner kam. Und mit ihm – oh Jubel – die herrlichen Skizzen des Mannes mit den fünf P. S. Davon eine Million und wir hätten uns den Krieg sparen können.

Bist Du wohl so leichtsinnig und begleichst beiliegende Rechnung für die *gute* «Gegenwart». Man kann von hier aus nichts in Eure Zone überweisen. Ich schicke Dir das Geld demnächst eingeschrieben. Weißt Du auch, daß alle Deine Briefe geöffnet sind? Die werden sich amüsieren über Deine Gruppenführer und meinen Bismarck – aber was so olle Häftlinge wie wir sind, die müssen so sein. (Wie wäre es mit einem Memoirenband: Häftlinge müssen so sein?)

Daß Dir mein «Adrianol» nicht gefällt, leuchtet mir ein. Ich habe ihn vor kurzem zersägt zu drei little stories:

1) Der Mann, der Töter hieß

2) Modell Madonna

3) Adrianol

– nun sind die drei Begebenheiten für sich und haben – wenn auch nur geringen – den Wert der Konzentration und der Kürze.

Hier hast Du nun aber drei neue Dinger, die ich die letzte Zeit gedreht habe. Ob sie was taugen, sei dahingestellt! (irgendwohin) Aber *realistisch* sind sie auf jeden Fall und ein Abschweifen vom Thema kannst Du mir auch nicht vorwerfen. In das «Nasenbein» haben sich allerdings zum alleralerletzten Mal die beiden Worte: *doll* und *glatt* eingemogelt – aber hier gehören sie hin und ich will es auch nicht wieder tun!!

Den «Sonntagmorgen» wollte ich eigentlich zu der «Hundeblume» hinzufügen damals, aber ich begriff, daß die verlorene Zahnbürste zu belanglos war für den übrigen Inhalt. Nun kann es als eine Arbeit für sich bestehen und hat – wie auch das «Nasenbein» und die «Milchgeschäfte» sogar die vorschriftsmäßige Länge für Zeitungen. Vielleicht – wenn sie Deine Gnade finden – hast Du hiermit mehr Erfolg als mit der «Ziegennarzisse». Ich finde meine drei – eben diese – letzten Eier jedenfalls nicht unbedingt saumäßig, sondern eher zeitweilig sogar schon erträglich. Trotzdem bin ich auf eine kalte Dusche aus dem Hause E. R. gefaßt. Ich werde sie in männlicher teutscher Haltung ertragen.

Wenn Du in ihrem Besitz bist, funke bitte bald entweder: *Mist* oder *mäßig*!

Immer
der Deinige!!!
W.

AN WERNER LÜNING

6. 6. 1946

Alte Sandale!

Die Post war über den Generalbevollmächtigten derart schok-
kiert, daß sie vergaß, ihren Stempel auf die Marke zu drücken.

Mit der gleichen Ladung kamen ein Häuflein Zeitungen und
«Heute». Wäna! Wenn Du nur annähernd begriffest, was für
Freudenschreie aus meiner fieberversumpften Seele brechen,
wenn Deine Schrift auf irgendwelchen Postsendungen steht! Du
bist der Lichtblick meines von Tuberkelchen verfinsterten Gemü-
tes. Ja, Du liest richtig – nachdem ich gute drei Dutzend Ärzte
verbraucht habe, ohne Erfolg, hat jetzt eine halbrussische Kapazi-
tät festgestellt, daß seit 1941 (1. russischer Winter) eine Anzahl
allerliebster süßer Tuberkelchen ein inniges Familienleben in meiner Milz und meiner Leber führen. Neuerdings sind sie zum Angriff auf meine Nieren übergegangen und hätten beinahe, wenn
dieser Homöopath nicht eingegriffen hätte, auch meine Lunge
überwältigt. LungenTb habe ich also gottlob nicht – für andere
bin ich harmlos, aber für mich ist es um so lieblicher. Dieses nur,
damit Du siehst, wie *nötig* ich Deine geistige Leuchtturmtätigkeit
brauche. Ich hoffe, Du erkennst Deine große Bedeutung!!

Also zur Sache:

Erschienen ist von mir bisher absolut *nix* – außer der «Hundeblume» in der Hbg. Freien Presse bei *Hugo Sieker* in einer Fortset-
zung. Zwei ergötzliche Linolschnitte machten die Kürzung auf
die Hälfte auch nicht wieder gut. Die «Hundeblume» hat sonst
nur noch der Rundfunk. Sieker hat außerdem den «Mann, der
Töter hieß» (aus «Adrianol») und «Gedichte in der Nacht». *Ergo*:
Alles andere besitzest lediglich Du und so soll es auch hinfort – in
bewährter teutscher Treue – sein.

Inzwischen hast Du meine drei kleinen Neulinge erhalten, und
ich habe außerdem noch 6 kleine Arbeiten auf Lager. Sollte mir
das Leben Zeit und Kraft lassen, so kann ich zum August ein län-
geres Ding – die Geschichte eines Menschen, der seinen Eltern
mißglückt war – ankündigen. Es wird den Umfang eines Minia-
tur-Romans haben. Aber! Aber!

Anbei eine Aufforderung, die ich sicherlich nach Deiner Meinung abzulehnen habe?!

Schreibe bitte darüber.

Soll ich die restlichen 6 Stories nach Stuttgart verfrachten? oder?

Heute habe ich 38,8° – in der Hoffnung, Dir bald einen entfieberten zukommen lassen zu können: W.

AN WERNER LÜNING

18. 6. 1946

Lieber Werner,

Teile mir bitte umgehend mit, wie Du Dir Dein neues Quartier denkst. Das heißt: Willst mit Morgenkaffee oder ohne, mit *Möbel* oder ohne, mehr in Pension oder mehr als Zwangseinquartierung? Diese Angaben von Dir brauche ich eiligst! Ich habe etliche Aussichten, bei denen ich diese Dinge brauche. Das mit den Möbeln ist am wichtigsten. «Pinguin» und «Heute» kamen ebenfalls heute an und entfachten – natürlich nicht in dem Maße wie Deine Briefe! – ungeheure Begeisterungsstürme meinerseits. Dazu kann ich Dir noch von einem kleinen Fimmel berichten, den ich mir zugelegt habe:

1) Ich habe ein altes in solides Leinen gebundenes ausrangiertes Geschichtsbuch genommen.

2) Ich habe ferner *alle* in «Pinguin» und «Heute» erschienenen ausländischen stories ausgeschnitten und

3) sie feinsäuberlich in das Geschichtsbuch derart eingeklebt, daß

4) das Ganze eine manierliche Sammlung ergibt!!!

Sonst – zum Lesen komme ich überhaupt nicht. Wenn ich Gutes lese, verliere ich jeglichen Mut, selbst zu schreiben – lese ich aber Schlechtes, dann – na, das vermeide ich nach Möglichkeit ganz. Aber im Ganzen befriedigt mich meine Arbeit nicht. In dem Moment, wo ich schreibe, *muß* ich es tun, es zwingt mich!!! Hinterher aber sehe ich beim Anblick des Geschriebenen keine innere

Notwendigkeit mehr und finde alles journalistisch und litera-
risch!!!

So, mein Kutester – in Bälde ein Mehres
von Deinem
Leberknödel!

AN WERNER LÜNING

21. 6. 1946

Mein lieber Werner!
Leider hat mich diese Tage das Fieber wieder sehr beim Wickel
und ich kann Dir nur einen ganz kurzen Bericht geben.

Mit der gleichen Post geht «Thie Hoo» an Paul Herzog ab. Ich
habe ihm geschrieben, daß seine Vision von Cholm mich sehr
beeindruckt hat. Mehr oder weniger haben wir alle ja Ähnliches
erlebt und wir wollen uns Mühe geben, daß wir es *niemals* vergessen!

Wie ist es nun mit «Adrianol»? Soll ich es dreiteilen und dann an
Herzog schicken – oder? Diese Auskunft mußt Du mir geben,
damit ich nicht gegen Deine Anordnungen verstoße. Hier hast Du
eine Karte von den Stadtvierteln, die geräumt werden müssen.
Alles was unter A und B eingekesselt ist, zählt dazu. Damit muß
ein großer Teil von denen, die sich zu Hamburgs Elite zählten,
ihre Heimat aufgeben. Haben wir es anders verdient? *No, sir!*
Liebst Du den alten Herrn Whitman auch so wie ich? Ich finde, er
hat – besonders in der Sprache – Thomas Wolfe, Hemingway und
Faulkner schon in sich. Ich habe mir die «Grashalme» geliehen
und finde, daß es eigentlich eine Bibel ist.

Im übrigen bin ich der Meinung, daß ...

So long!
Dein Prometheus,
der Leberzerhackte!

VON CARL HAGER

28. Juni 1946

Heute zwei Mitteilungen:

1.) Das Wohnungsgesetz Nr. 18, erlassen vom Kontrollrat zu Berlin, gültig für Hamburg laut «Amtlicher Anzeiger» Nr. 54 vom 17. 5. 1946, bestimmt in Artikel VIII:

«1. Bei der Zuteilung freien Wohnraums haben sich die deutschen Wohnungsbehörden nach folgenden Grundsätzen zu richten:

a) In erster Linie sind in jedem Falle bevorzugt zu berücksichtigen solche Personen, die dem nationalsozialistischen Regime Widerstand geleistet haben oder durch seine Maßnahmen benachteiligt worden sind.

2.) An den Oberstaatsanwalt kann ein Antrag auf Löschung politischer Strafen aus dem Strafregister gestellt werden. Die Streichung wird durch die Militärregierung angeordnet.»

Sollte man von beiden Möglichkeiten nicht Gebrauch machen? Die Bestimmung über den Wohnraum ist wertvoll, um eine noch stärkere Beschränkung abzuwehren.

Die Löschung der Strafen des Kriegsgerichts ist für spätere Gelegenheiten auch nicht zu verachten.

[Zweite Seite fehlt]

AN CARL HAGER

1. Juli 1946

Lieber Herr Doktor Hager!

Ich gesteh: Das «Brot der Armen» liegt immer noch ungegessen vor mir, denn das Fieber läßt mir kaum soviel Zeit, ein Buch mit Genuß zu lesen. Wenn ich aber einmal soweit bin, werde ich beim Lesen mit guten Gedanken bei Ihnen als dem Brotspender verweilen.

Für die beiden Mitteilungen sage ich vielen Dank. Gerne nutze ich beide aus, wenn ich nur weiß, wie und wieso.

1.) Die Wohnungsangelegenheit leuchtet mir ein, aber ich habe

doch mein Zimmer. Oder kann ich auch auf diesem Wege für
meine Eltern etwas tun? Meine Eltern haben ja nur noch den
einen Raum zum Schlafen und Wohnen, sonst ist unsere Wohnung bereits restlos belegt. Wie also wirkt sich dieses neue Gesetz aus und an wen müßte ich mich wenden?

2.) Wenn es möglich ist, Vergangenheit zu tilgen, dann soll
man es immer tun. Wozu es gut ist, wird sich schon eines Tages
erweisen. Aber auch hier muß ich fragen, was ich dabei tun
muß, damit meine politische Vergangenheit, die zur Zeit ja nicht
ungünstig ist, ausgelöscht wird. Wenn Sie da einen Einfluß drauf
haben, haben Sie selbstverständlich alle Vollmachten. (Welch
herrliches Gefühl, wenn man Vollmachten zu vergeben hat!
Bisher mußte man sich nur immer fremden Vollmachten beu-
gen.)

Im Augenblick lese ich Gorki, «Drei Menschen». Aber der
gute Edelkommunist hinkt doch erheblich hinter den Autoren
des «Idioten» und der «Anna Karenina» hinterher.

Werden Sie nicht dünner! Und lassen Sie sich von den Ärzten
bald eine gesunde Aline zurückgeben! Das wünscht Ihnen
Ihr Wolfgang B.

AN WERNER LÜNING

28. 7. 1946

Lieber Werner!

Gestern kam Dein Langersehnter. In Deiner letzten Zeitschriften-
Sendung war sehr viel Interessantes über Thomas Wolfe, Amerika und so – – – – Many thanks!

Behelfsmäßig hielt ich die fieberfreie Stellung bis zum letzten
Tuberkelchen, aber seit vier Tagen haben sie mich wieder vollkommen umzingelt mit schweren 39° Mörsern. Dabei habe ich
vier stories in Arbeit, die mich nun quälen. Immerhin war ich aber
15 Tage ohne Fieber. Hemingways «Wem die Stunde schlägt»
habe ich *gerne* zuendegelesen. Aber nach meiner Meinung hat das
Buch einen Kapitalfehler: Er hat die stofflichen Möglichkeiten,

die für eine Novelle *gut* geeignet waren, zu einem Roman breitgetreten. Die Liebesgeschichte in dem Buch fand ich gut – aber alles zu wenig verdichtet. Vielleicht mache ich persönlich manchmal den Fehler, daß ich aus Mangel an Kraft und Können, einen Romanstoff in eine Kurzgeschichte presse – aber was Hemingway hier macht, ist sicher auch ein Fehler. Dies wird wohl der letzte historische P. K. Bericht sein, den der Sonderkurier Dir in das Hauptquartier Stuttgart überbringt. Hamburg sieht in fieberhafter Spannung Deiner Ankunft entgegen! In unübersehbarer Fülle sind die Fahnenmasten zu beiden Seiten Deines Anmarschweges errichtet – ich habe alles restlos *spontanisiert*!!!

Wenn ich geahnt hätte, daß Tante Hartmann sächsisch parliert, hätte ich es nie gewagt, Dich nach dort zu empfehlen. Dahin *kannst* Du natürlich nicht ziehen – oder Du wirst einem schweren Leiden anheim fallen: chronischem Brechreiz! Kannst Du mir noch einmal verzeihen! I'm so sorry!!!!!

Solchen Onkel wie Borelius kann ich nur unumschränkt bewundern. Über so ein hochgelahrtes Stichwort wie Fatum + Freiheit würde ich nur höchst unzusammenhängendes, unsachliches Zeug zusammenbringen. Wenn es ausserdem ein Auserwählter unter Millionen ist und eine passende Frau fürs Leben gefunden hat, so scheint er mir ein Liebling der Götter zu sein. Ich für mein Teil habe bisher noch keine Dame gefunden, mit der ich es 40 – oder 50 Jahre (O *Gott!*) lang aushalten würde. Oder die Dame würde es mit mir nicht aushalten. Aber «das ist ein weites (oder anderes?) Feld ...»

Erscheint das langentbehrte Sammelwerk Deiner Meisterbiographien in Bütten, Ganzleder oder Japanpapier? Ich rechne stark mit einer baldigen Überlieferung dieses unentbehrlichen Werkes, um damit einen erbitterten Vorstoß gegen meine immense Dummheit unternehmen zu können.

Mein Fieberdöds ist nun total vakuumiert (wenn es das gibt!) und ich sehe mit ekstatischer Inbrunst Deinem Kommen entgegen – in der Hoffnung, im gemeinsamen Kampf entweder zu fallen oder die heimtückischen Widerstandsnester der Tuberkelchen im Sturm zu nehmen. Hie Hamburg allwege!

Hummel Hummel: danke dito!

Dein Dich liebender Autor zweifelhafter Erzeugnisse!
W.

Gruß von Mama + Papa!
Innige ovationsartige Grüße an Mr. Ledig

AN HUGO SIEKER
                                    Im August [1946]
Lieber Herr Sieker!
Ich weiß nicht, ob ich mich schon für Ihren letzten Brief bedankt
habe – sonst tue ich es hiermit. Meine Lage hier ist immer noch
unverändert, das heißt: es fällt mir jeden Morgen von neuem
schwer, mich mit der Beraubung meiner über alles geliebten Freiheit abzufinden. Ich wehre mich auch dagegen, mich daran zu
gewöhnen – mein Innenleben würde dann ganz zerreißen. –

Sie fragten mich, ob ich hier nicht einmal etwas Prosa schreiben
könnte und dachten dabei sicher an einen Stoff aus dem augenblicklichen Milieu, in dem ich lebe. Nun habe ich etwas geschrieben – aber man muß schon sehr gut hinsehen und vielleicht sogar
mich selbst kennen, um den Zusammenhang mit dem Geschriebenen und meinem momentanen Leben erkennen zu können.
Aber die Beziehung ist da – wenn auch beinahe zu abstrakt und zu
kompliziert, für diese so einfache Sache – es kam aber so über
mich und so mußte ich es schreiben. Ich glaube kaum, daß die
«story of lost life» sich für die Tageszeitung eignet – es sei denn,
für den Sonntagmorgen zur inneren Besinnung.

Leider kann ich es Ihnen nur handschriftlich schicken – aber
vielleicht geht es auch so? Ich bin gespannt, was Sie dazu sagen
werden. Ich weiß, es fehlt die klare Einfachheit – aber es ging eben
nicht anders.
Nun bleibe ich mit vielen Grüßen herzlichst
Ihr Wolfgang Borchert

AN HUGO SIEKER

1. September 46

Lieber Herr Sieker!

Darf ich Ihnen mal eine ganz kleine Skizze anbieten?

Ich habe das Buch «Stalingrad» gelesen und habe probeweise eine kleine Besprechung darüber verfaßt. Würde die so in Form, Inhalt und Umfang genügen? Oder ist das Thema «Stalingrad» eine längere Untersuchung wert? Vielleicht können Sie den Bericht sogar gebrauchen, falls das Buch bei Ihnen noch nicht besprochen ist.

Der kürzliche Ausflug nach Wedel (mit Barlachs Geburts- und Siekers Wohnhaus) ist mir trotz Fieber gut bekommen. Der letzte Ausflug ging im Mai zu den unvergeßlichen «Wegbereitern». Aber dieses Mal war die Elbe doch erschütternder für mich als auf Noldes Leinwand. (Obgleich das Bild neben Barlachs «Bettler» für mich der stärkste Eindruck war.) Hoffentlich sehen wir uns bald mal wieder so unerwartet!

Herzlichst!
Ihr Wolfgang Borchert

AN HELGA STURM

19. November 1946

Liebes Fräulein Sturm!

Ihr Brief war für mich eine freudige Überraschung – haben Sie recht herzlichen Dank dafür. Meine Mutter hat sich ebenfalls sehr zu Ihrem Brief gefreut und sie war ganz glücklich, daß Sie zugesagt haben. Als meine Mutter mir erzählte, daß sie bei Ihnen angefragt hätte, ob Sie bei uns helfen wollen, da hatte ich eigentlich gleich die Absicht zu schreiben. Aber jetzt ist es ja auch noch früh genug.

Ich wollte Sie nämlich ebenfalls recht herzlich bitten, zu uns zu kommen, nicht um meinetwillen, sondern wegen meiner Mutter.

Ich habe meinen Eltern während des Krieges so unendlich viel Sorgen machen müssen und nun müssen sie auch noch fortwährend für mich da sein, daß ich mir Gedanken über ihre Gesundheit mache. Ich liege nun über ein Jahr im Bett und war das halbe Jahr vorher auch mehr krank als gesund und meine Mutter muß von morgens bis spät in die Nacht auf den Beinen sein. Mit starkem Tee und mit Zigaretten hält sie sich immer wieder mobil, um Hausfrau und Krankenschwester zugleich spielen zu können. Ihre geistige Arbeit fällt dabei ganz unter den Tisch, denn wenn sie abends endlich zur Ruhe kommt, dann ist sie natürlich mit ihrer Kraft am Ende. Sie würden mir, wenn Sie zu uns kommen wollen, eine große Sorge abnehmen! Aber etwas anderes will ich Ihnen auch ehrlich sagen: Ich weiß nicht, ob Sie sich denken können, was für Stimmungen man hat, wenn man 25 ist und ewig im Bett liegen muß. Ich will damit sagen, daß ich oft ein recht ungeduldiger und nervöser Patient bin und daß die, die mich pflegen, es nicht immer ganz leicht haben. Ich weiß nicht, ob Sie sich in meine Lage versetzen können und ob Sie soviel Geduld aufbringen, mich zu verstehen. Es gibt auch Tage, wo ich so von meiner Krankheit überfallen werde, daß ich ein recht hilfloses und häßliches Bild abgebe und es ist für ein junges Mädchen sicher nicht angenehm, dann dabei sein zu müssen. Ich sage Ihnen das alles, weil ich nicht möchte, daß Sie sich nachher bei uns nicht wohl fühlen – und weil ich Sie vorbereiten möchte, daß Sie allerhand auf sich nehmen, wenn Sie zu uns kommen. Trotzdem aber bitte ich Sie, liebes Fräulein Sturm, kommen Sie zu uns und geben Sie uns etwas von Ihrer Kraft ab. Ich glaube, wir sind beide doch jung genug, um uns zu verstehen und vertragen werden wir uns auch. Zum Frühling wird es auch mit uns bergauf gehen und dann kann ich mich bei Ihnen vielleicht in irgendeiner Form für Ihren Liebesdienst bedanken! Wenn Sie im Dezember hier ankommen, dann finden Sie mich als Weihnachtsmann. In der letzten Zeit hatte ich einige heftige Anfälle und mußte mir gezwungener Maßen einen finsteren schwarzen Bart stehen lassen – also, erschrecken Sie nicht!

Wenn es sich ergibt, daß Sie bei uns wohnen, dann werden wir sicher – trotz Fieber und Bart – auch manche schöne Stunde miteinander haben.

Es grüßt Sie
herzlichst!
Ihr Wolfgang Borchert

Von meiner Mutter viele liebe Grüße!

VON HUGO SIEKER

10. Januar 1947

Lieber Wolfgang Borchert,
ich danke Ihnen herzlich für Ihr Gedenken zum neuen Jahr und ich erwidere Ihre Wünsche auf das herzlichste. Sie führen uns jetzt schon seit langem den Triumph des Geistigen über die Schwäche des Körperlichen mit ebenso konkreter wie sinnbildlicher Eindeutigkeit vor Augen, daß wir daran schon ein Beispiel nehmen können. Zu danken habe ich Ihnen noch für Ihre kleine Studie «Die Elbe». Darf man darüber noch für die Zeitung verfügen, oder haben Sie sie bereits für eine andere Stelle vorgesehen? Vielleicht lassen Sie mich das noch kurz wissen.

Ihre Besprechung der KZ-Literatur soll jetzt auch endlich erscheinen – in der Weihnachts- und Neujahrszeit wollten wir die Arbeit nicht gern bringen, um nicht zu viele Leute zu ärgern.
Seien Sie herzlichst gegrüßt von
Ihrem Hugo Sieker

P. S. Bitte, sagen Sie auch Ihrer Mutter und Ihrem Vater herzliche Grüße von mir.

AN GÜNTER MACKENTHUN, WESTERLAND/SYLT

[16. 1. 47]

Lieber Günter!

Ich danke Dir recht herzlich für Deinen Brief. Hoffentlich seid Ihr auf der Insel gut über diese barbarisch kalten Tage hinweggekommen. Mir macht dieser Winter doch sehr zu schaffen und ich muß im Sommer wohl in die Schweiz, wenn ich überhaupt wieder gesund werden will.

Ich habe eine große Bitte an Dich. Folgendes: Wir haben seit zwei Monaten eine kleine Hausangestellte, die vorher in Kampen in Stellung war. Nun hat sie ihre Kartoffeln (1 Zentner) in Kampen bei dem Kaufhaus Hansen und wir haben keine Möglichkeit, diese herzubekommen, da man sie der Fernbahn ja nicht anvertrauen kann. Weißt Du nicht, wie wir zu den Kartoffeln kommen können? Ob Du Gelegenheit hast, sie mal mit nach Hamburg zu bringen im Wagen? Das Mädchen heißt Helga Sturm. – Wenn Du mal kommst, bringst Du bitte meine drei Bücher mit: «XYZ», «Salome», «Candida».

Übrigens: Am 13. Februar abends 8^{00} überträgt der Nordwestdeutsche Rundfunk ein Hörspiel von mir. Vielleicht hast Du Zeit, es Dir anzuhören.

Vielleicht schreibst Du mal Deine Meinung über die Kartoffelfrage.

Es grüßt Dich
    Dein Wolfgang

AN DIE MUTTER

Montagnachmittag [Krankenhaus Heidberg, Februar 1947]

Meine liebe Mutti!

Heute morgen war allerlei los. Mein Herz ist ganz genau untersucht worden u. dann bin ich in einen anderen Block getragen worden und von oben bis unten geröntgt worden. Dabei mußte ich einen dicken weißen Gipsbrei trinken. Heute früh bekam ich nichts zu essen und als ich endlich um ¼1 wieder in meinem

Zimmer war, gab es nur Reisbrei. Da hat mir denn das schöne Pferdefleisch über den Berg geholfen.

Schnabel ließ gerade anrufen, als ich auf war und seine Sekretärin fragte eingehend nach meiner Gesundheit und ob er mich besuchen könne. Sie war derart liebenswürdig, daß ich ganz platt war.

Fieber habe ich gar nicht, im Gegenteil, viel weniger Temperatur als sonst. Und Schlafen tu ich wie ein Toter – von abends um 8^{00} bis morgens um 6^{00} ohne Aufzuwachen. Nur entsetzlich trokkene Luft ist hier, und ich spüle dauernd meinen Mund. Das Essen ist für mich sehr reichlich, aber es kann natürlich nicht so schmekken in so einem Riesenbetrieb. Aber sie geben sich sehr viel Mühe.

Ich freue mich schon wieder auf Zu Hause und auf meine Tutti! 1000 Tüschis von Hanning

AN DIE MUTTER

[Heidberg-Krankenhaus, 1947]

Meine liebe Mutti!

Eben habe ich mit Fräulein Sturm telephoniert, weil Du noch im Bett liegst. Ich bin ganz traurig, daß Du noch krank bist, ich konnte gestern abend schon gar nicht davor einschlafen. Nun bist Du noch krank, und ich habe heute nachmittag so auf Dich gewartet. Hier ist es so schrecklich zwischen Kaserne und Gefängnis, und ich muß noch die ganze Woche hierbleiben. Was machen wir bloß mit Strauche?

Eben hat Schnabel angerufen – er kommt Mitte der Woche, er hat soviel zu tun.

Hier im Krankenhaus fühle ich mich viel kränker als bei Euch und ich will hier schnell wieder weg.

Durchfall habe ich auch – seit fast einem Jahr wieder.

Heute morgen mußte ich von 7^{00}–11^{00} den Schlauch schlukken. Ich hatte nur 38°. Ich wiege noch genau 120 K, ich habe also vom Elisabeth-Krankenhaus her nur ungefähr 10 K abgenommen, das ist ja nicht soviel. Hier gibt es Suppen, Suppen, Suppen und die Heizungsluft macht sehr durstig. Mein Bauch ist ganz dick, Wasser sagt Prof. Beckermann. Sonst weiß er auch noch nichts, aber er ist viel genauer als Ergang, über den er gar nicht gut spricht.

Gestern abend war der große Bär da – aber ich war man ganz traurig, denn diese Krankenhausluft ist doch zu schrecklich. Um 6^{00} werden wir geweckt – Oh Oh!! Am besten ist, Du kommst hier gar nicht raus. Das Zimmer ist ganz hell und sauber und sehr warm – aber so leer, daß man sich ganz verloren darin fühlt. Wenn ich etwas kräftiger wäre, könnte ich hier schön arbeiten – aber so finde ich alles nur trostlos, und ohne Tutti ist es alles nichts. Ich will ganz schnell hier wieder weg – mir ist es, als wenn wir nicht 5, sondern 5000 Kilometer auseinander sind. Und dabei sind wir ganz dicht zusammen.

Wenn ich nächste Woche wiederkomme, machen wir drei aber ein Fest!!! Darauf freue ich mich schon!!!
Viele viele Sonntagstüschis von Hanning.

In traurigen Tatsachen denken   1947

Borcherts Gesundheitszustand verschlechtert sich weiter, während sein
literarischer Ruhm wächst. Am 13. Februar 1947 wird das Hörspiel
«Draußen vor der Tür» gesendet, im April erscheint der Prosaband «Die
Hundeblume». Borchert erfährt viel Resonanz von Lesern und Hörern;
mehrere Verleger werben um den jungen Autor. Gleichzeitig bemühen
sich seine Freunde, ihm einen Sanatoriumsaufenthalt in der Schweiz zu
ermöglichen, wo eine bessere ärztliche Versorgung des Schwerkranken
gewährleistet scheint. Immer neue Hindernisse, Probleme bürokratischer
wie finanzieller Natur, verzögern die Abreise. Endlich kann der kaum
noch transportfähige Borchert am 22. September 1947 die Reise antreten,
muß jedoch gleich hinter der Grenze in Basel ins Spital gebracht werden.
Er stirbt am 20. November, einen Tag vor der Uraufführung von «Drau-
ßen vor der Tür».

AN MAX GRANTZ

27 II 47

Verehrter Herr Dr. Grantz!
Sie haben recht: Mein Stück ist noch nicht gut, wenn Sie das rein
Formale damit meinen. Wenn Sie aber den Inhalt meinen, muß
ich Ihnen widersprechen. Es lag mir nichts daran, ein *gutes* Stück
zu schreiben. Es sollte nur wahr und lebendig sein und das aussagen, was einen jungen Menschen heute bewegt.

Sicher sind Sie mit 55 Jahren noch nicht alt. Aber Sie vergessen
eins, wenn Sie meine Auffassung von Gott töricht nennen. Das ist
dies: Als Kind wächst man mit einer Gottes-Vorstellung auf, die
in ihm eine *persönliche* Macht sieht, die uns in unserer Not beisteht

und das Böse nicht zuläßt. Das Kind kann das göttliche Gesetz in sich selbst noch nicht begreifen, es sieht in Gott immer etwas, das außer ihm ist. Weder die Schule noch die Kirche oder das Elternhaus klären das Kind auf, daß diese Gottesvorstellung falsch ist und so muß der junge Mensch mit zunehmender Reife eines Tages die Erfahrung machen, daß es *diesen* Gott nicht gibt, daß es keine Macht gibt, die uns beisteht, die sich herbeiflehen läßt und das Böse verhindert. Oder wollten Sie das behaupten? Nun antworten Sie mir: Das Göttliche ist *in* uns und *in* allem Leben. Ja, wo sollte es anders sein. Aber nun sagen Sie mir auch, wie soll ein junger Mensch unserer Zeit, der erkennt, daß seine kindische Gottesvorstellung falsch war, der durch *diesen* Krieg und *diesen* Frieden hindurchgeht, wie soll er an das Gute, an das Göttliche glauben? Dazu bedarf es sicher einer großen inneren Reife und Festigkeit – und einer gewissen bürgerlichen Ruhe. Diese Eigenschaften aber kann und soll ein junger Mensch nicht haben. Das ist meine Antwort auf Ihren Vorwurf – und ähnlich würde sie auch auf Ihren Vorwurf, daß ich die Liebe von Mensch zu Mensch verkenne, ausfallen. Stehen wir denn nicht aber «vor der Tür»? Geistig, seelisch, beruflich? Haben wir Jungen nicht alle ein Stück Beckmann in uns?

Beckmann geht am Ende nicht in die Elbe. Er schreit nach Antwort. Er fragt nach Gott! Er fragt nach der Liebe! Er fragt nach dem Nebenmann! Er fragt nach dem Sinn des Lebens auf dieser Welt! Und er bekommt keine Antwort. Es gibt keine. Das Leben selbst ist die Antwort. Oder wissen Sie eine?

Wir hätten das mündlich alles viel besser besprechen können, aber ich habe mir 1941 in Rußland ein unheilbares Leberleiden geholt und liege seit Kriegsende ununterbrochen im Bett, so daß ich Ihnen leider keinen Besuch machen kann. Ich möchte Ihnen aber sagen, daß ich mich über Ihre Teilnahme aufrichtig gefreut habe.

Herzlichst!

Ihr W. Borchert

AN EMIL NOLDE

3. März 47

Verehrter Herr Professor!

Seit 16 Monaten liege ich nun in meinem Zimmer und das ist für einen jungen Menschen nicht immer ganz einfach. Aber als meine Mutter mir am Weihnachtsabend Ihren alten Bauersmann auf den Tisch legte, da wurde mein kleiner Raum mit einmal so groß und von Ihren Farben so erfüllt, daß ich lange nicht wußte, was ich sagen sollte. Die ganzen Wochen seitdem überlege ich nun, wie ich Ihnen für dieses wunderbare Geschenk danken soll, denn mit einem gewöhnlichen Brief ist das nicht getan.

Ich hatte damit gerechnet, daß im März ein Band Erzählungen von mir herauskommen würde, aber da alle Druckereien still liegen, wird es noch einige Wochen dauern. Doch einen ganz ganz kleinen Dank kann ich Ihnen doch abstatten. Am 16. März wiederholt der Sender Hamburg spät abends ein Hörspiel von mir. Vielleicht – wenn Ihnen die Zeit nicht zu spät ist – können Sie es hören. Und vielleicht können Sie dann heraushören, daß Wert und Wirkung Ihres Weihnachtsgeschenkes nicht irgendwo verpufft sind.

Ich möchte Ihnen noch recht viel Kraft zu Ihrer Arbeit wünschen.

Hochachtungsvoll!

Ihr Wolfgang Borchert

AN GUDRUN SCHNABEL

31 März [1947]

Liebe gnädige Frau,

daß ich mich zu Ihrem «Hörer»-Brief besonders gefreut habe, können Sie sich denken. Für mich war es doch ein Erlebnis, meine eigenen Worte zum ersten Mal so zu hören und besonders Hans Quest hat mir restlos die Sprache verschlagen. Besser hätte es kaum einer gekonnt. Es war also kein Wunder, wenn die anderen gegen ihn etwas abfielen.

Gestern hat sich Goverts mit einem Telegramm gemeldet. Es

scheint also doch mit der Sache voranzukommen. Stellen Sie sich vor: Heute liege ich genau 16 Monate! Und wenn ich nun in die Schweiz komme und da gesund werde, dann habe ich es nur Ihrem Mann zu verdanken, der sich so unaufhörlich für mich bemüht hat. Hoffentlich kann ich das mal wieder gutmachen.

Für Ihren Brief nochmals vielen Dank! Und vor allem recht gute Besserung
wünscht Ihnen Ihr
Wolfgang Borchert

AN KURT W. MAREK

2 IV 47

Lieber Herr Marek,
ich danke Ihnen für den breiten Raum, den Sie mir im «Benjamin» eingeräumt haben. Und nun werde ich gleich ganz unbescheiden. Ich habe nämlich diese Krähengeschichte geschrieben, deren Hauptfigur auch ein Benjamin ist und der vielleicht im Benjamin einen passenden Platz fände. Ob Sie mir darüber bald Mitteilung machen können? Denn in 8 Wochen geht das Vertriebsrecht an Meyer-Marwitz über; bis dahin gehört sie noch mir. Mit meinem Roman bin ich jede Nacht zu gange – aber hier geschrieben habe ich erst 10 Seiten. Ich bin mir über Form und Stil noch nicht ganz klar. Der riesige Handlungsvorwurf läßt sich nur ähnlich bewältigen, wie Plievier den «Stalingrad» gebaut hat. Aber dann habe ich immer Angst, als Plievier-Nachfahre gewertet zu werden. Außerdem bin ich noch so unsicher und planlos, daß ich zweifle, ob ich überhaupt einen Roman durchhalte. Es gehört doch auch eine ziemliche Kraft zu so einem Unternehmen und die fehlt mir immer noch. Ich habe meine ganze Hoffnung auf die Schweiz gesetzt.

Kommen Sie doch mal, wenn Sie viel Zeit haben, bei mir vorbei.

Es grüßt Sie Ihr
W Borchert

AN KARL LUDWIG SCHNEIDER

6 IV 47

Lieber Herr Schneider,

ich kann mir vorstellen, daß Sie einen Haufen Arbeit bewältigen müssen, und ich habe in meiner langen Krankheit auch Geduld lernen müssen. Um so mehr habe ich mich nun zu Ihrem
Brief gefreut, denn ich könnte mir ebenfalls denken, daß wir
beide Berührungspunkte in Bezug auf unsere Arbeit und unsere
Pläne haben. Wenn es in Deutschland nicht mehr möglich ist,
dann verschieben wir unser Gespräch auf den Zeitpunkt, wo
wir – hoffentlich – beide den Vorzug haben, Gäste der Schweiz
zu sein. Zu einem kurzen Besuch langt Ihre Zeit aber vorher
vielleicht doch noch – wir könnten dann noch dies und jenes
klären.

Inzwischen habe ich Ihre *Disteln* für die «Freie Presse» besprochen, hoffentlich habe ich Ihnen kein Unrecht getan. Sie wissen
ja, daß ich von vornherein *Ja* zu Ihren Versen gesagt habe. Haben Sie die Besprechung gelesen?

Meine Schweizer Angelegenheit ist inzwischen soweit gediehen, daß ich französische Fragebogen ausgefüllt habe und Paß-
bilder abliefern mußte. Zwischen *Goverts* und der Konsulatsbe-
hörde ist ein lebhafter Telegrammwechsel im Gange – also, die
Dinge sind im Fluß und eines Tages wird es wohl soweit sein.
Ich schätze noch auf 4–6 Wochen.

Wenn Sie sich nun anbieten, meine Sachen in der Schweiz unterzubringen, so tun Sie mir damit mehr als nur eine Gefällig-
keit. Sie können sich denken, daß es für mich nicht so sehr angenehm ist, dort als Almosenempfänger zu leben, sondern ich
möchte doch wenigstens versuchen, auch durch eigne Arbeit
über Wasser zu bleiben. Hier haben Sie erstmals 20 Sachen unter-
schiedlicher Qualität – vielleicht lesen Sie sie nochmal durch, damit Sie sich nicht blamieren. «Hamburg» und «Die Elbe» habe
ich absichtlich dazu getan, denn wenn es sich um Paris oder Bo-
ston handelte, würde auch keiner von Lokalpatriotismus reden.
6 sind schon veröffentlicht, 4 andere angenommen – aber vielleicht stellt die Schweiz höhere Ansprüche?

Es wäre sehr schön, wenn Sie mich noch mal besuchen würden.

Recht herzlich grüßt Sie
Ihr W Borchert

AN HENRY GOVERTS

15 IV 47

Verehrter Herr Dr. Goverts!

Für Ihren Brief aus dem März danke ich Ihnen – er kam vor zwei Tagen hier an. Sie schreiben, daß Herr Schnabel leider nur sehr wenig über meinen Fall mitgeteilt habe – inzwischen sind Sie aber wohl genauer unterrichtet worden. Wenn ich noch ein paar kleine Ergänzungen zu mir selbst machen darf, so möchte ich es hier ganz kurz tun.

Eine ausführliche Krankengeschichte bringe ich selbstverständlich mit. Für das erste nur: Ich liege jetzt seit 17 Monaten ununterbrochen im Bett und habe davon rund 12 Monate (mit Unterbrechungen) Fieber gehabt. Da ich diese Erkrankung seit 1941 mit mir herumtrage, so sind natürlich alle Organe derart angegriffen, daß ich oft recht hilflos bin. Diese Fieberanfälle treten ungefähr alle 6 Wochen auf und manchmal kommen dann Lungen- und Zwerchfellkrämpfe dazu, so daß ich mich keinen Millimeter bewegen kann. Nach 5–10 Tagen ist es dann wieder vorbei und ich kann dann sogar in der Wohnung umherlaufen, 2–3 Stunden im Stuhl sitzen usw. Trotzdem sind meine Muskeln derart geschwächt, daß ich z. B. einen Mantel nicht allein anziehen kann und bücken kann ich mich auch nicht, vom Tragen ganz zu schweigen.

Ich schreibe Ihnen das alles nur auf «Befehl» meiner besorgten Mutter, die natürlich Angst hat, ich käme ohne sie nicht zurecht. Außerdem sollen Sie ja auch ungefähr wissen, in welcher Verfassung ich dort ankomme.

Ich wünsche nur, daß mir das Leben die Gelegenheit bietet, mich einmal bei Ihnen für diesen ungeheuren Liebesdienst zu bedanken. Ohne Hoffnung auf Ihre Hilfe hätte ich diesen Winter und darüber hinaus die Zukunft nicht erleben mögen. Wenn alles gut geht, darf ich Ihnen wirklich bald die Hand geben.

Sehr herzlich grüßt Sie

Ihr Wolfgang Borchert

AN HANS-ULRICH CASSEBAUM

Hamburg, 15. IV. 47

Verehrter Herr Cassebaum,

sehr gefreut habe ich mich zu Ihrem Brief und ich habe als Anfänger natürlich nichts dagegen, wenn Sie meine kleine Skizze in Schweden unterbringen. Sie sprechen in Ihrem Brief von einem «hoffnungsversprechenden Zeitstück» und treffen damit den Nagel auf den Kopf. Ich schreibe noch nicht lange und bin stilistisch noch von allerlei konventionellen Schlacken belastet, die ich im «Brot» vielleicht schon etwas abgestoßen habe. Auf der anderen Seite weiß ich natürlich, daß so eine nackte Realistik (im Inhalt und im Stil) sich durchaus davon entfernt, was man bis heute Poesie und schöne Literatur genannt hat. Vielleicht gelingt es mir, in Zukunft für meine Arbeit eine gültige Form zu finden. Viel kann ich natürlich über mich nicht sagen, da ich auch im Leben noch ein Anfänger bin.

Also:

Ich bin 25 Jahre alt und in Hamburg geboren. Ein Jahr *vor* dem Abitur habe ich die Schule verlassen, war erst Buchhändler, dann Schauspieler. Als Soldat war ich meistens im Osten, Verwundung, Erfrierung. Zweimal mußte ich während des Krieges eine längere Freiheitsstrafe als politischer Häftling absitzen. Mit den Folgen davon liege ich seit Kriegsende als 100 % arbeitsunfähig im Bett. Geschrieben habe ich früher für Hamburger Tageszeitungen und mal Gelegenheitsgedichte. Seit einem Jahr schreibe ich Prosa, zirka 50 stories, von denen bisher 10 veröffentlicht wurden. Zum Juni erscheinen in der «Hamburgischen Bücherei» zwei Bändchen Erzählung. Im Februar u. März übertrug Radio Hamburg dreimal

mein Stück «Draußen vor der Tür». Es wird zur Zeit ins Dänische übertragen u. ebenfalls mit der Schweiz darüber verhandelt. Über eine deutsche Buchveröffentlichung und Bühnenaufführung ist noch nicht entschieden. So, das ist alles. Das beste können Sie sich aussuchen. Ob Ihnen die politische Inhaftierung mißfällt, weiß ich nicht – vielen mißfällt sowas, und ich finde auch, als Reklameschild ist das sehr übel. Ich werde in Kürze in die Schweiz transportiert, da es für mich hier keine Heilungsmöglichkeiten gibt – ob ich noch-mal von Ihnen höre? Sie können sich denken, daß man in Deutsch-land *heute* nicht gesund werden kann – aber meine Reise dauert noch, bis dahin versuche ich noch kräftig zu atmen.
Herzlichst!
Ihr W Borchert

AN PAUL KREUTELER–TUERK

28 IV [1947]

Herr Kreuteler-Tuerk,
Wenn ich Ihnen auf Ihren schönen Brief antworte, daß ich seit 18 Monaten als 100 % erwerbsunfähig im Bett liege mit den Folgen des III. Reiches u. daß dieser Winter mich völlig lahm gelegt hat – dann werden Sie verstehen, daß ich nicht eher und nun nicht aus-führlicher antworten kann. Daß mich Ihr Brief *sehr* stolz und froh gemacht hat, das will ich Ihnen sagen u. daß ich traurig bin, nicht auch in anderer d. h. verlegerischer Beziehung in Kontakt mit Ihnen kommen zu können. Längst bevor mein Hörspiel gesendet wurde, hatte Rowohlt es für sich reserviert, und soviele Verlage sind über mich hergefallen – nur Sie haben eine Ausnahme ge-macht und mir als Mensch geschrieben. Wenn ich nun auch an Rowohlt gebunden bin, so schließt das ja nicht aus, daß wir noch mal zu einer Zusammenarbeit kommen können – ich würde mich jedenfalls sehr freuen, denn nicht nur Ihr Brief, auch Ihr prächti-ges Verlagsprogramm geht mir immer im Kopf herum. Seien Sie über die Kürze meiner Antwort nicht böse – ich werde demnächst in die Schweiz transportiert und werde mich wieder bei Ihnen

melden, wenn Sie noch Interesse an mir haben. Es wäre doch sehr
schade, wenn wir uns aus den Augen verlören!
Es grüßt Sie
    Wolfgang Borchert

AN HANS HENNY JAHNN

                                   7. 5. 47

Verehrter Herr Jahnn!
Für Ihre Einladung zur Neugründung einer PEN-Club Sektion
danke ich Ihnen. Leider liege ich seit 18 Monaten im Bett und
kann ihr nicht Folge leisten. Da ich aber so brennend gerade an
diesen Dingen interessiert bin, so bedaure ich das sehr und ich
wäre Ihnen sehr dankbar, wenn Sie mich in etwaige Pläne in Bezug auf den PEN Club mit einbeziehen würden, so daß ich wegen
meiner Krankheit nicht gänzlich außen vor stehe.
Es grüßt Sie
Ihr Wolfgang Borchert

AN ELISABETH KAISER

                                   21 V 47

Verehrtes Fräulein Kaiser,
natürlich nehme ich an, daß Sie ein weibliches Wesen sind – schon
der eingelegten Blumen wegen. Wie *sehr* ich mich Ostern zu
Ihrem Päckchen gefreut habe und was für einen großen Dienst Sie
damit auch meiner Mutter getan haben, das haben Sie sicher nicht
gewußt. Und machen Sie sich keine Gedanken: an irgendwelche
Begleiter von Kometen denke ich weißgott nicht. Ich nahm vielmehr an, daß Sie rein gefühlsmäßig und impulsiv das tun mußten,
ohne Hintergedanken und Bedenken. Und ebenso habe ich es aufgenommen. Daß ich nebenbei etwas geschrieben habe, was Ihnen
gefällt, hielt ich in unserem Fall für völlig nebensächlich. Sie sind
eine Frau und erfahren von einem Kranken – Ihre Reaktion war:

Helfen. Für mich sind Sie über allen Verdacht erhaben – mögen Sie es auch für Dr Herzog sein. Leider habe ich gerade vor einigen Tagen nochmal nach Ihnen gefragt, da er mir damals nicht geantwortet hat. Aber nun werde ich selbstverständlich dicht halten. Außerdem ist dieses kleine gemeinsame Geheimnis zwischen uns für mich auch eine große Freude, weil ich weiß, daß ich wenigstens nicht ganz umsonst krank bin und ein Echo in Ihnen gefunden habe. Im übrigen ist es allerdings so, daß ich auf alle Literatur pfeifen würde, wenn ich gesund wäre. Im Wald Holz hacken oder Fische fangen wäre mir weitaus lieber, als 18 Monate in horizontaler Lage Geschichten schreiben. Können Sie das verstehen? So aber wird die Tinte wohl noch lange Zeit mein Lebenssaft bleiben müssen – und das ist kein Vergnügen, sondern beinahe eine Qual, wenn man es ernst meint und wenn man kein anderes Ventil hat – und wenn man *muß*! Wer allerdings nicht muß, für den kann es vielleicht ein Vergnügen sein. – Nun dürfen Sie nicht enttäuscht sein, das ist alles sehr einseitig, aber ich bin seit meiner Krankheit zu sehr Egoist, um objektiv zu sein.

Nun habe ich diesen Brief dummerweise dazu benutzt, von mir zu reden, statt Ihnen ganz ehrlich zu sagen, was für eine große große Freude Sie mir gemacht haben. Nicht mit dem Paketchen – sondern, weil Sie an mich gedacht haben. Bedanken kann man sich für sowas nicht. Das einzige was ich tun kann, weiter hin und wieder etwas schreiben, was Sie nicht enttäuscht. Das will ich auch versuchen!
Es grüßt Sie
Ihr Wolfgang Borchert

AN HENRY GOVERTS

23. Mai 47

Verehrter Herr Dr Goverts!
Sie können sich denken, wie sehnsüchtig ich auf den Bescheid zur Abreise warte und wie gerne ich bei Ihnen wäre! Aber leider arbeiten die hiesigen Dienststellen im Schneckentempo und wir kön-

nen nur zusehen. Obgleich Mister Green und Col. Smith die Sache persönlich angeregt haben, dauert es doch furchtbar lange. Hinzu kommt, daß Herr Schnabel seit 4 Wochen in England ist und erst in 14 Tagen zurückkommt. Er war doch der Motor der ganzen Angelegenheit. Trotzdem kann es natürlich jeden Tag losgehen – Sie werden dann sofort benachrichtigt. Leider ist auch die Postzustellung sehr mangelhaft – zwei Briefe, die ich an Sie abschickte, bekam ich ohne Begründung zurück. In dem einen bestätigte ich den Empfang Ihres letzten Briefes mit der Genehmigung der Liechtensteiner Regierung. Ich hole es also hiermit nochmal nach.

Leider geht es mir immer noch nicht besser und Ihr großzügiges Entgegenkommen ist tatsächlich die einzige Hoffnung, die wir haben. Außerdem verschlechtern sich die Lebensbedingungen hier von Tag zu Tag. Aber das ist für mich nicht so wichtig – hauptsächlich macht mir das Klima zu schaffen und ich werde mich wohl eines Tages irgendwie im Süden ansiedeln müssen. Leider, denn ich hänge sehr an Hamburg. Aber vielleicht werde ich bei Ihnen doch ganz gesund.

Hoffentlich ist der Tag nun bald da, an dem ich zu Ihnen in den Wagen klettern kann. Wir haben hier alle Hebel angesetzt, daß die Angelegenheit beschleunigt wird.

Es grüßt Sie
sehr herzlich Ihr
Wolfgang Borchert

AN HUGO SIEKER

25. V. [1947]

Lieber Herr Sieker,
wir kennen uns nun ungefähr 10 Jahre, ich habe an Ihrer Hand die ersten literarischen Gehversuche gemacht und habe immer das Gefühl gehabt, daß unser Verhältnis sehr herzlich sei und auch bleiben würde.

Nun bin ich sehr traurig. Seit vielen *Monaten* höre ich nichts mehr von Ihnen, kein Gruß, keine Karte, keine Antwort. (Auf einen Besuch habe ich nicht gewartet, dazu sind Sie zu beschäftigt.) Ich habe das Gefühl, irgendwer oder irgendwas hat sich zwischen uns geschoben und das wäre *sehr sehr* schade.

Bitte, Herr Sieker, sagen Sie mir ehrlich, habe ich mir etwas zu Schulden kommen lassen, mich vorbeibenommen oder welcher böse Geist hat mich bei Ihnen angeschwärzt oder sich zwischen uns gezwängt?

Jedenfalls möchte ich Ihnen sagen, daß ich noch immer dasselbe gute Gefühl zu Ihnen habe wie immer!
Ihr
Wolfgang Borchert

AN KARL LUDWIG SCHNEIDER

27. V. [1947]

Lieber Herr Schneider,
für Ihren Brief recht herzlichen Dank. Es ist rührend von Ihnen, daß Sie sich meinetwegen so viel Gedanken und Arbeit machen. Na, vielleicht kommt mal ein Tag, wo ich Ihnen einen Dienst erweisen kann.

Meine Sache ist eigentlich vollkommen klar, aber scheinbar sind die Papiere bei irgendeiner Dienststelle hängengeblieben, denn es dauert immerhin ziemlich lange. Das Fürstentum Liechtenstein hat jedenfalls seine Einwilligung längst gegeben. Es kann also jeden Tag losgehen.

Daß Ihnen diese Verleger-Angelegenheit nun auch noch Kopfzerbrechen macht, hab ich mir schon gedacht. Aber der Fall ist sehr viel einfacher: Dr. Claassen, die andere Hälfte des Goverts-Verlages, hat meine Sachen zu allererst gehabt, konnte nichts damit anfangen und betonte ausdrücklich, daß meine Schweizer Reise eine rein menschliche Sache zwischen Dr. Goverts und mir sei, die vollkommen unabhängig von den verlegerischen Dingen sei. Außerdem hat sich Dr. Goverts mir gegenüber ebenfalls nie über diese Fragen geäußert, so daß ich die Bindung mit Rowohlt ohne Hemmungen eingegangen bin. Zudem stehen sich Ro und Go persönlich sehr gut und die Unterstützung durch *Dr. Oprecht* sollte nur als letzte Reserve gedacht sein. Mein Verhältnis zu Rowohlt ist so: Er bringt mein Stück als Buch und auch im Bühnenvertrieb heraus – es ist schon in der Druckerei – und die Hbg Kammerspiele haben es zur Uraufführung erworben. Darüber hinaus hat Ro zwei Dutzend stories von mir angenommen, die er vorerst durch seinen Feuilletondienst vertreibt – ob wir einen Band daraus machen, steht noch nicht 100% fest. Sie sehen, lieber Herr Schneider, alles ist ganz klar. Leider war es bei Ihrem Besuch noch nicht ganz entschieden, so daß Sie etwas im Dunkeln tappen mußten.

Der gewünschte Steckbrief sieht so aus: Am 20. V. 21 in Hamburg geboren. Nach der Schule zuerst Buchhändler, dann Schauspieler. Im Kriege verwundet, zweimal eingelocht in Nürnberg und Moabit, nach dem Endsieg Regieassistent bei «Nathan, dem Weisen» – seit Oktober 45 mit den Folgen des Dritten Reiches im Bett. Literarische Gehversuche. – Ich glaube, das wird genügen – zur Ergänzung lege ich noch einen Artikel aus der «Welt» mit ein.

Dies muß ich Ihnen auch noch sagen: Die «Akademische» hat sich mächtig entwickelt und ist in jeder Beziehung sehr aktiv geworden. Ich lese sie immer mit *großem* Interesse, namentlich den zweiten Teil, wo mit spitzer Feder gestritten wird.

Frau Ilse Höger war diese Tage hier – sie läßt grüßen.

Hoffentlich sehen wir uns bald – «in einem anderen Land» – pausbäckig und satt!
Bis dahin grüßt Sie
Ihr W Borchert

Meine Mutter dankt für Ihren Gruß u. grüßt Sie ebenfalls herzlich.

VON HUGO SIEKER

28. Mai 1947

Lieber Wolfgang Borchert,
es steht weiß Gott gar nichts zwischen uns. Ich habe beobachtet,
daß Sie in den letzten Monaten großen Erfolg hatten und daß sich
allerlei Betrieb um Sie herum entfaltet hat. Darüber habe ich mich
gefreut, denn das war ja schließlich der Sinn meines Einsatzes für
Sie, daß Sie eines Tages diesen Erfolg haben sollten. Aber wie es
so geht: ich fühle mich sofort überflüssig, wenn der Erfolg sich
bei einer Begabung, für die ich mich interessierte, eingetreten ist.
Das habe ich nun so häufig erfahren und tatsächlich habe ich mit
diesem Gefühl des Überflüssigseins auch in den weitaus meisten
Fällen recht gehabt. An ihre ersten Förderer werden Arrivierte
meistens nicht gern erinnert. Es ist schon eine große Seltenheit,
daß jemand erklärt, darüber traurig zu sein, von mir nichts gehört
zu haben. Dieses kleine Zeichen allein schon zeigt mir, daß es zwischen uns beiden doch etwas anders bestellt ist und daß Sie nicht
zu den Talenten gehören, die schnell vergessen. Aber es kommt
bei mir immer noch etwas anderes hinzu: die völlige Ohnmacht,
Ihnen helfen zu können – jetzt mit Bezug auf Ihren Gesundheitszustand gemeint. Ich habe verflucht wenig Talent dazu, Kranken-
besuche mit einem höflichen Gesicht und freundlichen Phrasen im
Munde zu machen und im Herzen diese Empfindung der totalen
Ohnmacht zu tragen. Sie werden in der letzten Zeit sehr viel Besuch gehabt haben und werden auch von meinem Besuch nicht
unbedingt mehr entzückt sein. Darum habe ich es lieber gelassen,
wie ich es auch lieber gelassen habe, Ihnen sogenannte freundliche
Zeilen zu schreiben. Ich fand immer, Veröffentlichungen in Zeitungen und Zeitschriften seien Ihnen im Augenblick dienlicher
und ich sah ja, daß Sie diese Freude des Veröffentlichtwerdens
jetzt in reichem Ausmaße kosten dürfen.

Lassen Sie es also zwischen uns bleiben wie es immer war: ich
sehe Ihren Flug, beobachte ihn und freue mich über seine Zielstre-
bigkeit. Und ich freue mich auch darüber, wenn Sie gelegentlich

einmal wieder Umschau halten und mich wissen lassen, daß ich
auch für Sie noch da bin.

Herzlichst
Ihr Hugo Sieker

AN HENRY GOVERTS

1. Juni 47

Verehrter Herr Dr Goverts,
leider muß ich Ihnen nun einen Brief schreiben, der sehr unerfreulich ist und der mir sehr auf der Seele liegt. Aber trotzdem muß ich
mit meinem Vertrauen gerade zu Ihnen kommen, weil es letztenendes nur Sie und mich angeht.

Es geht darum: Bevor mein Hörspiel heraus war und ich noch
völlig unbekannt war, hatte Ernst Schnabel Herrn Dr Claaßen auf
mich aufmerksam gemacht. Ich war sehr glücklich darüber, denn
ich hatte bis dahin keine Verlagsverbindungen und im Hinblick
auf meinen Schweizer Aufenthalt bei Ihnen schien es mir sehr
schön, wenn ich gleichzeitig zu Ihrem Verlag ein Verhältnis gehabt hätte. Dies schrieb ich auch an Dr Claaßen, worauf er mir
allerdings per Telefon bestellen ließ, daß das zwei gänzlich verschiedene Dinge seien. Sein verlegerisches Interesse an mir hätte
nichts mit Ihrem Angebot zu tun, denn das sei eine rein menschliche Angelegenheit zwischen Ihnen und mir. Ich schrieb ihm darauf nochmals – und ließ ihm telefonisch mitteilen – *wie sehr* mir
aber doch an einer Verbindung mit dem Verlag gelegen sei. Auf
Dr Claaßens Aufforderung übersandte ich ihm dann mein Hörspiel. Während dieser Tage meldete sich Herr Rowohlt zu einem
Besuch an und kam, obgleich ich ihm schrieb, daß ich noch so
sehr im Anfang steckte, daß er bei mir nichts ernten könnte. Ich
ließ durch meine Mutter Herrn Dr Claaßen bitten, ob er sich bis
zu dem Besuch Rowohlts entscheiden könne. Ich bekam *keine*
Antwort. Rowohlt zog ohne Erfolg wieder ab, und ich bekam
dann nach einigen Tagen das Hörspiel zurück *ohne* Antwort von

Dr Claaßen, lediglich mit einem Begleitschreiben der Sekretärin, daß er weggefahren sei und das Stück überdies auch nicht für seinen Verlag als geeignet halte, da es kein Lesestück sei und wohl nur als Hörspiel seine Berechtigung habe.

Das hatte ich erwartet, da ich selbst von meinem Stück nicht so eingenommen war und es aus eignem Antrieb *nie* einem Verlag angeboten hätte – eben weil es mir zu unfertig und zu unreif erschien, um als Buch zu erscheinen. Trotzdem war ich über die Absage sehr traurig. Unter diesen Umständen lag für mich keine Hinderung vor, das Stück *nicht* Rowohlt zu geben – und er nahm es.

Inzwischen wurde mein Name ein wenig bekannter und nun erfuhr ich kürzlich, daß Dr Claaßen etwas verstimmt sei, daß ich im Rowohlt-Verlag gelandet bin. Sie können sich denken, lieber Herr Dr Goverts, wie bestürzt ich über diese Nachricht war, besonders weil ich nun Angst habe, daß ich Sie irgendwie enttäusche. Da Dr Claaßen sich seinerzeit nicht sehr interessiert für meine Arbeit zeigte, glaubte ich, ohne Hemmung mit Rowohlt in Verbindung treten zu können, und nun plötzlich der Gedanke, daß ich alles verkehrt gemacht habe.

Gewiß hat Dr Claaßen recht, wenn er Ihre Einladung als eine rein menschliche Sache von den verlegerischen Dingen trennt, aber ich selbst bin nun doch so unsicher geworden, daß ich mich Ihnen gegenüber nicht recht benommen habe, daß ich – obgleich damit jegliche Hoffnung auf Gesundung für mich versinkt – große Bedenken habe, ob ich Ihr großherziges und so einmaliges Angebot überhaupt noch annehmen darf. Können Sie verstehen, daß mich das bedrückt? Deswegen habe ich Ihnen das alles einmal erzählt, weil ich auf keinen Fall möchte – ob ich nun Ihrer Einladung noch folgen darf oder nicht – daß eine Verstimmung zwischen uns aufkommt. Sie können sich denken, lieber Herr Doktor, daß ich recht verzweifelt bin.

Es grüßt Sie
hochachtungsvoll
Ihr Wolfgang Borchert

AN HUGO SIEKER

8. VI. [1947]

Lieber Herr Sieker,

vielen Dank! Ich weiß jetzt, daß Ihr Schweigen ein gutes Schweigen ist und Sie müssen entschuldigen, daß ich dieses Schweigen nicht besser verstanden habe. Ich möchte Ihnen aber sagen, was auch geschehen mag, nie werde ich dieses augenblickliche Konjunktur-Theater, das meinetwegen veranstaltet wird, derart überschätzen, daß ich darüber die Menschen vergesse, die für mich einen Wert haben. Vielleicht redet in einem Jahr kein Mensch mehr von mir. Glauben Sie nicht, daß der gegenwärtige «Borchert-Rummel» auch nur einen Milligramm meines Wesens verändert – daß er mich verführen könnte, auf einen Berg zu steigen, von dem man nur wieder herunter*fallen* kann.

Mir ist das alles – auf deutsch gesagt – scheißegal! Lieber wäre mir, ich hätte *keine einzige* Geschichte geschrieben und könnte dafür im alten Anzeiger-Haus die Treppen rauflaufen zu Ihrem Zimmer, ohne den Fahrstuhl zu benutzen!

Wenn Sie aber doch mal Zeit und Lust haben, nach Alsterdorf zu fahren, dann tun Sie es.

Ich freue mich immer!

Ihr Wolfgang Borchert

VON PETER ZINGLER, ROWOHLT VERLAG, STUTTGART

11. Juni 47

Sehr verehrter Herr Borchert!

Es wird mir ein großes Vergnügen sein, mich für Ihre Arbeiten einzusetzen. Das erste, was ich gleich mit großer Aufmerksamkeit von Ihnen gelesen habe, war die großartige Geschichte «Der Kellner meines Onkels» im «Benjamin». Aber Ihr Name spukt hier schon lange herum. H. M. Ledig ist nämlich ein begeisterter Anhänger Ihrer Produktion. «Bleib doch, Giraffe» schien uns jetzt erst wieder als das Beste vom Besten, was Sie geschrieben haben. Unserem hochverehrten Altmeister konnte ich deshalb zu seinem Abschluß mit Ihnen nur gratulieren. Es entspricht so ganz der Tradition unseres Verlages, daß wir gleich wieder mit einigen jungen Autoren aufwarten können, die sich deutlich in Stil und Inhalt von dem Gewohnten abheben.

Rowohlt übersandte mir 10 Manuskripte, darunter «Der Kellner meines Onkels», weitere 12 stellen Sie mir in Aussicht. Es wird nicht schwer sein, einiges davon zu placieren, mit anderen wird man mehr Mühe haben. Aber an dieser Bemühung soll es gewiß nicht fehlen. Selbstverständlich werden Ihre Wünsche berücksichtigt werden. Augenblicklich ist allerdings große Papierflaute, die Redaktionen stöhnen, und es ist vielleicht besser, in diesem Monat nichts mehr zu unternehmen, um nicht eine Ablehnung wegen Papierknappheit herauszufordern. Wir glauben, daß von Juli ab die Situation besser sein wird.

Wir haben aber selbst einen Wunsch. Es wird Ihnen noch nicht bekannt sein, daß wir neben unserer Lesezeitschrift «Story» bald eine ähnlich aufgemachte Zeitschrift, betitelt «Die Neue Prosa», herausbringen werden, in der aber nur *deutsche Erzähler der Gegenwart* zu Wort kommen sollen. Als Herausgeber wird wieder H. M. Ledig zeichnen. Nach dem Erfolg von «Story» (ich möchte ohne weiteres annehmen, daß auch Sie ein begeisterter «Story»-Leser sind), wird auch unsere neue Zeitschrift bald ihre Freunde und Leser finden. Heinz Ledig rechnet nun stark mit Ihrer Mitarbeit und bittet Sie, uns gleich einmal zu schreiben, welche von Ihren Geschichten Sie von sich aus in Vorschlag bringen würden. Es müßte natürlich etwas Besonderes sein. Als neuen Rowohlt-Autor möchten wir Sie gebührend herausstellen. Die Länge der Manuskripte spielt keine Rolle, je umfangreicher, um so angenehmer für uns. Aber auch kürzere Arbeiten sind erwünscht. Es wäre nett, wenn Sie sich gleich einmal zu unserem Wunsch äußern würden.

Ich glaube, das Wesentliche ist damit gesagt. Ich werde mich immer freuen, von Ihnen zu hören.

Mit vielen freundlichen Grüßen

Ihr ergebener Peter Zingler

VON RICHARD HERMES

14. 6. 47

Sehr geehrter Herr Borchert!

Ich möchte Ihnen noch meine Glückwünsche aussprechen zu dem großen Erfolg, den der für Sie veranstaltete Abend der Dichterwoche gefunden hat und für die literarische Anerkennung, die man Ihnen gezollt hat!

Ich habe es eigentlich bisher nie oder höchst selten erlebt, daß sich die Literarische Welt so stark für einen Dichter eingesetzt hat wie für Sie.

Gestern abend war vom Schutzverband deutscher Autoren noch eine Abschiedsfeier, zu der der Ausschuß der Dichterwoche geladen war. Ein Hoher Senat bewilligte den Mitgliedern des Ausschusses nebst Damen ein markenfreies Abendessen, das aus Erbssuppe, Cognac und Rotwein bestand, außerdem erhielten wir alle noch eine gute Zigarre. Die Stimmung war sehr animiert.

Zugleich möchte ich mir erlauben, Ihnen noch unsere neuesten Bücher zuzusenden. Hoffentlich haben Sie Freude daran!

Wir senden je ein Exemplar:

Jürgens-Lützen, Seele	Harbeck, Glück
Möhring, Vorhang	Möhring, Hummel
Kruse, Hans	Reconciler, Chance
Ulfers, Mädchen	Grandeit, Hamburg-Mappen,
Hülsen, Gerichtstag	Boerne, Lupe

Unsere Bücher kommen jetzt nach und nach alle heraus, nachdem die schreckliche Winterpause (infolge der Kohlennot) nun endlich überwunden ist.

Wir werden Ihnen demnächst – sowie neue Bücher vorliegen – weitere senden, die Sie hoffentlich noch vor Ihrer Reise nach der Schweiz bekommen werden.

Mit vielen Grüßen und

besten Wünschen

Richard Hermes

AN KARL LUDWIG SCHNEIDER

13. VII [1947]

Lieber Herr Schneider,

wenn Sie wüßten, wie oft ich in diesen Tagen an Sie gedacht habe! Darum: Meine Mutter ist mir in der letzten Zeit ein paar mal restlos zusammengeklappt und es galt, sie irgendwo für ein paar Tage unterzubringen. Es war wie immer: alle alten «Freunde» versagten. In meiner Not schrieb ich an Frau Dr Schröder. Erfolg: Nach 4 Tagen kamen sie abends mit dem Wagen und holten meine Mutter ab. Jetzt weiß ich gar nicht, wie ich das wieder gut machen soll. Vielleicht können Sie mir einen Tip geben.

Nun Ihr Brief. Wie schön und beruhigend für mich, daß Sie sich mal um die Sache gekümmert haben. Ich habe Ro verständigt und er verhandelt bereits mit Dr Oprecht. Sie haben recht, ein Jahr Sanatorium wäre die einzig richtige Hilfe. Bei Go war ein Aufenthalt von 2 Monaten geplant. Das wäre völlig sinnlos gewesen. Ich hätte zum Herbst wieder weg müssen, und der Hamburger Winter hätte mich gleich wieder untergekriegt. Es wäre ja nahezu unvorstellbar: Ein Jahr in guter Pflege in der Schweiz. *Dann* würde ich bestimmt wieder KV werden, denn eine Krankheit, die fast 6 Jahre dauert, kann man nicht in 2 Monaten kurieren. Nächste Woche bekomme ich mein Visum und dann geht der Fall zu den Engl. wegen der Ausreise. Ich muß ja aber auf alle Fälle solange warten, bis Go – Ro und Op sich einig sind und mein Aufenthalt feststeht und alles andere geregelt ist.

Mit der gleichen Post geht mein erster Erzählungsband an Sie ab. Ich bemerke dazu, daß ich *jetzt* vieles anders machen würde. Übrigens hat mir mein Verleger sämtliche Freiheiten der Veröffentlichung in der Schweiz gegeben. Das kann vielleicht für Dr Oprecht Bedeutung haben. Alles andere gehört Rowohlt – und ich habe ungefähr ein Dutzend stories. Ro will da ebenfalls einen Band draus machen.

Im «Horizont» sind wir beide Arm in Arm abgedruckt und auf der ersten Seite umrahmt meine Story Ihr Gedicht: «Krieg». Die «Akademische» bekam auf meine Oberst-Szene einen gepfefferten Brief, in dem ich als «Existenz» angesprochen wurde und von

Ihnen verlangte man, daß Sie abtreten sollen, da Sie *so was* in Ihrem Blatt druckten. Sie sehen also, Herr Schneider, wir müssen noch tüchtig schießen, bis wir alle diese Schießer zur Strecke haben. Auf Ihre Sonette bin ich gespannt. Ich halte diese 14 Zeilen für die schwierigste Versform überhaupt. Allerdings verführt sie wortgewandte Schreiberlinge oft zu wüsten Reimereien. Man sieht es an den vielen Sonetten, die zur Zeit geschmiedet werden.

Über die Meldung eines dicken Manuskriptes freue ich mich – sicher hatte sich bei Ihnen allerhand gestaut, was Sie im Hamburger Drum und Dran nicht loswerden konnten. Also: toi toi toi!

Es grüßt Sie
Ihr Wolfgang Borchert

AN TILLA HARDT

Sonntag [Juni/Juli 1947]

Liebe Frau Tilla,

lieben, lieben Dank für die ersten 3 Briefe. Der erste war mit Schlafmittel geschrieben – ich glaube, er roch nach Gin! Ich bin währenddessen glücklicher Träger eines herrlichen Armbandes, einer Kette, die mich irgendwo angekettet hat!

Der Theaterbesuch ist mir gut bekommen und ich war von Wilder doch recht erschüttert – umso weniger von Käutner. Man bekam es keinen Augenblick mit der Angst und man hatte nie das Gefühl, durch die großen Menschheits-Katastrophen hindurchzuziehen. Man könnte so unendlich viel mehr aus dem Stück herausholen.

Und Gustaf war – wie immer – ganz groß? Ich schreibe ihm heute – warum, ist mir nicht so ganz klar. Übrigens mach ich mir gar nichts aus seiner pol. Vergangenheit – ich kann ja meine dagegensetzen, wenn es nötig ist.

Die Premiere meines Stückes ist am Totensonntag im November – das paßt sehr schön. Liebeneiner, inzwischen entbräunt, bringt es. Ich bin sehr froh – aber ich ahne, daß die Ehre durch mich die ersten Pfiffe in ihrem Theater ernten wird, denn aus gewissen Kreisen werde ich schon sehr lebhaft beschossen, sogar schon auf die «Lesebuchgeschichten».

Muschi ist sehr süß, wenn auch etwas proletarisch, aber ich habe schon immer eine Schwäche für Frauen (oder Katzen) gehabt, die einen Stich ins Ordinäre haben. (Bitte, keine falschen Schlüsse ziehen!!!)

Wenn Sie zu Suhrkamp u. Insel gute Beziehungen haben, suchen Sie etwas aus nach *Ihrem* Geschmack – das wird sicher auch mir gefallen.

Ich freue mich jeden Tag, daß ich Tilla Hardt kenne!
Ihr Kind
Wolfgang

Ich komme direkt nach Triesenberg in Liechtenstein.

AN KARL LUDWIG SCHNEIDER

31. 7. 47

Lieber Herr Schneider,
gestern abend waren Dr. Schröders hier u. brachten Ihren Brief. Sie sind wirklich der einzige, der aktiv für mich etwas tut – sonst wäre ich wohl nie in die Schweiz gekommen. Hoffentlich bietet sich mal Gelegenheit, wo ich Ihnen helfen kann.

Ihre Sonette habe ich noch nicht bekommen – Heitmann ist gerade verreist, Peter Dreeßen war auch neulich bei mir und wie immer sehr lebhaft. Man muß heute wirklich unter unsrer Generation sammeln u. suchen, wenn man handfeste Antifaschisten und Antimilitaristen finden will. Die meisten sind zwar dagegen, aber sie tun *nix*. Sie sind alle zu labberig. Vielleicht ist ihnen das dritte Reich nicht nahe genug an der Kehle gewesen. Diese entsetzliche Indolenz ist wahrscheinlich unser größter Feind. Na, Sie werden dort ja auch allerhand erleben.

Hier haben Sie nun einen Auszug meiner Krankengeschichte.

Hoffentlich genügt es so. Mit den Lebensmitteln ist es so, daß ich wegen meines Allgemeinzustandes alles das essen soll, was hochwertig ist. Womöglich also Schokolade, Feigen u. andere Südfrüchte, reines Fett, Zucker, Nüsse – kurz, alles das, was es hier nicht gibt.

Inzwischen hat Rowohlt mit Dr. Oprecht Verbindung aufgenommen – so wird es wohl bald zum Klappen kommen. Vielleicht sehen wir uns doch noch in der Schweiz.

Alles Gute – auch von meiner Mutter – Ihr
Wolfgang Borchert

AN TILLA HARDT

8. 8. [1947]

Liebe Meerfrau,
Zuckereier mit geringem Sachschaden hier angekommen. Großer Jubel trotz Fieber. *Vielen lieben Dank.* Mein Fieber ärgert mich sehr, ich kann überhaupt nicht lesen und schreiben. Außerdem muß ich alle Stunde nasse Umschläge haben, was mir jegliche Sympathien für das Meer zerstört.

Auf das Zeug von EH werde ich verzichten müssen, leider! Ich soll mit dem Schweden-Autobus in die Schweiz u. der hat seine festgelegte Route. Er wird sie meiner mangelhaften Hose wegen nicht ändern. Höchstens – Notlösung: Fräulein Kaiser, Verlag Herzog, *Tübingen, Telefon 2321*, fährt Ende August nach Hamburg. Vielleicht macht sie den Packesel. Die Meerfrau müßte mit ihr telefonieren.

Es denkt oft an die Meerfrau
Ihr Kartoffelbändiger Wolfgang

Was macht allgemeine Existenz?

AN ELISABETH KAISER

17. 8. [1947]

Liebe *Kaiserin*,

so nannte Dr Herzog Sie in einem Brief und ich fand das sehr
drollig. Für Ihr Geschriebenes wollte ich Ihnen danken und melden, daß ich, wenn auch triefend von Tropenglut, noch existiere.
(Also ein Existentialist!)

Der Schauspieler, den Sie im Film sahen, heißt Ernst Wilhelm
Borchert und ist gar kein Nachwuchs. Er war früher in Berlin bei
Klöpfer als erster Charakterheld und hat viel gefilmt: «Zaubergeige», «Mein Leben für Irland» usw. Viele Kollegen, die ihn von
Berlin her kennen (ich bin ja von Haus aus auch Schauspieler),
haben mich schon gefragt, ob wir verwandt sind, da er beinahe
mein älterer Bruder sein könnte – typenmäßig jedenfalls. Er hat
vor kurzem einen Selbstmordversuch wegen Fragebogenfäl-
schung gemacht, aber er lebt noch. Soviel darüber.

Wenn Sie einen Abstecher nach Hamburg machen wollen, tun
Sie es nur – zwar bin ich kein «charmanter Plauderer», aber Sie
werden das auch nicht verlangen. Es wird aber so sein, wenn Sie
mich gesehen haben, werden Sie nie wieder eine story von mir
lesen – womöglich. Aber kommen Sie nur – meine Mutter kann
Ihnen sogar ein Zimmer mit Bett bieten.
Ein tropischer Gruß! Ihr W. B.

Ihre Datteln waren himmlisch!! Sie Böse!!

VON ROLF BADENHAUSEN, CHEFDRAMATURG DER
STÄDTISCHEN BÜHNEN, DÜSSELDORF

18. 8. 1947

Sehr geehrter Herr Borchardt! [sic]
Herr Generalintendant Gründgens dankt Ihnen recht herzlich für
Ihren Brief, konnte ihn aber selbst nicht mehr beantworten, da er
durch seine Abreise von Berlin zu sehr mit Geschäften überhäuft
war.

Er hat sich sehr für Ihr Stück «Ein Mann kommt nach Deutschland» interessiert. Leider hat er das Manuskript wieder an den
Hamburger Rundfunk gegeben, und ich möchte Sie bitten, wenn
es Ihnen möglich ist, mir *sofort* wieder ein Exemplar zu senden.
Herr Gründgens glaubt jedoch, daß die Szene mit dem Oberst
und dem Kabarett-Direktor noch einer Überarbeitung bedarf, da
sie in der vorliegenden Form doch etwas zu billig erscheint. Viel-
leicht lassen Sie sich das einmal durch den Kopf gehen. Ich wäre
Ihnen jedoch sehr verbunden, wenn Sie mir schon vorher das
Buch zur Lektüre schicken könnten.
Mit den besten Grüßen
Ihr Rolf Badenhausen

AN ELISABETH KAISER

23 VIII [1947]

Liebe Swing-Tänzerin,
Ihr Urlaubsbrief aus Stuttgart hat mir viel Spaß gemacht. Aber
mit der Musik haben Sie doch nicht ganz recht. Ich höre leiden-
schaftlich gerne (aber nur morgens!) Kirchenmusiken und Orgel-
konzerte von Bach, Händel und ... und auch von Mozart. (Mein
Großvater und Urgroßvater mütterlicherseits waren beide Orga-
nisten – väterlicherseits allerdings Schornsteinfeger und Scharf-
richter). Aber solche Musik kann ich nur zeitweise ertragen. Dagegen: Jazzmusik kann ich Tag und Nacht hören ohne zu essen
und zu schlafen. Je perverser die Disharmonien und je genialer die
Synkopen sind, umso besser. Ich habe stark das Gefühl: Das ist
der musikalische Ausdruck *unserer* Zeit! (Und nicht Pfitzner,
Strauß und auch nicht Orff + Hindemith – sie alle sind viel zu
seriös, lau und konventionell – jede amerikanische Negerkapelle
hat mehr mit unserem Leben zu tun, als die neue «Bernauerin»
von Orff.) Aber das ist meine ganz private Meinung und sie ist
unter gebildeten Leuten wie ein rotes Tuch. Ein Klavierkonzert
von Bach und eins von Bela Bartok oder Benny Goodman sind
gar nicht so viel voneinander entfernt – aber das darf man natür-

lich niemals laut sagen. Ich schicke Ihnen spaßeshalber mal das beiliegende Manifest – ich habe es für einen Berliner Almanach geschrieben. Fallen Sie nicht um. – Aber schicken Sie es mir bitte recht bald zurück, da ich immer sehr um Durchschläge verlegen bin.

Übrigens wird im September zweimal mein Hörspiel wiederholt – am 7. spät abends von Hamburg, und am 26. 9. von Frankfurt. Vielleicht haben Sie gerade Zeit.

Daß Ihr Bruder mit Ihnen jazzen geht, ärgert mich sehr – aber nur, weil ich still liegen muß und mir solche Verrenkungen wohl noch für Jahre verkneifen muß. Inzwischen verrenke ich meinen Geist – Sie sehen es an den Geschichten. Grüßen Sie Ihren Bruder – er soll gut auf seine Schwester aufpassen!

Ihr
Wolfgang

AN TILLA HARDT

23. VIII [1947]

Liebe Frau Tilla,

Büx + Pull sind wohlbehalten angekommen, und ich brauche nun nicht in Unterhosen in die Schweiz zu fahren. Gelacht habe ich allerdings sehr – denn der Pull hat kaum Kindergröße und die Büx war ganz auf Dame zurechtgemacht und natürlich viel zu klein. War EH *so* klein oder hat Tilla aus ihren Beständen geopfert? Ich glaube – ich glaube, daß Sie sich meinetwegen so entblößt haben. (Oder trug EH Hosen von der Stange?) Jedenfalls trage ich Hosen von TH ebenso gern wie von EH. – vielleicht noch *gernerer!* (Deswegen braucht man noch lange nicht pervers zu sein!) – Inzwischen fiebere ich mich munter durch die Tage hindurch. Mein Hörspiel wird am 7. 9. spät von Hbg. und am 26. 9. von Frankfurt wiederholt – arme deutsche Literatur!

Bis demnächst
Ihr W.

AN PAUL KREUTELER-TUERK

8. 9. [1947]

Lieber Herr Kreuteler-Tuerk,
vielen lieben Dank für Ihren schönen Brief. Die beiden Erzählungen stehen bereits zwischen meinen anderen Büchern. Auch dafür vielen Dank. – Meine Abreise ist nun tatsächlich ganz nah gerückt, Schweizer Visum und englisches Exit permit sind da, ich habe diese Tage nur einen dummen Anfall und der muß erst vorüber sein. In der Schweiz werde ich nach reichen Leuten auskukken müssen. Goverts und der Europa Verlag haben zwar für *ein* Jahr 5000 Franken für mich bereitgestellt, die Schweizer Gesundheitsbehörden rechnen aber mit einer Genesungsdauer von *sieben* Jahren, das sind aber 30000 Franken. Die haben selbst Goverts nicht, und Rowohlt kann ja noch nicht einspringen, da unser Geld drüben ja nix wert ist. Ich *muß* also in *einem* Jahr gesund werden!

Sehr gerne würde ich Ihren Freund in der Schweiz kennenlernen, aber ich weiß noch nicht, in welches Sanatorium ich komme. Er müßte also bei Dr Oprecht vom Europa Verlag in Zürich nach mir fragen. Hoffentlich tut er das.

Entschuldigen Sie den kurzen Brief – aber ich bin schon so voll Reiseunruhe.

Bis bald! Ihr Wolfgang Borchert

VON PAUL SCHUREK

8. 9. 1947

Lieber Herr Borchert,
gestern abend, dank reparierter Technik, hörte ich nun auch ihr erschütterndes Spiel im Rundfunk. Das haut hin! Es ist, in der seelischen Stimmung, in der Tonlage sowohl wie in Formung und künstlerischer Potenz ein frappierendes Gegenstück zum «Wozzek». Ich bin sehr glücklich über diese neue Stimme, die laut wird aus dem geprügelten Deutschland! Sie hat vollen und eigenen Klang. Das ist echt durch und durch. Erlitten und überzeugend gestaltet. Es ist die ganze traurige Wahrheit, ja, die erste

Station, durch die wir *hindurch* müssen. Darum müssen die Leute
es hören und sehen, die denk- und fühlfaulen. Also herzlichen
Dank!

Ich bin übrigens überzeugt, daß viele Bühnen Ihr Stück spielen
werden. Obgleich geradezu ideal als Hörspiel, wird es auch im
Theater stark wirken trotz der lockeren Form: in der latenten
Spannung, in der schwebenden Stimmung, in der seelischen Aus-
strahlung und in den gelegentlichen dramatischen Ballungen –
(die Szene mit dem prachtvollen Beneckendorff!) Keine gute
Bühne kann an diesem echten Zeitstück vorübergehen. –

Ich nehme an, daß Sie jetzt in der Schweiz sind und wünsche
Ihnen und uns, daß Sie bald wieder auf die Beine kommen!
Herzliche Grüße
Ihnen und Ihrer Mutter
Ihr Paul Schurek

AN PAUL SCHUREK

9. 9. [1947]

Lieber Herr Schurek,
daß mich gerade Ihr Brief sehr stolz gemacht hat, können Sie sich
denken. Haben Sie vielen herzlichen Dank dafür!

Ich bin leider immer noch nicht in der Schweiz – aber die Reise
ist ziemlich weit gediehen, nur die Schweizer Gesundheitsbehörden haben plötzlich Bedenken: sie glauben, meine Genesung wird
7 Jahre dauern und fürchten, daß ich dann dem Staat zur Last falle.
Aber ich hoffe doch, daß ich *keine* 7 Jahre brauche. Das wäre reichlich happig.

Ist Ihr «Barlach» nun endlich raus? Oder immer noch nicht?

Meine Mutter läßt herzlich wiedergrüßen!
Herzlichst!
Ihr Wolfgang Borchert

AN HENRY GOVERTS

Mittwoch [St. Clara Spital, 24. 9. 1947]

Lieber Herr Dr. Goverts,

Ihr freundlicher Brief war das erste Zeichen in der Schweiz, das von der Außenwelt zu mir kam: vielen lieben Dank dafür.

Wie gut, daß ich mich nicht auf Rowohlt verlassen habe – vorsorglich habe *ich* nämlich *alle* Manuskripte, die ich besitze, in Maschinenschrift, eingepackt, ebenso natürlich mein Hörspiel. Außerdem hat mir mein Freund, der das Bändchen «Hundeblume» herausgebracht hat, *sämtliche* Rechte dafür für die Schweiz mitgegeben – ich kann also restlos darüber verfügen. Nun kann ich mir aber denken, daß das literarische Klima hier sehr viel anders ist als bei uns und daß Arbeiten, die in Deutschland ihre Berechtigung haben, hier als höchst befremdend angesehen werden. Und meine Arbeiten sind doch wohl sehr von der momentanen Stimmung in D. diktiert. Aber das sind ja alles Dinge, über die Sie am besten urteilen können, denn das geistige Zwischenreich zwischen Germania und Helvetia ist ja zutiefst Ihr besonderes Milieu, nicht wahr? Natürlich ist sehr viel Spreu unter meinen Sachen – ich bin mit 26 Jahren eben doch noch ein großer Anfänger und wenn Willi Weismann mir auch schreibt, ich schiene ihm die legitime Weiterentwicklung von James Joyce zu sein, so weiß ich doch selbst zu genau, wie sehr er dabei vorbeigetippt hat.

Übrigens ist Wolf Beneckendorff vom Hamburger Thalia Theater für ein Jahr ans Zürcher Theater verpflichtet – er hat in meinem Hörspiel den Obersten gespielt. (Sender Frankfurt sendet das Stück noch mal an diesem Freitag.)

Wie gerne übernehme ich Lektoratsarbeit für Sie, Herr Doktor. Ich lese schon seit zwei Jahren für zwei Hbg. Verlage (Hermes) und habe sehr viele Bücher in der «Hbg. Freien Presse» besprochen – ich hoffe, daß ich es Ihnen recht mache.

Der Vorschlag mit dem Gärtner und Chauffeur war natürlich nur als Beispiel gewählt, ich wollte damit sagen, daß ich mich vor keiner Arbeit scheue und daß Sie mir alles zumuten können. Ich habe rund 40 Geschichten bei mir. Sie sind in Deutschland fast alle schon veröffentlicht, zum Teil in guten Zeitschriften. Vielleicht sind soviele gute darunter, daß man auch für den hiesigen Bedarf ein Bändchen daraus machen kann – aber das werden Sie ja selbst sehen.

Lieber Herr Doktor, ich hoffe, daß Sie mich nach meinem Zusammenklappen bei meiner Ankunft nun nicht für einen riesigen Waschlappen halten – es war wohl alles etwas viel für mich. Es tut mir leid, wenn ich Sie damit erschreckt haben sollte.

(Verzeihen Sie die Bleistiftschrift – ich muß mir erst etwas anderes besorgen.)

Ich lasse die Manuskripte noch hier, bis Sie vorbeikommen, denn es ist ein dickes Paket.

Es grüßt Sie
Ihr Wolfgang Borchert

AN DIE ELTERN

28. 9. [1947]

[...] allerlei Reisen unternehmen in diesem Winter. Schade ist ja doch, daß ich gar nix davon habe. Ich habe schon gedacht, ich habe im Buffett 2 so Art Poesiealben, die noch ganz neu und leer sind, die müßte Mutti mitnehmen und alle Beckmänner und Regisseure reinschreiben lassen über Rolle und Stück. Quest, Cremer und Liebeneiner müssen den Anfang machen – dann habe ich doch wenigstens einen Abglanz von den Aufführungen – dazu noch Rosemaries Bilder. Haben eigentlich Stroux und Gründgens *nicht* angenommen? Ihr müßt mal beim Funk, Kammerspiele, MM und Ro usw. anrufen, daß ich nicht schreiben kann, wegen Porto und Auaaua im Rücken. Mit der Zeit wird es vielleicht etwas besser, ich kann ja auch wirklich nix aus der Schweiz berichten, da ich absolut nix von ihr gewahr werde und auf Krankenberichte wird wohl keiner warten. – Das müßt Ihr allen erklären. Hoffentlich habt Ihr beiden Spinnen und unser Muschi-Steert einen schönen ruhigen Sonntag. Vergeßt ja nicht, Euch alles zu kaufen, damit Ihr ganz gesund und stark bleibt. – Wir wollen doch noch *so* viel zusammen unternehmen. –

Dies ist nun mein 2. Sonntag. Diese Sonntage der letzten Jahre, in Weimar, Schwabach, Nürnberg, Jena und Berlin sind eine furchtbare Angelegenheit. Und immer wieder. Jetzt weiß ich auch, warum ich zu Hause immer so glücklich-traurig war, wenn wir sonntags alle drei still zusammen waren. Dann hört man die unaufhaltsame Uhr der Vergänglichkeit ticken, und mir kommt es so vor, als ob alle Sonntagsfeste nur gefeiert werden, um dieses Geticke zu übertönen. Mir scheint auch unsere Religion nicht so sehr als Manifest moralischer und soziologischer Dinge, sondern eine Flucht vor dem Ticktack der Vergänglichkeit, gegen die wir die Auferstehung und das belebte Jenseits erfunden haben, die aber, konsequent zuende gedacht, aus jeder Sekunde unseres Hierseins heraustickt und mit der wir uns abfinden müssen. Eine Waffe gibt es dagegen und einen Ausweg: die Liebe und den Tod. Aber je mehr wir uns lieben, umso mehr leiden wir unter dem Ticktack, weil keine Religion uns Gewißheit über die Unvergänglichkeit gibt und noch viel weniger über das Wiedererkennen im Jenseits. Der Tod ist dann der Ausweg – aus Angst oder aus übergroßer Liebe. Und die Erkenntnis, daß jede Minute, jedes Wort, jedes Zusammensein einmalig – d. h. unwiderruflich – ist, ist so gewaltig, daß man darüber entweder die Kraft zum Leben (das dann ein Abenteuer ist) verliert, oder man bekennt sich nun ganz und gar zum Hiersein, zum Leid und zum Fluch (und auch dann ist das Leben ein Abenteuer) und empfindet die Minute als tragisch-vitales Ereignis. Dazu gehört viel viel Kraft und Stärke und man wird wohl immer zwischen Angst und Mut hin- und herpendeln, entweder geht der eigene Puls in dem Ticktack der Vergänglichkeitsuhr ganz auf und wir sind voll Verzweiflung – oder der Gesang des eigenen Blutes übertönt den Totenwurmrhythmus, d. h. wir setzen der fremden Umwelt die eigene entgegen. – Ich lege zwei kleine Briefe bei, besorgt Ihr sie wohl? Einer ist für Viola, der andere für E. Kaiser, Tübingen, Neckar, Sigwartstr. 11. Auf diese Art spare ich meine Marken für Euch. Eure Briefe dauern immer genau 8 Tage – wie lange dauern meine? Achtet mal auf den Stempel. – Ich habe diese einsamen Zellensonntage überall dazu benutzt, eine Revue passieren zu lassen von allen Menschen und jedesmal – in Nürnberg, in Berlin, in Schwabach und nun in Basel – es bleibt *keiner* übrig, alle sind aufgetreten, es war oft gut, oft schlecht, sie sind abgetreten – es war schade oder nicht – nur Ihr beide, meine beiden Hasen, Hühner, Spinnen und Faltinasse, Ihr beide bleibt nach und wenn ich auch so oft häßlich und ungerecht gegen Euch war, so war das doch irgendwie abzumessen – aber wie lieb ich Euch habe, das weiß kein Mensch und Ihr wißt es auch nur halb und ich selbst kann es auch nur halb so ausdrücken. Ich möchte Euch nur viele viele Freude machen, alles was ich denke und tu, tu ich aus *diesem* Grund, für Euch beide, für uns Drei. –

Der Montagmorgen begann gleich mit dreimal Pupen hintereinander und dabei sind diese Pfannen so ekelhaft flach, daß man immer mit dem Hintern mitten drin sitzt, gräßlich, und diese züchtigen Nonnen machen scheinbar die Augen zu beim Abwischen, denn man ist nie ganz trocken. – Oh oh oh – das ist nix für Euren Hanning. Ganz komische Namen haben sie: Placidia, Christopheia, Gerbalda usw. – Sie sehen aber auch so aus, unverbraucht, schier und prall und rosig – zum Schlechtwerden. –

Daß ich hier so ganz schlapp mache, liegt daran, daß mir Muttis Kraft fehlt – wo soll ich hier Kraft und Mut hernehmen? Zu Hause hatte ich doch das Gefühl, zu was nützlich zu sein und gebraucht zu werden, ich bildete mir wenigstens ein, ich müsse arbeiten – hier fehlt mir alles, keiner braucht mich, keiner will was von mir – ich bin ein überflüssiges Rad. Gestern abend kam meine erste Schwester noch zu Besuch, erneuerte meine Blumen und brachte zwei Pfund Wein. Sie unterscheidet sich äußerlich nicht von den anderen – nur ihre Augen sind menschlich und sie tut *mehr* als man von ihr verlangt. Sie will wenigstens einmal in der Woche nach mir sehen. So meine beiden Ziegen, nun seid auch schön artig und eßt ordentlich und wiehert viel. Und schreibt oft und viel an Euren Steert in Bi-Ba-Basel . . .

AN ELISABETH KAISER

5. X. [1947]

Liebe Nixi:

ehe ich mich umsehen konnte, war es schon passiert u ich kam erst in Basel wieder zu mir. Aus dem Sanatorium konnte leider nix werden – in einem Jahr peutêtre, sagt der Professor. Beneiden Sie mich also nicht. Wenn Sie mögen, können Sie mich hin und wieder über die Lage informieren – sonst schicken Sie Belege u Honorar ruhig weiter nach Hamburg. Privat wohne ich natürlich für Sie ab jetzt in Basel, St. Clara-Spital. Aber mit einem munteren Briefwechsel sieht es nicht gut aus – ich verfüge über keinerlei Geldmittel u bin ganz auf die Gnade meiner Mitmenschen angewiesen – jeder Brief ist eine große Ausgabe u Sie dürfen über den Umweg über meine Eltern nicht böse sein. – Herzogs Interview-Idee ist ganz originell, aber ich kann mir gar nix dabei denken. Soll ich schreiben: Als Baby viel Milch getrunken, später Schnaps, Lieblingsblume: Unkraut, Lieblingsdichter: Dietrich Eckhart ... Nein, meine liebe Nixi, Sie machen sich das sehr bequem!

So eine ausgekochte alte Journalistin muß selbst die delikaten u raffinierten Fragen stellen – daran erkennt man ihren Witz. Wie ich mich dann aus der Affäre ziehe, ist meine Sache. Ich weiß ja auch gar nicht, wofür das gedacht ist. Wie wäre es, Sie können Ihre Neugierde dabei vollauf befriedigen, wenn *Sie* mir nun das entlocken, worauf es ankommt? Also, bitte. – Wie können Sie annehmen, daß ich mich über irgendwas in Ihren Briefen entrüste! Es sei denn, Sie gingen ins Kloster oder fänden meine stories zu *frei*. (Herrlich dover Ausdruck!) – Übrigens, im Winter können Sie mir lange P. K. Berichte über mein Stück schicken. Es wird in Frankfurt, Stuttgart, Heidelberg u München aufgeführt – außerdem in Hamburg, Braunschweig usw. Sie können also tüchtig pfeifen. Übrigens – kann man nicht von Heidelberg für 1 Tag in die Schweiz? Sie müßten dann meine Mutter mitnehmen. Grüßen Sie Onkel Herzog! Wie immer!

Ihr Wolfgang

VON HEINRICH CHRISTIAN MEIER

5. Okt. 1947

Lieber Herr Borchert,

Es ist mir, aus vielleicht schicksalhaften Gründen, nicht möglich gewesen, Sie vor Ihrer Genesungsreise zu sehen. Drum muß ich Ihnen endlich, was ich zu sagen hatte, nun schreiben. Ich bin ein Verehrer Goethes, nicht anfänglich, aber später zu ihm zurückgekehrt, und ich fand gerade vor kurzem seine Auslassung im «W. Meister»: «Was wir auch sinnen und vorhaben, geschehe nicht aus Leidenschaft, noch aus irgend einer andern Nötigung, sondern aus einer dem besten Rat entsprechenden Überzeugung.»

In diesem Sinne muß ich Ihnen sagen, was ich Ihnen lange zu Ihren Dichtungen zu äußern habe. Daß Sie durch Ihre widersinnig teuflischen Leiden in eine Pechsträhne verwickelt sind, die Sie entgegen allen Jugendrechten und Freuden in den pathogenen Bereich der Edgar A. Poe und Hoffmann verschlagen hat, muß ein wahrer Freund für Sie mehr bedauern als begrüßen oder interessant finden. Solche Bezahlung aus Ihrem Lebensglück ist zu hoch, für das bißchen Dichterlust viel zu teuer bezahlt. Ein wahrer Freund wird – je näher er Ihnen steht, um so mehr – zur objektiven Beurteilung Ihrer Talente sich von Inhalt und Erlebnisgehalt Ihrer Dichtungen (um Ihretwillen) distanzieren. Sie wissen, daß ich vom Tage an, da ich Ihre «Hundeblume» kennen lernte, Sie schätze und Ihr Freund bin (sie erscheint übrigens in Nr. 6 meiner Schriftenreihe). Zu der ästhetischen Entwicklung eines Menschen kann man verflucht wenig tun. Man kann Ihnen nur wünschen, daß Sie sich Ihre großartige Unbekümmertheit und Originalität erhalten. Und daß Sie sich weder durch das Lob der Freunde noch durch das Gekläffe bornierten Pöbels im mindesten von Ihrem angeborenen Hang zur Objektivität abdrängen lassen, der das Kennzeichen wahrhaft männlichen Geistes ist. Sie haben jedoch nicht die Verpflichtung, sich an Ihre betrüblichen Erlebnisse gebunden zu fühlen. Wenn Sie gesund sein werden, sollten Sie andere Luft atmen auch in geistiger Beziehung, müßten das Irrenhaus europäischer Exzesse verlassen, um in sich selbst Anker zu werfen.

Ästhetisch habe ich zwei Dinge zu sagen: Im Hörspiel vergeuden Sie sich etwas an dem Entsetzlichen Ihrer Schau. Wirksamer im künstlerischen Sinne wäre es, wenn Sie das Entsetzliche nicht auf düster entsetzlichem Hintergrunde gemalt hätten (Düster in Düster) –, sondern in feinster Dosis das Abgründige auf hellem Grunde gegeben hätten. Sie steigern nicht dadurch das künstlerische Erleben des Hörers, daß Sie das Entsetzliche noch überlebensgroß steigern.

Zu Ihren Erzählungen, die farbig und imponierend in ihrer gogolischen Überzeichnung dastehen, möchte ich kritisch nur dies bemerken: Wenn Sie Ihre Ausschreitungen in der an sich köstlichen Verwendung der Adjektive in Häufung und Aufreihung so weiter treiben, werden Sie nach und nach Ihren Stil zerstören. Das jubelnde Geheul einiger Literaten ist nicht Entschädigung für die Gefahr mählich verloren gehender Klarheit, Wahrheit und Männlichkeit der Form.

Nehmen Sie nun meine bescheidenen Worte, die Ihnen ein warmes Empfinden spenden, nicht als Evangelium – prüfen Sie dieselben, behandeln Sie sie als Ausdruck der Strenge, der Treue und der Kameradschaft Ihres
Meier

PS Aus Ihren Gedichten leuchtete mir entgegen, daß Sie etwas Anderes suchen.

AN HENRY GOVERTS

[Oktober 1947]
Lieber Herr Doktor Goverts,
schimpfen Sie nicht, daß schon wieder ein Brief kommt. Ich habe zu dem Dohnaschen Manuskript einige grundsätzliche Fragen. Es hat mir in seiner Ursprünglichkeit gut gefallen u. ich werde auf jeden Fall den völlig unliterarischen Charakter bewahren, es muß ein ganz sachlicher Tatsachenbericht bleiben, womöglich unter dem Titel: «Begegnung mit Rußland. Aus dem Tagebuch des ...» usw.

Es scheint mir aber notwendig, daß die Objektivität des Berichtes etwas stärker herausgearbeitet wird – einmal der Ehrlichkeit halber, zum anderen aber wirkt eine ungeschminkte Tatsache ohne Tendenz-Kommentar *viel* stärker. Wenn der Autor z. B. ausruft: «Das nennen die Hygiene!» oder – «So sieht russische Humanität aus!» – so halte ich das für zu privat u vollkommen überflüssig. Stärker wirkt: (z. B.) «In einer Nacht starben 20–30 Mann.» Aus. Punkt. Mehr nicht. Es genügt.

Die Hauptsache wird sein, den Bericht so zusammenzuziehen, ohne ihn zu zerreißen, daß er mehr Form gewinnt, die man dann durch kleine Kapiteleinteilung aufgliedern muß. Die lange Inhaltsangabe, der Vor- und Nachspruch müssen ganz weg.

Die stilistischen Unebenheiten sind leicht auszugleichen, da der Autor in der Regel knapp und klar schreibt u nur bei seinen Privat-Kommentaren etwas unbeholfen wird. Manchmal könnte man eine allzu persönliche Bemerkung in Klammern setzen, wenn sie dem ganzen Milieu angepaßt ist.

Ich werde also mit Rot alles Überflüssige streichen, in Zweifelsfragen blaue Fragezeichen machen u die Details mit Tinte verbessern. Ich glaube, das Maschinen-Manuskript von fast 80 Seiten eignet sich zur Bearbeitung am besten. Ich werde meine Eingriffe am Rande wenn nötig kurz begründen. (Der Verf. spricht z. B. einmal von *Kerls* u. meint seine Soldaten – d. i. Offiziersjargon u. kann gerade in so einem Bericht schaden.)

Aber ich habe eine Sorge: Diese Arbeit wird mir *sehr viel* Freude machen, doch ich weiß, *wie* schmerzlich für den Verfasser oft die Chirurgie eines Fremden ist – schade, daß ich mit dem Grafen D. nicht selbst darüber sprechen kann, es wäre für mich beruhigend u angenehmer. Verstehen Sie das?
Es grüßt Sie vielmals
Ihr Wolfgang Borchert

AN HENRY GOVERTS

[Oktober 1947]

Lieber Herr Doktor Goverts,

hier ist nun der Bericht des Grafen Dohna. Er sieht durch die vielen Striche reichlich gestutzt und gerupft aus, aber wenn man ihn nun abschreibt, wird er – hoffe ich – recht manierlich wirken. Sicher wird der Autor über meine brutale Chirurgie entsetzt sein, aber die Arbeit bestand aus so vielen unvereinbaren Details und winzigen Moment-Inspirationen, daß ich so vorgehen mußte, wenn die Arbeit einheitlich sein soll. Viele an sich gute Stellen mußten raus, weil sie den Fluß des ganzen störten und oft den starken Eindruck eben geschilderter Ereignisse überwucherten und schwächten. Namentlich wird der Verfasser gegen Ende allzu breit, so daß die Entlassungs-Stimmung mehr Raum in Anspruch nimmt, als die ganzen Elends-Eindrücke. Ich habe meistens kleine Kommentare zu meinen Streichungen an den Rand geschrieben – aber der Graf kann natürlich Stellen, an denen er hängt, wieder einfügen. Um nun eine Form in diesen Ablauf von Episoden zu bringen, habe ich 30 Kapitel daraus gemacht u. mit römischen Zahlen rot an den Rand gemalt. Auf einem beigefügten Bogen habe ich kleine Überschriften für die einzelnen Kapitel gemacht, die dem Leser das Ganze etwas bunter, gefälliger u. aufgelockerter machen. Einige Kapitel sind nur sehr kurz, wenn es galt, etwas sehr typisches herauszustellen. Auf der anderen Seite habe ich die sehr vielen Absätze, die der Verfasser gemacht hat, aufgehoben u zusammengezogen u. dabei gleich die überflüssigen Gedankenstriche, die fast hinter jedem Absatz stehen, gestrichen. Wenn man diese Tagebuchnotizen nun liest, muß man dabei an einen neutralen Zeitschriftenleser denken, dann wird auch einleuchten, warum ich gelegentliche temperamentvolle Ausbrüche gegen den Osten mildern mußte – die Tendenz gegen die russischen Zustände bleibt auch so erhalten, aber man darf sie nicht merken, sie muß mit den Tatsachen sprechen, nicht mit Privat-Kommentaren des Verfassers. Ich habe zum Teil noch einen einführenden Satz hinzugefügt, der hoffentlich Ihre Genehmigung hat – er soll sozusagen die Konsequenz des Ganzen geben.

Lieber Herr Doktor, ich wünsche jetzt nur, daß Sie mit meiner Korrektur zufrieden sind u daß sie so brauchbar ist – und daß der Graf mich nicht totschlagen will!
Es grüßt Sie recht herzlich
Ihr Wolfgang Borchert

AN ELISABETH KAISER

[Oktober 1947]

Meine liebe Nixi,

hättest du mir nur nicht Deine stories geschickt, ich empfinde sie den meinen so verwandt, daß mich all meine Schwächen und Fehler ansehen. Außerdem wußtest Du wohl nicht, daß ich seit 2 Jahren in Hbg für zwei Verlage Manuskripte gelesen habe und hier in Basel dasselbe tue für den Europa-Verlag u Goverts – ich kann also ein ganz blöder u brutaler Chirurg sein. (Nur an meinen eignen Sachen nicht, sie sind es nicht wert – ehe ich ändere u überarbeite, werfe ich sie lieber weg!) Deine stories haben mir stimmungsmäßig alle recht zugesagt, auch sprachlich. *Aber:* Sie sind mir alle etwas zu männlich im Ausdruck. Nicht diese forcierte Männlichkeit (hinter Heringsfässern – wie Jack London) ist *unser* (Deiner und meiner) Stil, sondern das Knappe, Angedeutete, Telegramm-Filmische. Daß wir *dreckig* statt *unsauber* sagen usw, das ist das Sekundäre. Ich bin gerade dabei, nicht immer wie ein Fuhrknecht zu schreiben – meistens hängen wir uns diese schnodderige Grobheit doch nur um, weil wir uns unserer zarteren Gefühle schämen u weil wir vor uns selbst nicht weich werden wollen. Im übrigen hat alles Gerede darüber keinen Sinn – nur eins hilft: Schreiben Schreiben Schreiben. Wenn man ein Könner ist, fallen die Schlacken allmählich von selbst ab. Wenn ich bei meinen Arbeiten anfangen wollte zu streichen, bliebe nix nach – schreibe also, Nixi, lebe, liebe u leide u schreibe. Alles andere kommt – wenn Du schreiben *mußt* – von selbst. So – jetzt habe ich sehr schulmeisterhaft u weise geredet – aber Du wolltest ja mein *ehrliches* Urteil.

– Bei dem Empfehlen dachte ich so: Ich schreibe an wen, von dem ich weiß, daß er auf Jagd nach Entdeckungen ist für seine Zeitschrift. Er wird sich dann an Dich wenden u *Du* schickst ihm dann etwas. Was hältst Du davon? Denn die Geschichten *sind gut* – sie haben nur die gleichen Fehler wie meine – siehe oben usw. Ich mache mir gar nix vor – ich kenne meine Schwächen ganz genau – und ich habe einen Haufen davon! –

Mit Deinem Besuch hat das zur Zeit auch so einen Haken – mein Professor hat mir nur 10 Min. Besuchszeit erlaubt, weil ich jedes Atömchen Energie für mich brauche – sagt er. Sobald ich aber Atömchen abgeben kann, sage ich Dir Bescheid. – Bilder habe ich haufenweise – aber nicht bei mir. Wenn meine Mutter nach Stuttgart od Ffm fährt (zu meinem Stück), kann sie Dir ja eine Kollektion zum *Ansehen* mitbringen. Es hat zwar nicht viel Sinn – bis vor 6 Wochen waren meine Haare so lang, daß selbst uralte Leute vom Theater sagten, das ginge zu weit. Nun aber habe ich sie endlich im Spital *alle abrasieren* lassen, sehe also wie ein Russe aus, dazu etwas blöde. Aber da ich sie mir nicht hier waschen u kämmen kann, ich muß nämlich ganz steif liegen, so hielt ich es für besser, lieber doof auszusehen als ungepflegt. Voilà! Solltest Du also kommen, ich bin nicht der, der ich bin. Verstanden!

Auf beiliegendem Wisch habe ich so gut es ging Onkel Herzogs Fragen beantwortet, die Nachwelt wird mir verzeihen.

Papier habe ich inzwischen – nur an Porto fehlt es, deswegen werden meine Briefe recht spärlich ausfallen – aber ich bin immer Ohr für *alles*, was von Nixi kommt – Sei es, was es sei!! Genügt das?

Also, Nixi, Du bist doch in Deinen Briefen *so weiblich* – sei es auch in Deinen stories. Und vor allem: Nimm mir meine pedantische Chirurgie an Deiner Arbeit nicht übel – ich nehme auch keinem Übel, wenn er mich tadelt.

Schreib Dich ganz auf in den Briefen an mich – Du kannst es tun, immer!

Dein kurzgeschorener

Wolfgang

SECHS FRAGEN AN WOLFGANG BORCHERT

Was halten Sie von der deutschen Literatur der Nachkriegszeit, besonders auch von den jungen Dichtern?

Die gegenwärtige deutsche Literatur hat jetzt ihre große Chance. Es scheint so, daß die jüngere Generation das begreift.

Haben Sie den Eindruck, daß Deutschland den Nationalismus und Militarismus überwinden wird?

Solange an Deutschlands Grenzen Paraden marschiert und nationale Sicherheiten gefordert werden, kann man über diese Frage nicht diskutieren.

Mit welchen Themen, glauben Sie, wird man den Leser nicht langweilen?

Mit Themen über Gott oder Nicht-Gott, mit Themen über Brot oder Nicht-Brot – das kommt auf den Leser an.

Wie definieren Sie die Begriffe «Demokratie» und «persönliche Freiheit»?

Solange die Zigarettenstummel fremder Militärmächte auf der Straße liegen (damit will ich nichts gegen die Zigaretten gesagt haben), und solange ich 16seitige Fragebogen ausfüllen muß, um in einer Zeitschrift gedruckt zu werden, solange ist es sinnlos über Demokratie und persönliche Freiheit zu debattieren.

Sie sind ein religiöser Dichter. Warum verbergen Sie es?

Natürlich bin ich ein religiöser Dichter. Ich verberge es nicht. Ich glaube an die Sonne, an den Walfisch, an meine Mutter und an das Gras. Genügt das nicht? Das Gras ist nämlich nicht nur das Gras.

*Ihr Drama «Draußen vor der Tür» behauptet im Vorspruch, nicht aufge-
führt zu werden. Was sagen Sie dazu, daß jetzt gleich mehrere große
Bühnen dieses Stück zur Aufführung erworben haben?*

Daß eine Reihe von Bühnen mein Stück aufführt, ist reine Verle-
genheit – was sollen sie sonst tun? (Außerdem will es kein Intendant mit Vater Rowohlt verderben – das ist alles!) Denn mein
Stück ist nur ein Plakat, morgen sieht es keiner mehr an.

AN TILLA HARDT

17. 10. [1947]

Liebe Tilla,

wenn Du gute Beziehungen hast und mir über meine Flegeleien
nicht böse bist, dann besuche mich in Basel, denn ich bin hier
sehr aufgeschmissen und könnte ganz gut mal jemanden gebrauchen, der mir tatkräftig unter meine ach so schwachen
Ärmchen greift. Leider ist für mich alles anders gekommen, als
wir es erwartet hatten. Mein Zustand wurde plötzlich so
schlecht, daß ich Hals über Kopf aus Hbg. fortmußte und statt
nach Tessin nur bis Basel kam. Nun ist der Spitalaufenthalt sehr
viel teurer als ein Sanatorium, und meine Finanzen reichen nur
für ein halbes Jahr, wogegen meine Krankheit aber vor einem
Jahr nicht auskuriert sein wird. Ich bin nun auf Spenden und
Devisen angewiesen und muß versuchen, meine Sachen im
Ausland unterzubringen (hat E. H. nicht einen fils in Frankreich?). Ich will an Sartres schreiben – irgendwie muß ich jetzt
ganz schamlos betteln, denn es kommt auf jeden Franken an,
und ich kann kaum das Porto für meine Briefe auftreiben, sonst
hätte ich mich längst bei Tilla gemeldet. Außerdem kenne ich
hier kein Schwein und fühle mich reichlich isoliert. Vielleicht
kann Tilla meinen Band, der bei Ro. rauskommt, für Frankreich übersetzen? Tilla sieht, ich greife wie ein Ertrinkender in
der Gegend umher.

Viele liebe gute Gedanken!

Wolfgang

AN TILLA HARDT

29. 10. [1947]

Liebe Tilla,

Dank für Treue und Selbstverständlichkeit! *Mais:* ein kleines
Mißverständnis: Ich brauche keine warme *Jacke*, sondern ein
Herz! Mitte November werde ich, wenn transportfähig, Rich-
tung Tessin gebracht. Wir müssen *dann* erst einen Termin fest-

setzen. Im übrigen habe ich touts les jours Hamlet-Komplexe, kitschig, aber wahr!

Sobald ich etwas besser bin, *mehr*!!!

Liebe Grüße
Wolfgang

AN TILLA HARDT

30. 10. [1947]

Liebe Tilla,

ich bin mit *allem* einverstanden, was Sie tun und es ist schon Trost, wenn einer sagt: mein Kind. Die Tessiner Sache schrieb ich nur, weil ich nicht weiß, ob Sie das Fahrgeld bis dorthin haben. Geld ist teuer. Hoffentlich lebe ich dann noch, denn zur Zeit weine ich den ganzen Tag vor Verzweiflung, weil ich so hilflos bin: vier Wochen nicht aus dem Bett, immer auf den Topf gehen unter allerlei Krämpfen usw. – und keiner hört zu, wenn ich heule: das ist das Schlimmste. Im Gefängnis war immer noch ein (zwar unbestimmtes) Ende abzusehen. Aber dies ist eine trostlose unendliche Wüste, durch die ich krieche – vorläufig ist ihr Ende nicht sichtbar. So ist mir. Leider.

Vielen lieben Dank
Wolfgang

Lassen Sie sich von meinem Vater noch schicken: «An diesem Dienstag», «Küchenuhr» und «Viel Ärger hat er mit den Kriegen».

WB-Abend in Bern oder Berlin? Was soll in Berlin? Geht doch kein Geld über die Grenze.

AN HUGO SIEKER

1. XI. [1947]

Lieber Herr Sieker,

wenn ich auch nix Bedeutendes aus diesem allzu geruhsamen Land berichten kann, so sollen Sie doch einen kurzen Bericht haben. Zuerst kam der große Sprung in die Tiefe, ich sitze noch hilflos mittendrin, ganz ganz unten und das Licht ist so dünn und klein, daß es mir sehr dunkel vorkommt. Hier in Basel muß ich nun so lange bleiben, bis ich einen Transport nach Lugano aushalte – es kann bis dahin aber noch viele Monate dauern. – Frl. Schiller hatte mir mal 2 «Freie Pr.» zuschicken lassen, angekommen sind sie *nie*, leider, denn ich sitze reichlich dröge hier. – Was machen Sie? Ihre Kinder in Wedel? Darf man denn keine Zeitung schicken? Oder nur über den Verlag? – Mein Prof., er vertritt in der Schweiz die französische Richtung der Medizin, hat dieselbe Kopfform wie Sie, nur ist er 20 Jahre älter, angegraut. Im übrigen ist es für mich nicht aufregend hier – ich erlebe rein gar nix. Wenn ich mal was geschrieben habe, denke ich an Sie – vorausgesetzt, daß ich noch «gehe», wenn mein Stück raus ist.

Viele liebe Grüße – an R. Drommert –

Ihr Wolfgang Borchert

AN PAUL SCHUREK

1. XI. [1947]

Lieber Herr Schurek,

denken Sie mal, hier kennt man Barlach auch, allerdings bisher kenne ich nur Emigranten, die von ihm wußten. Übrigens: Goverts läßt Sie grüßen, mit Beneckendorff habe ich schon einige Karten gewechselt, er [ist] hier sehr angespannt u hat wenig Zeit. Ich dagegen habe viel Zeit. Zwar lese ich für Oprecht u Goverts Manuskripte, aber das läßt mir doch noch viel Zeit. Leider kann ich sie zu nix nutzen. Arbeiten kann ich nicht – zu lesen kann ich mir nix leisten, denn Geld ist hier teuer. Alle, die

bei mir auftauchen, bitte ich um Walt Whitmans ges. «Grashalme» oder einen Füller! Die «Grashalme» kennt keiner u. ein
guter Füller kostet rund 100 Fr. Trotzdem, Kopf hoch, Germa-
nen, die Ernährung ist gesichert! Wenn Sie mögen, berichten
Sie mal von Ihrem Theater-Döchting und unserer kulturge-
dämpften Metropole des Nordens! Herzlichst! Ihr Wolfgang
Borchert

AN KURT W. MAREK

1 XI [1947]

Lieber Herr Marek,
nur mal ein kurzer Zettel, damit Sie sehen, daß ich *noch* lebe. An
Arbeiten ist noch nicht zu denken – bei einem Brief triefe ich
schon aus allen (nicht *allen*) Löchern. Haben Sie viel Ärger mit
meinen Stories für das Buch gehabt? Wenn es fertig ist, erwarte
ich einmal Ihre *ehrlich ganz ganz ehrliche* Meinung über die Sachen,
denken Sie, ich wäre – *Wiechert*. (Er ist übrigens der Schweizer
Leib + Magen-Poet!)
    Wie wohnt es sich in dem neuen Zimmer? Was macht Frau
Teßmer-Heß u Ursel Litzmann?
Viele liebe Grüße: Wolfgang Borchert

AN DR. SCHRÖDER

1. XI. [1947]

Lieber Herr Doktor Schröder,
ich lerne hier, in traurigen Tatsachen zu denken; komme ich
durch oder nicht? Prof. Gigon gilt als Größe, aber als ich so hohes
Fieber hatte mit Atemnot, wollte er mir Codeïn u. Aspirin geben
– ich habe mich geweigert. Aber ein anderer Arzt od Spital ist
unmöglich, da ich hier durch Beziehungen alles billiger habe. Soll
ich durchhalten? Ehrlich, werde ich noch mal wieder ohne Rük-
kenkrämpfe u ohne Temperatur u Blutungen herumlaufen? Ge-

ben Sie mir mal einen Rat! Es gibt tägl. 100–120 Gr. *Fleisch*, kaum
Gemüse, viel Milch u Nudeln. Es grüßt
Ihre Nudel WB.
Lieben Gruß an Ihre Frau!

AN HEINRICH CHRISTIAN MEIER
November [1947]

Lieber Herr Meier,
ich danke Ihnen vor allem für Ihre Offenheit. Ich erkenne daran,
daß Sie es ehrlich mit mir meinen. Und ich weiß, daß Sie in vielen
Dingen recht haben – *aber* ich muß von selbst dahin kommen,
vorläufig kann ich es noch nicht besser. Glauben Sie nicht, daß mir
soviel Lob zu Kopf steigt – ich kenne meine Fehler ganz genau, aber
ich halte meine ganze Schreiberei nicht für so wichtig, daß man sich
soviel damit abgibt. Wenn ich mein Verhältnis zur Literatur ausdrücken soll, dann würde es so aussehen: Vorläufig benutze ich
noch allerlei Provisorien, um wenigstens die Höhe des Steigbügels
von Pegasus zu erreichen – aber selbst diesen Steigbügel kann ich
noch nicht erkennen, so hoch ist er über mir. Vorläufig umwehen
mich noch keine olympischen Winde, sondern lediglich die Blä-
hungen des Dichtergauls. Genügt Ihnen das? Ich freue mich, wenn
Sie mir ab und an Ihre Meinung sagen – vielleicht hilft das am Ende
doch.
Im übrigen liege ich hier völlig brach und bin *intensiv* krank –
deswegen der kurze Brief!
Viel Arbeit! Viel Erfolg!
Ihr W Borchert

VON CARL ZUCKMAYER
14. November 1947

Sehr geehrter Herr Borchert!
Ich habe Ihr Stück «Draußen vor der Tür» und Ihr Buch «Die
Hundeblume» mit wirklicher Erschütterung gelesen. Goverts,

Hilpert und Hirschfeld hatten mir schon davon erzählt, Rowohlt darüber geschrieben, aber die Stärke Ihrer Sachen ist, man hätte sie auch aus dem Papierkorb in irgendeinem überfüllten Bahnhofswartesaal herausklauben können, sie wirken nicht wie «Gedrucktes», sie begegnen uns, wie uns die Gesichter der Leute oder ihre Schatten in den zerbombten Städten begegnen. Ihre Welt ist wirklich bis ins Unheimliche, Ihr Talent ist echt. Ich schreibe nicht oft solche Briefe, aber ich muß Ihnen das sagen und ich hoffe, daß es Sie freut. Werden Sie nur gesund, – Sie haben noch viel zu tun!

Nächste Woche fahre ich nach Frankfurt, zur Erstaufführung meines «Teufelsgeneral» bei Hilpert, der auch Ihr Stück bringen wird. Auf der Hinreise komme ich nicht nach Basel, aber auf dem Rückweg könnte ich einrichten, etwa gegen den 10. September. Wenn Sie Besuch haben können, würde ich Sie gern kennen lernen, und ich hätte Ihnen gewiß Einiges von Hilpert und Rowohlt, der nach der Ihren zu meiner Frankfurter Premiere kommen wird, zu berichten.

Wenn es Ihnen möglich ist, lassen Sie mir eine Nachricht zukommen. Bis 20. November bin ich hier, Adresse umstehend, dann Frankfurt, Städt. Schauspiel, – sonst erreicht mich alles über Zürcher Schauspielhaus. –
Mit allen guten Wünschen für Ihre Genesung!
Ihr Carl Zuckmayer

AN CARL ZUCKMAYER

Sonnabend [15. 11. 1947]
Verehrter Herr Zuckmayer!
Daß Sie mir mit einem Besuch eine Riesenfreude machen würden, das brauche ich doch nicht erst zu schreiben! Aber Sie werden einen rechten Jammerlappen vorfinden, denn zum ersten Mal hat meine Krankheit mich restlos untergekriegt und ich bin leider etwas hilf- und mutlos geworden.

Vor wenigen Wochen schrieb mir Dr. Goverts, daß er übers

Wochenende mit Ihnen zusammen sein würde – darauf schrieb ich sofort zurück, ob er *Sie* nicht mal veranlassen könnte, mein Stück anzuhören, da ich wenigstens *einmal* ein maßgebendes Urteil hören möchte. Aber Sie waren gerade nach Berlin abgefahren und es wurde nichts draus.

Nun kommt Ihr Brief. Er hat mich sehr sehr froh gemacht, denn ich selbst fühle mich doch noch recht unsicher und «auf dem Wege». Ich hoffe aber, daß mein 2. Erzählungsband, der im Winter bei Rowohlt rauskommt, schon etwas mehr beständige Qualität hat. Ich freue mich, daß ich dann *Sie* habe, um mir von Ihnen dann ein Wort dazu sagen lassen zu können. Ich würde mich noch viel mehr freuen, wenn dieser kleine Kontakt, den wir nun haben, ebenfalls beständiger und dauerhaft würde! –

Als Hitler kam, war ich 11 Jahre alt – ich kenne also von Carl Zuckmayer nur Bruchstücke, den «Köpenicker Hauptmann» als Hörspiel, den «Teufelsgeneral» auszugsweise aus Zeitschriften – im übrigen sehr wenig, alles nur inhaltlich, aber nie aus eigner Lektüre. Wie komme ich nun in den Besitz solcher Sachen, die schon bruchstückhaft große Bedeutung für mich haben? Während der Hitlerzeit erzählten meine Eltern oft wehmütig von der vergangenen Hamburger Theaterzeit und dann fielen immer die gleichen Namen: Ziegel, Weinberg, Zuckmayer – und nun, nach 1000 Jahren, darf ich sie kennenlernen! Ich glaube, das ist sehr schön.
Recht herzlich grüßt Sie
Ihr Wolfgang Borchert

HENRY GOVERTS AN HERTHA BORCHERT
                              Vaduz, den 25. November 1947
Verehrte Frau Borchert,
mein tief empfundenes Beileid zum Tode Ihres einzigen Sohnes, des jungen deutschen Dichters Wolfgang Borchert.

Still und ruhig ist er gestorben, wenn auch mit Heimweh nach Hamburg und seinen Eltern. Schwester Mina war bis kurz vor seinem Tod bei ihm. Unglücklicherweise war Dr. Oprecht in

Wien und ich in Baden-Baden. Als ich zurückkam, setzte ich mich
sofort mit Professor Gigon in Verbindung und bat ihn, alles zu
tun, um das Leben Ihres Sohnes zu erhalten. Trotzdem ist er dann
an Donnerstag früh kurz vor neun Uhr still entschlafen. Ich habe
ihn liegen sehen mit einem stillen und friedlichen Gesicht, ein mil-
des Lächeln schien auszudrücken: jetzt habe ich ausgelitten. Dr.
Oprecht und ich glaubten in Ihrem Sinne zu handeln und haben
Ihren Sohn photographieren lassen. Gestern Vormittag neun ein-
halb Uhr fand im Krematorium des Hörnli-Friedhofs wenige
hundert Meter von der deutschen Grenze entfernt die Trauerfeier
statt, die Dr. Oprecht organisiert hatte. Ein reformierter Pfarrer
schilderte die äußeren Begebenheiten im Leben Ihres Sohnes und
gedachte seines tragischen Schicksals. Herr Würzburger aus Basel
sprach für den Schutzverband deutscher Schriftsteller in der
Schweiz und zugleich als väterlicher Freund, hatte er ihn doch in
der letzten Zeit öfters aufgesucht, und diese beiden verstanden
sich gut. Dann sprach ich über die drei Begegnungen mit Ihrem
Sohn, die erste mit seinen frühen Gedichten, die mir Fräulein
Wolfram im Kriege brachte, die zweite Begegnung war mit den
Kurzgeschichten Ihres Sohnes, die mir Ernst Schnabel sandte und
hierbei schilderte ich das dichterische Wesen Ihres Sohnes eingehend und die besondere Art dieser Kurzgeschichten, die dritte Begegnung war, als ich ihn am badischen Bahnhof in Basel abholte
und ins Spital brachte.

Leider habe ich Ihren Sohn nicht oft besuchen können, da ich
am entgegengesetzten Ende der Schweiz lebe. Aber ich habe ihn
in unseren kurzen Gesprächen auch als Mensch lieb gewonnen. –
Nun ist er sanft entschlafen, und mit Ihnen trauert Deutschland
um einen seiner Dichter. Ich drücke Ihnen und Ihrem verehrten
Mann in Gedanken die Hand
als Ihr sehr ergebener
H. Goverts

Gedichte

Sappho

Sieh, all Dein Öffnen an das Leben war
ein Lieben und ein trunknes Hingegeben.
O nimm den Bruder mit vor den Altar!
Wie Götter sich die Früchte zueinanderheben,

so küßt ihr euch. Zu den Plejaden
hinlacht die Seligkeit, die ihr beginnt.
Nun lösen Kleider sich an den Gestaden,
und Meer um schmale, weiße Brüste rinnt.

Hell perlend aus den kühlen Wellen
steigt auf ein Singen: Liebeslieder!
Und Düfte zart von euren Leibern quellen –
O küßt, Ihr Töchter, Sapphos schöne Glieder!

Da schreitest Du, o Göttin, selig hin –
geliebt und liebend – und hast allen Sinn.

Chinesisches Liebesgedicht

Im Kleinen lächelt uns
die große Weisheit an.

Deshalb – o Tschau gei yen –
kam ich zu Dir.

Du bist wie Atem
einer Orchidee . . .

Tschau-gei-yen
war eine kleine Göttin,
die so zart und graziös war,
daß sie auf einer flachen Hand
tanzen konnte.

Concerti grossi

Da wehte um ein hölzernes Gestühl
vertraut, unsäglich fein und kühl,
Getön der dunklen Bratsche, Geigen
vereinten sich zum stillen Reigen.

Die Seelen sangen in den Sonnentag – – –

– – –

Die Sonnenblumen wachten auf und träumten
in diese Melodie sich wiegend ein.
Geheimnisvolle Flüsterworte säumten
Euch Spielende in einen hohen Schein,

und lauter Jubel war in Euren Augen.

– – –

Ist es nicht ein fernes, frohes Rufen,
das voll Seligkeit zu uns herüber dringt?
Wir lauschen trunken auf des Tempels Stufen,
aus dem uns Euer Seelenlied umklingt –

still aber saßen wir . . .

Die Spatzen
kratzen,
was man ißt,
aus dem Mist.

Die Menschheit fischt
auch im Trüben – –
so ist nischt
mehr nach geblieben!

Winter

Jetzt hat der rote Briefkasten
eine weiße Mütze auf,
schief und verwegen.
Mancher hat bei Glatteis
plötzlich gelegen,
der sonst so standhaft war.
Aber der Schnee hat leis
und wunderbar
geblinkt auf den Tannebäumen.
Was wohl jetzt die Schmetterlinge träumen?

Die Ärmste

Es war eine Eule,
die flog im Traum
mit schröcklichem Geheule
gegen einen Baum.
Jetzt sieht man die Eule
nur noch kaum –
vor lauter Beule!

Ein Tausendfüßler, nicht mehr jung an Jahren,
war in einer Kneipe gehörig versackt.
So kam er mitten auf der Straße aus dem Takt
und wurde überfahren.
Er hat sich etliche Beine gebrochen,
211 an der Zahl.
Jetzt liegt er im Spital.
Und die Schwester sortiert schon seit Wochen –
Knochen.

Der Kuckuck

Der Kuckuck schreit die ganze Nacht –
Herrgott, laß ihn verrecken!
Ich habe unter meinen Decken
kein Auge zugemacht.

Der Kuckucksschrei ist grün
wie eine leere Flasche Gin.
Nur weil ich nicht besoffen bin,
ist er heut nacht so kühn.

Nein, Herr, laß ab mit Strafen –
ich sehe schon den Sinn:
Wenn ich besoffen bin,
kann er ja auch nicht schlafen!

Frösche

Frösche haben alle Basedow
und sie wirken kolossal seriös.
Fliegen sind gewöhnlich dumm und froh –
doch vor Fröschen werden sie nervös.

Ihrerseits – der Storch ist ihnen peinlich
und sie fangen lieber an zu wandern,
denn die Götter sind verdammt nicht kleinlich:
Willst du leben: Friß den andern!

Wenn sie singen, blasen sie cholerisch
ihre glattrasierte Hülle auf –
und ihr Baßgelächter steigt homerisch
tollhauslaut aus Teich und Tümpel auf.

Den Dichtern

Morgenrot! und: Hahnenschrei!
Die Nacht ist vorbei!
Brecht auf, ihr Lumpen,
fort mit den Humpen,
ihr Säufergesichter!
Morgenlichter
dämmern ringsum.
Die Nacht ist um!

Fort mit dem Becher!
Ans Werk jetzt, ihr Zecher,
zur Tat! Nun zeigt,
was Pan euch für Lieder gegeigt,
was die Nacht euch gelehrt:
Leierkasten oder Orgelkonzert!

Hahnenschrei! und: Morgenrot!
Die Nacht ist tot!

Gedicht um Mitternacht

Der Vagabund phantasiert:
Ruhe ist Verhängnis.
Die Weisheit philosophiert:
Jeder ist sein eignes Gefängnis.

Wozu in die Bücher schauen,
wenn du sie so schnell vergißt –
wenn du doch dem Schritt der Frauen
rettungslos verfallen bist!

Gib dich doch den wunderbaren
Augen eines Mädchens hin –
pack das Leben bei den Haaren,
dann erfüllst du seinen Sinn!

An die Natur

Wo du den Sturm fühlst und die Erde riechst,
wo du das Meer hörst und die Sterne siehst,
sei losgelöst von jeder Zeit,
gibt deinem Geist kein irdisch Ziel,
von Bildern, Worten sei befreit:
tu deine Seele auf und sei Gefühl.

Hamburg

Zwischen grünen Kirchturmsmützen
wie mit feingemalter Kunst,
ragen Dächer, Giebelspitzen
in den blauen Hafendunst.

Auf den schmalen, alten Fleeten
ziehen schwerbeladen Schuten –
manchmal hörst du wie Trompeten
fern die großen Dampfer tuten.

Hör des Hafens Orgelbrausen,
Möwenschreien hin und her!
Wenn die steifen Winde sausen,
riechst du schon das weite Meer.

In den blauen Hafendunst
ragen Dächer, Giebelspitzen
wie mit feingemalter Kunst
zwischen grünen Kirchturmsmützen.

Don Juan

Sieh, mein Auge ist noch dunkelfarben
vom Liebesleid der letzten Nacht,
von den Träumen, die am Morgen starben,
darin leise die Geliebte lacht.

Immer sind es doch die gleichen Stunden,
wo die Herzen sich noch scheu ertasten –
wenn wir dann erkennend uns gefunden,
bleibt mir nur ein stummes Weiterhasten!

Zugedeckt mit einem weichen Tuche
möcht ich meine tiefsten Schmerzen haben –
wo ich Gottes weite Seele suche,
sind wir Menschen, die im Spiel sich gaben.

Und die Lippen formen still ein Flehen
um ein endlich Auferstehen.

Das Karussell

Dogmen stürzen, Werte bleiben,
Narren nennt man morgen Weise –
wildes, buntes Jahrmarktstreiben
tanzt um uns in tollem Kreise.

Reich auch mir die Larve, Leben !
Reih mich ein in deinen Reigen –
tanze, daß die Pulse beben:
Nach uns kommt ein langes Schweigen.

Sieh den tollen Jahrmarktstrubel!
Hör sie laut in Flitterkronen
kleine dumme Lügen feiern.

Kauf dir Glück für einen Rubel,
pfeife auf die Millionen:
Laß die Groschenorgel leiern!

Hamburg 1943

Der Mond hängt als kalte giftgrüne Sichel
über den hohläugig glotzenden Fenstern –
es knistert und wispert rings um den Michel
wie von tausend verirrten Gespenstern.

Da ragt eine Wand wie ein Schrei
in das Grauen der einsamen Nacht.
Gestern hat hier noch ein Mädchen gelacht –
und der Wind weht träumend vom Kai.

Und der Wind weht vom Meer –
und er weht über Freuden und Schmerzen,
er riecht nach Tauen, Möwen und Teer –
und er singt von Hamburgs unsterblichem Herzen!

Norddeutsche Landschaft

Stangenbeinig, stolz und stur
stelzt stocksteif ein Storch
feldherrngleich auf freier Flur.
Freche Frösche höhnen: Horch!

Dunkel ducken dicht am Deich
sich die strohgedeckten Dächer.
Glockenblumen glühen weich
mit blauem Blütenbecher.

Kühe kauen taktvoll träge.
Ringsherum prahlen pralle Fladen.
Käfer schielen schnell und schräge
nach der Kuhmagd nackten Waden.

Moabit

Die Wanzen lassen uns nicht schlafen.
Man denkt die ganze Nacht an Frauen,
die wir wohl irgendwann mal trafen.
Von den smaragdäugigen und blauen,
den zärtlichen und schlanken haben wir gequasselt,
geprahlt, geseufzt.

Im ersten Morgengrauen
war eine Ente laut vorbeigerasselt
zum nächsten Binnenmeer:
Mensch, wenn man so'ne Ente wär!

Ich bin der Nebel

Ich bin der Nebel, der durchs Hafenviertel strömert
und der sich von den Mädchenbeinen,
die spät nach Hause tippeln, gern zerreißen läßt.

Ich bin der Nebel, der auf alten Fleeten döst,
der unter grauen Brücken graue Sorgen
mit grauer Milde zärtlich zudeckt.

Ich bin der Nebel, der wie ein Mirakel
aus Märchenbüchern auf den Dächern geistert,
ein Spuk auf Kais und Takelagen.

Ich bin der Nebel, der um die Laternen tanzt
und den die Frühaufsteher blaß und übernächtig
im ersten Morgenlicht noch auf der Straße finden.

Das Requiem

Der Seewind singt sein Lied am Pier.
Die Stunde hinkt. Es schlägt halb vier.
Der Abschied klinkt für uns die Tür.
Mein Spiegel blinkt noch hell von dir ...

Die Kathedrale von Smolensk

I.

Grün und gold gemalte Zwiebeln
hängen bunt wie eine Laune
aus dem Orient auf weißen Giebeln
und ein düsteres Geraune

schlängelt sich aus engen, schiefen
Stuben dunkel um die Kathedrale.
Ach, mit einem Male,
während alle Wolken schliefen,

schmeichelt dann der Sonnenschein
dem grotesken Land –
und das Gold der Kuppeln willigt ein,
weil es sich gewürdigt fand.

II.

Und das Land ist weit und ohne Eile,
nur die Tage blättern seltsam schnell
von dem Baum der Langeweile,
monoton gewebt aus schwarz und hell.

Ohne Anteil sieht die Kathedrale
auf das Kommen und das Sterben
ihrer Kinder, die das schmale
Antlitz nur vor Spiegelscherben

manchmal scheu verstehn:
Rußland ist in schön und häßlich
wunderbar und schwankend anzusehn –
nur die Kathedrale steht verläßlich.

Zwischen den Schlachten

Abend tropft mit blutigroter
Tinte in den grauen Sumpf.
In den Himmel ragt ein Toter,
grausam groß und seltsam stumpf.

Posten tasten leis: Parole?
Nickend sickern die Konturen
eines Pferdes – wie mit Kohle
kühn skizziert – vor schweren Fuhren.

Manchmal döst man Kleinigkeiten
und das Herz läßt sich verwirren:
Abendglocken hört man läuten
in dem Lärm von Kochgeschirren.

Requiem für einen Freund

Wir marschieren. Wir marschieren bei Tag und wir marschieren bei Nacht. Wir schlafen bei Tag, wir schlafen bei Nacht. Sie schießen bei Tag, sie schießen bei Nacht. Sie schießen – sage ich, denn das eigene Schießen hören wir nicht mehr, nur das Schießen der anderen.

Die Stunden versinken wie Segelschiffe am blutigen Horizont des Himmelsmeeres. Die Sonne stirbt und mit ihr stirbt der Tag.

Manchmal steht die Zeit still – und dann lastet es mit ihrem ganzen grausamen Gewicht auf unsern müden Gesichtern. Gespenstisch und grau wie Krähen blicken wir aus der Dämmerung in die Dämmerung und wir warten, daß es tagt.

Wir schweigen viel und reden wenig. Nur manche lachen viel zu laut. Aber wir Schweigenden sind voll Leben!

Und dann vergaß ich es nie, wie du nach tagelangem Marsch in dem zerschossenen Haus die kleine verschrumpfte Kartoffel aus der Asche nahmst, wie man eine kostbare Frucht, einen Pfirsich, nimmt und voll Andacht ihren Geruch atmetest. – Erde und Sonne – sagtest du, und draußen waren es 48 Grad Kälte.

Und da ist ein Kind, das Asja heißt und das dich traurig ansieht – doch du siehst durch die dunklen Seen ihrer Augen hindurch ein lichtes blondes Mädchen. Du fühlst das bedeutsame Tasten seiner Hände auf deinem Haar und findest einen Sinn in all dem scheinbar so Sinnlosen. Aber da murmelte sie plötzlich: Fertigmachen.

Immerzu sinkt der Schnee auf die toten Pferde am Wege und wir sprechen von Blumen – aber alles will erstarren in Kälte und Eis. Vielleicht auch unsere Herzen.

– Mal wieder in einem warmen Sommerregen gehen dürfen und den Duft der Linden riechen – sagt einer.

Und der Löwenzahn, die Rosen und die Sonnenblumen senken still ihre Köpfe – wie die Mädchen, die um uns Einsame wissen. Und dann ist es wieder alles Schnee – dieser grausame Schnee.

Da ragt bittend und klagend eine tote Hand in den Abendhimmel. Doch unser Mitleiden ist eingefroren und einige grinsen: Er lädt uns ein, der große Teufel, in seine Hölle. Und sie meinen den Tod – und bevor es morgen wird, hat eine andere Hand sie still genommen und in den Himmel geführt. Wirklich in den Himmel? Oder nur in das Nichts?

Und dann liegen wir, einer neben dem anderen, spüren seinen Atem und sind dankbar, daß er lebt.

Plötzlich brüllen die berstenden Bomben ringsum – und wir kauern uns wie die Tiere in den Schnee, klammern uns an die zitternde Erde, die wir nicht lassen wollen.

Es können nicht dieselben Sterne sein wie in der Heimat, die jetzt so still und teilnahmslos über unserer Not stehen – weiß und fremd und kalt.

– Morgen kommt vielleicht Post von zu Hause – denke ich. Da brüllt wieder das Eisen sein tödliches Lied und Blut sickert in den Schnee.

– Zu Hause – sagst du und das ist dein letztes Wort. Dann geht deine Seele mit dem Wind, der abends um euer Haus flüstert und im Gebälk knistert – und deine Augen suchen den Himmel ...

Wo ist Gott – schreien die Granaten!

Wo ist Gott – schweigen die Sterne! Wo ist Gott – beten wir!

Gott ist das Leben und Gott ist der Tod – sagtest du immer.

Bist du nun bei Gott?

Ich sitze auf deinem Grabe – Hunger und Kälte betäuben den Schmerz um dich nicht – und die Tränen sind eingefroren.

Aber vielleicht bist du glücklich? Denn du bist wieder eingereiht in den großen unendlichen Kreis, den Reigen, in dem es keinen Tod gibt: Denn es gibt nur das ewige Leben.

Hast du das Bild von dem Haus hinterm Deich mit hinübergenommen? Und die Stimme von deiner blonden Braut? Hörst du die Dampfer noch tuten auf der Elbe – riechst du noch das Meer?

Oh, du warst so voll Leben, daß du nicht tot sein kannst – ich weiß, daß du lebst.

– Sonne und Erde – sagtest du, wenn du an einer Blume rochst – Und nun wirst du selbst wieder Erde sein und die Erde wird voll Sonne sein. Die Blumen, die im Frühling aus deinem Grab wachsen, werden nach Erde und Sonne duften – und ich werde denken, daß du mich ansiehst, wenn ich vor ihnen stehe und Zwiesprache mit dir halte.

Und dann will ich dir von dem Meer erzählen, das zu Hause noch immer vor den Deichen rauscht – und von dem Mädchen und einem blonden Jungen.

Und dann heißt es wieder: fertigmachen – und ich muß dich allein in der fremden Erde lassen und ringsum ist wieder die Schlacht!

Aber als in der grausamen Nacht die Angst und die Verzweiflung ihre Finger nach mir ausstreckten, da fühle ich, daß du bei mir bist und mir beistehst. Da gelobe ich dir, daß ich aushalten will – für dich. Denn in mir bist du – du warst mein Bruder und hattest den heiligen Glauben an das ewige Leben. Du mußtest darum sterben – wir wollen, wenn es uns vergönnt ist, dafür kämpfen und leben!

Und als es in der Frühe tagt, sitzt auf dem Helm, den wir dir auf das Birkenkreuz taten, ein kleiner grauer Vogel und singt –

Und ganz weit im Osten geht groß die Morgensonne auf.

Rezensionen

«Stalingrad»

Das ist kein gutes Buch. Das ist kein Kunstwerk und auch keine Dichtung. Das ist vielleicht nicht einmal Literatur. Aber das ist ein Dokument und ein Denkmal. Das ist Rechnung und Quittung zugleich. Und für uns alle. Und deswegen ist es ein notwendiges Buch. Es ist die nüchterne nackte Fieberkurve einer überlebten korrupten Kaste, eines blinden Volkes. Fieberkurve aus sechs Jahren des 20. Jahrhunderts. Fieberkurve eines Massensterbens. Fieberkurve der Agonie von ein paar hunderttausend zu Lemuren und todwunden Würmern verkommenen menschlichen Lebewesen.

Das Buch heißt: «Stalingrad» (Aufbau-Verlag, Berlin).

Der Verfasser, Theodor Plievier, ist ein gewissenhafter, gnadenloser, unerbittlicher Sammler. Er sammelt die Mosaiksteinchen dieses grauenhaftesten apokalyptischen Gemäldes der menschlichen Geschichte. Aber er ordnet die Mosaiksteine nicht zu einem harmonischen Ganzen. Er kann es nicht und er darf es nicht. Aus diesem Chaos, aus diesem Inferno, diesem Spukspektakel eine Harmonie zu machen, würde Frevel an der Wahrheit und an der Wirkung sein. Hier muß alles bleiben wie es war: nackt, wirr, sinnlos, formlos, wahrhaftig. Plievier schüttet seine Mosaiksteine in einem grandiosen Durcheinander von Szenen, Menschenuntergangsszenen, vor uns hin. Und die Steine heißen Hunger, Schrei, Schmerz, Tod. Heißen Eissturm, Eiter, Einschlag. Heißen Heldentum und Kannibalismus, Elend und Qual, Lüge, Selbstmord und Gehorsam. Und sie heißen Blut und Kot und Schnee, Preußens Gloria und Viehtreiben. Und alle zusammen heißen: Hitler! Heißen Stalingrad! Heißen Krieg!

Es ist ein unerfreuliches Buch. In der äußeren Aufmachung (und das ist schon eine Quittung) und im Inhalt. Aber es ist ein notwendiges Buch. Jeder von uns ist durch Stalingrad gegangen, durch ein großes oder ein kleines. Und so ein Buch ist Rechnung und Quittung für uns alle.

Rechnungen und Quittungen sind unerfreulich. Aber sie sind notwendig. Und deshalb ist das Buch von Stalingrad doch ein gutes Buch.

Bücher – für morgen

Hans Harbeck hat in Hamburg als eigenwilliger Kabarettist und scharfblickender Humorist einen guten Namen. Kurz vor Toresschluß machte er noch die Bekanntschaft mit den Gefängnissen des Dritten Reiches. Er schrieb in der Haft eine Reihe von Versen (190), von denen nun 50 in Buchform vorliegen («Verse aus dem Gefängnis», Hammerich und Lesser). Harbeck ist Kabarettist, nicht zufällig, sondern von innen her. Und diesem Schicksal kann er auch in der Zelle nicht entfliehen. Seine Verse – er gebraucht die für einen Wortartisten verführerische Form der Siziliane – bleiben auch unter diesen Umständen kabarettistisch. Der Poet spottet grimmig über sich und die Welt. Das hat einen Nachteil und einen Vorteil. Der Nachteil ist ein Mangel an Wärme und Tiefe – der Vorteil ist unbestechliche närrischweise Sachlichkeit.

Einen ganz anderen Niederschlag fanden dieselben Umstände in dem Buch «So war es» von H. Chr. Meier (Phönix Verlag, Hamburg). Dort reimt und spottet ein Poet, hier berichtet ein Journalist nüchtern, aufzählend und aufklärend. Der unpoetische, sachliche Bericht aus dem KZ Neuengamme läßt Völker und Individuen an uns vorüberziehen. Er nennt die menschlichen und die unmenschlichen. Meier klagt nicht an, keine Nation, keine Gruppe, keine Organisation. Er zeigt uns zwischen den Zeilen den Menschen nackt, ausgeliefert, groß, erbärmlich, erschütternd, brutal – den Menschen, abgeschminkt und ohne Maske, in ein System eingegliedert, das ohne Beispiel ist.

Beide, das Buch von Harbeck und das von Meier, sind Zeugnisse von gestern. Für heute? Noch sind die Wunden der jüngsten Vergangenheit weit offen und die Schreie der Opfer und die Flüche ihrer Henker noch nicht verhallt. Wir wehren uns heute noch gegen diese Bilder von gestern, aus Angst, aus Scham, aus Schmerz. Aber morgen werden wir vielleicht die Bücher hersuchen und fragen: Wie war es noch? Ja so war es! Und wir wollen es nicht vergessen!

Kartoffelpuffer, Gott und Stacheldraht

KZ-Literatur

«Heute habe ich einen Fußtritt bekommen – LUZIFER liegt auf der Lauer. Heute habe ich keinen Fußtritt bekommen – MICHAEL steht bei mir. Heute konnte ich ungestört Kartoffelpuffer backen – JESUS leiht mir seinen Schutz. Heute durfte ich Pastor Niemöller sehen – GOTT ist barmherzig, ich bin in IHM.» Und so weiter.

In dieser Form geht es zwischen Luzifer und Michael, mit Gott und Jesus durch zwei dicke Bände mit zusammen über sechshundert Seiten. Titel: «2000 Tage Dachau» und «Fünf Minuten vor Zwölf». Verfasser: K. A. Groß (Neubauer-Verlag).

Daß man mit dem Christentum Geschäfte machen kann, ist eine schon seit längerem bekannte Tatsache. Daß man das auch mit dem Konzentrationslager machen kann, ist erst neu. Der Verleger und gleichzeitige Verfasser der beiden genannten Bücher kann noch mehr. Er kann beides, das heißt: Christentum und Konzentrationslager in schmackhafter, kühn kombinierter Mischung zu einem Geschäft vereinigen. Das Rezept ist so: In einem schnodderig-geschwätzigen Stil plaudert und betet er munter drauf los, mixt ungeniert die intimen Dinge der Religion mit einem ganz erstaunlich soliden Kartoffelpuffermaterialismus und ergeht sich in wenig schamhafter Weise in frömmelnden Hymnen auf Gott und die (durch «Kirchenkapitän» Niemöller vertretene)

Geistlichkeit, wobei er nicht versäumt, das Wort GOTT, JESUS oder ER jedesmal und auf jeder dritten Seite mit großen Buchstaben zu drucken. (Dazu ist man ja auch schließlich Verleger, um der Druckerei solche Order erteilen zu können). Wenn man nun noch bedenkt, daß K. A. Groß außer diesen beiden Bänden, die den stattlichen Preis von 8,50 RM kosten, zwei weitere dicke Werke über seine Abenteuer im KZ verfaßt hat, so muß einem ungewollt der Verdacht kommen, daß es hier nicht um die große menschliche Tragödie der letzten zwölf Jahre geht, sondern um ein christlich getarntes, zuletzt aber höchst irdisches Geschäft.

Der Leser von 1947 wird sich auch nicht in dem Maße entsetzen, wie er es eigentlich soll, wenn er hört, daß der Verfasser und Erdulder der 2000 Tage Dachau bis kurz vor Kriegsende immer noch Gelegenheit und Kartoffeln genug hatte, um täglich Puffer backen zu können, und der Leser von 1947 wird auf die Klage, daß es zum Schluß nur noch ein Achtel Brot im Lager gab, nur erstaunt fragen können: Na und?

Die fortwährend anwachsende Flut der KZ- und Gefängnisliteratur, die mit Wolfgang Langhoffs «Moorsoldaten» (im Zinnenverlag) so hoffnungsvoll begann, zeigt bisher nur wenige positive und tatsächlich wertvolle Erfolge. Ja, man kann beinahe sagen, daß Langhoffs bereits 1934 in der Schweiz erschienenes Buch noch immer das beste geblieben ist. Vielleicht ist das Erlebnis des Konzentrationslagers so ungeheuer und aufwühlend, so unfaßbar in seiner füchterlichen Gewalt, daß eine vollendete Gestaltung einen wirklich ganz großen Dichter verlangt. Die Versuche, die in dichterischer Form an das KZ-Erlebnis herangehen, bleiben jedenfalls noch so sehr im Ansatz stecken, daß man die andere mögliche Form der Überlieferung, den sachlichen journalistischen Bericht, eine unpersönliche Chronik, unbedingt vorziehen möchte.

Ernst Wiechert (sein Buch «Der Totenwald» erschien ebenfalls im Zinnenverlag Kurt Desch), der in seinem Vorwort selbst sagt, sein Bericht sollte nur eine Einleitung zu seiner Dichtung sein, bleibt leider nicht konsequent. Er hat nicht den Mut, in der Ich-Form zu erzählen, sondern er nennt sich selbst Johannes (in sinnvoller Beziehung zu seinem biblischen Namensvetter – sonst wäre er ja nicht Ernst Wiechert!), und er berichtet in einem etwas pastoralen, dichterisch verklärten Ton über sein und seiner Mitgefangenen Leid.

Mit müder, kraftloser Melancholie tönt seine weltschmerzliche Klage aus dem Totenwald bei Weimar und wenn man am Ende der Wiechert-Johannis-Passion angelangt ist, legt man das Buch etwas enttäuscht aus der Hand. Man sieht nicht ganz ein, warum der Dichter sich hinter dem Pseudonym Johannes versteckt, wo andererseits in jeder Zeile der allerpersönlichste Ernst Wiechert zu erkennen ist, und der Kompromiß zwischen Bericht und Dichtung erscheint wenig glücklich. Eigentlich hätte man von Wiechert mehr erwartet – oder hat die Mühle des tausendjährigen Reiches ihre Opfer so unbarmherzig zermahlen, daß dieser Vorwurf ungerecht ist?

Als Bericht gibt auch Luise Rinser ihr Gefängnis-Tagebuch (Zinnenverlag) heraus, und ihre Arbeit zeichnet sich durch eine erfreuliche Sachlichkeit aus. Das Buch erschüttert nicht eigentlich, dazu sind wenigstens die körperlichen Leiden zu gering, zu gering im Verhältnis des Frontsoldaten oder des Großstadtmenschen im Luftschutzkeller, aber es zeigt mit eindrucksvoller, grauenhafter Deutlichkeit, daß die Lynchjustiz des Dritten Reichs vor nichts, vor gar nichts halt machte – nicht einmal vor der Frau, vor der Mutter und dem Mädchen. Die Frau war im unritterlichen Reich der Ritterkreuzträger ebenso zum numerierten Häftling geworden wie der Mann, und in der männlichen Bezeichnung «Häftling» für eine Frau offenbart sich der ganze Tiefstand, den unser Volk erreicht hatte – und das der Öffentlichkeit klar gemacht zu haben, ist das Hauptverdienst des Gefängnis-Tagebuches der Luise Rinser.

Noch ein Bericht von einer Frau liegt vor: «Reise durch den letzten Akt» von Isa Vermehren (Christian Wegner Verlag). Das Buch hätte auch heißen können: Prominenz hinter Stacheldraht. Dieser Bericht aus dem Lager Ravensbrück ist ungewöhnlich interessant und spannend – eben weil die Verfasserin von ihren Begegnungen mit berühmten Persönlichkeiten des In- und Auslandes erzählt. Aber das ist auch zugleich die Schwäche des

Buches. Vor lauter berühmten Namen gerät das Leid des namen-
losen KZ-Häftlings, der es in der Regel außerordentlich viel
schlechter hatte als die prominenten Gefangenen, etwas ins Hin-
tertreffen. Isa Vermehren versucht mit feiner weiblicher Psycho-
logie in das Wesen und hinter die Motive ihrer Wärterinnen zu
dringen, aber die oft sehr klugen Sätze, die sie zu dem allgemeinen, menschlichen Problem findet, können leider die etwas auf
die Sensationsgier des Publikums zugeschnittenen Details über
den Grafen oder die Freifrau von Soundso nicht ganz verdecken.
Doch sind beide Bücher, das von Luise Rinser und das von Isa
Vermehren, weitaus objektiver und wertvoller als die Aufzeichnungen der männlichen Autoren.

Den tiefsten und finstersten Punkt der bis jetzt geschriebenen
KZ-Literatur erreicht der «aktuelle Entwicklungsroman» von
Wittman und Hunter: «Weltreise nach Dachau» (Kulturaufbau-
verlag Stuttgart). Und daß er gleich zwei Autoren hat, macht ihn
nicht besser. Dieses Buch ist in seiner plump-naiven Geschmacklosigkeit gefährlich für den Leser und gefährlich für den, der sich
mit Ehrlichkeit und Abstand bemüht, etwas Entscheidendes über
diese Erlebnisse zu sagen. Die Geschmacklosigkeit und damit die
Gefahr für das Publikum beginnt bereits mit dem Einband des
Buches: Eine stilisierte Südseelandschaft mit einem silbrigen
Mond, mit drei einsamen Palmen und einer schwarzhaarigen,
schlanken, exotischen Schönheit, die mit sehnsuchtsvoller Gebärde nach dem fernen Geliebten Ausschau hält. So wie der Um-
schlag ist auch der Inhalt. Ein junger Weltenbummler, ausgerech-
net aus Thüringen, globetrottet über Land und Meer, bis er
endlich nach abenteuerlichen, Karl May-geschwängerten Szenen
im Dschungel, in Tahiti landet und hier dem Traum seines Lebens, der Frau Tete, begegnet. Diese Liebesgeschichte, und noch
zwei vorangehende Liebeserlebnisse, sind in ihrer Gestaltung derart oberflächlich und primitiv, daß man den Eindruck gewinnt, es
handle sich bei diesem «Entwicklungsroman» um eine billige
Schundliteratur für die reifere Jugend. Zuletzt gerät der Held aus
Thüringen und Tahiti dann noch in die Hände der Gestapo, er
macht das durch, was Millionen durchmachten, bringt es dann

aber, weil er so ganz besonders tüchtig ist im KZ, zum Küchenkapo und hält es auf diesem nahrhaften Posten bis zum Ende doch noch ganz gut aus.

Miß- und Molltöne in der KZ-Literatur. Leider haben die Mißtöne bei weitem die Oberhand über die echten Töne und man muß die rein sachlichen Berichte doppelt hoch werten. Hierzu gehört vor allem das schon genannte Buch von Langhoff «Die Moorsoldaten». Langhoff, der jetzt Intendant in Berlin ist, versteht es, bei aller Nüchternheit seiner Aussage, am meisten zu erschüttern. Unvergeßlich ist das ergreifende Bild aus der Moorlandschaft nahe der Nordsee: Die Häftlinge veranstalten einen bunten Nachmittag, einen kleinen Zirkus in dem großen Zirkus, und ihre Zuschauer sind die Wachmannschaften der SS. Die Stimmung der Landschaft, die unüberhörbare Stimme des Leides und des Heimwehs der Gefangenen macht die SS-Leute einen Augenblick verwirrt – der Mensch steht sich gegenüber, im Zuchthauskittel der eine, der andere in der Uniform des Herrn, beide nicht nur gut, aber gewiß auch beide nicht nur böse. Langhoffs Bericht aus Börgermoor widerlegt nebenbei die Behauptung, es sei erst in den letzten Kriegsjahren in den Konzentrationslagern so schlimm geworden. Was der Verfasser hier 1933 erlebte, steht den Geschehnissen von 1944/45 – Dachau oder Buchenwald – in nichts nach, höchstens an Ausmaß.

Ein wohltuender, sauberer Klang ist ferner der ganz unpersönliche und sehr objektive Bericht des Hamburger Schriftstellers H. Ch. Meier aus dem KZ Neuengamme: «So war es» (Phönix-Verlag Hamburg). Meier bleibt so erfreulich sachlich, ebenso wie Langhoff, daß sein Buch aus der Masse der anderen, die zu Ausflügen in dichterischen Schmus neigen, hoch herausragt.

Dem Phönix-Verlag kommt das Verdienst zu, außer dem Bericht von Meier das ausgezeichnete Buch von Walter Poller: «Arztschreiber in Buchenwald» herausgebracht zu haben. Während Meier eine allgemeine große Überschau gibt, auf Details verzichtet und selbst ganz zurücktritt, hat Poller eine breit angelegte Chronik des KZ Buchenwald geschrieben, sehr genau und sehr gründlich. Der Verfasser konnte als Schreiber des Lagerarztes tief hinter die Kulissen des teuflischen Systems sehen, dessen Zweck die Ausrottung aller Menschen war, die aus irgendeinem Grunde nicht der Norm des braunen Massenroboters entsprachen. Poller schreibt die Geschichte von der organisierten Vernichtung, von der unmenschlichen Methode, Mensch gegen Mensch zu hetzen, von der Hölle des Idealstaates von Himmlers Gnaden, in der selbst die Todesanwärter uniformiert wurden und bis zum grausigen Ende in der Gaskammer die Segnungen des preußischen Drills über sich ergehen lassen mußten. (Richard Grunes vier Steindrucke sind gleichsam das Siegel zu diesem Dokument der Ungeheuerlichkeit.)

Diese drei Zeugnisse der jüngsten Vergangenheit sind ohne Zweifel die wertvollsten. Ein kleiner Gewinn bei soviel Aufwand! Sie verderben nicht den Geschmack eines leider häufig sensationslüsternen Lesepublikums und sie fordern auch nicht zu der oft berechtigten Abwehr gegen die KZ-Literatur heraus, die sich dann bei Erscheinen eines neuen Buches mit dem Ruf: Ach Gott, schon wieder KZ! zu erkennen gibt. Diese drei Bücher, das von Langhoff, das von Meier und das von Poller, gehören zu dem Notwendigen, das wir heute brauchen, um die Zukunft besser gestalten zu können.

Am Rande sei noch ein Buch vermerkt, das durch seinen Inhalt nur für einen ganz kleinen Leserkreis gedacht ist. Es handelt sich um die Predigten aus Dachau, die unter dem Titel «Das aufgebrochene Tor» eine Reihe von Andachten vereinigen, die sich die Geistlichen, die in Dachau streng getrennt von den übrigen Gefangenen waren, für sich selbst bereiteten. Manches mutige Wort ist hier gesprochen worden – aber oft von einer Lebensfremdheit, die fast bestürzt. Flucht in eine andere Welt, vielleicht in eine bessere, sicher aber nur eine tote Welt des theologischen Begriffs. Trotzdem hat dieses Buch seine Berechtigung und seinen Wert – es ist der Bericht von der Flucht in den Geist, er möge nun Gott oder Kosmos heißen.

Kein Schwerkranker wird sich auf dem Krankenbett damit beschäftigen, Fieberkurven zu studieren, und es ist durchaus begreiflich, daß in dem Deutschland von 1947, wo der Hunger und die Kälte nahe Nachbarn geworden sind, die KZ-Literatur keine große Anhängerschaft gewinnen kann. Hatten die Häftlinge Hunger? Den haben wir auch. Haben die Häftlinge gefroren? Das tun wir auch. Häuften sich die Toten vor den Krematorien? Wenn es so weitergeht, werden sie das bald wieder tun. Waren die Häftlinge eingesperrt? Das sind Tausende von Kriegsgefangenen auch. Und so weiter – das ist die Begründung der Ablehnung der KZ-Literatur. Ob sie zu Recht oder Unrecht besteht, kann heute keiner entscheiden. Notwendig aber ist, daß die Menschen, die die ungeheure Gesetzlosigkeit des vergangenen Regimes erdulden mußten, diese Kapitel aus der dunkelsten Zeit unserer Geschichte aufschreiben, zur Warnung und Mahnung, für die Toten und die Lebenden.

Der Mensch steht allein auf der dunklen Bühne und ruft nach Gott – kommt Antwort? Der vorletzte Akt der Tragödie des Menschen ist zu Ende gegangen. Ob der letzte Akt die Vernichtung oder Auferstehung bringen wird, das ist die Frage, die wie ein riesiger Schatten über uns allen liegt.

«Von des Glücks Barmherzigkeit»

Auf jeden Fall hat Wolfgang Weyrauch Mut. Und er hat viel Walt Whitman gelesen. Beides kann nur gut sein. Aber es hat auch seine Nachteile. Man sieht es an diesen Gedichten.

Weyrauch spricht die Gegenwart an. Das ist großartig. Aber manchmal mißglückt es. So wie hier: Gewiß hat Hitlers Höllenatem eine Welt in Flammen aufgehen lassen, und man kann ihn darum einen Drachen nennen. Weyrauch tut das und schreibt:

> Es kam einmal ein Mann ins Land,
> der hob die Hand, die rechte Hand,
> da war das Land im Banne.
> Aus seinem Munde fuhr ein Schrei,
> doch, was er schreit, ist einerlei,

das Land willfahrt dem Manne.
Der Mann, der war dem Schimmel gleich,
da faulte uns das Heilge Reich,
und alles ist verloren.

So etwas zu schreiben, dazu gehört Mut. Literarischer Mut. Aber Gedichte dieser Art sind im «Ulenspiegel» (der übrigens ausgezeichnet ist) besser aufgehoben als in einem Gedichtband.

Auffällig ist der Gegensatz von einfacher Whitmanscher Hymnensprache zu Rilkeschen Bildern und Wortspielereien, von volksliedhafter echter Dichtung und symbolisierender Intellekt. Schönes und Schlechtes steht in diesem Gedichtband dicht nebeneinander. Aber man fühlt: Hier ist einer auf dem Weg. In der Prosa ist Weyrauch sehr viel weiter. Da steht er in vorderster Linie und kann in Stil und Inhalt Vorbild sein.

Der Aufbau-Verlag, Berlin, lieferte als Einband ein geschmackloses Wahlplakat: Ein menschliches Paar. Sie hat die treudeutsche Herbheit eines BDM-Mädchens, er hat die bemerkenswert niedrige Stirn eines Hilfsschülers. Schade um die Gedichte.

«Disteln und Dornen»

Verharret im glücklichen Spiel!
Sicherer ist eure winzige Welt.
Todgeweihte wissen, wieviel
Glück mit dem Stern der Kindheit fällt.

Rufet die Mütter ans Bett, wenn im Geäst
der Tapetenblumen plötzlich der Unhold erscheint.
Später, ach wenn euch alles verläßt,
Hört keiner mehr, daß ihr weint.

Wer schreibt das? Wenn ein Fünfzigjähriger das tut, dann ist es natürlich. Es ist die Trauer um das verlorene Paradies. Wenn aber ein knapp Zwanzigjähriger das schreibt, dann erschüttert es. Ist er frühreif, frühvollendet? Nein. Aber er muß es schreiben. Er muß es schreiben, denn er sitzt in einer Gefängniszelle und der Tod ist so nah gerückt, daß er ihn fast greifen kann.

> Zweistimmig sagen mir zu jeder Stunde
> die Glocken meinen Tod voraus.

Was ist geschehen? Nicht viel? Nur das Bekannte. Die Generation, die den kleinen Weltkrieg furchtbar an sich erlebte, war unfähig, den großen zu verhindern. Das ist noch nicht alles. Dieselbe Generation, die vor Hitler kapitulierte, war gewissenlos genug, der Jugend in kriegsverherrlichenden Langemarckfeiern den Massenmord der «Stahlgewitter» legal zu machen. Dieselbe Generation saß dann im großen Weltkrieg über diese Jugend zu Gericht, wenn sie sich auflehnte, und verurteilte sie wegen Pazifismus und Hochverrat. Dieselbe Generation sitzt nun wieder auf dem Katheder und macht dieser von ihr selbst verführten Jugend den Vorwurf der Respektlosigkeit, des mangelnden Vertrauens und der Passivität. Dieselbe Generation, die einen Zwanzigjährigen soweit brachte, daß er, fast selbst noch ein Kind, schreiben mußte:

> Wozu sich daran erinnern,
> wenn ein Kind dort draußen lacht.
> Schatten wachen auf im Innern
> und dann wird es endlich Nacht.

Der Hansische Gildenverlag bringt in einem schmalen Heft diese Gedichte von Karl Ludwig Schneider heraus und erwirbt sich damit ein Verdienst. Denn was ein junger Mensch hier in einem ein und einem halben Dutzend Gedichten sagt, ist weit mehr als das Resultat eines bitteren Erlebnisses und steht hoch über der augenblicklichen Konjunktur von Gefängnisschrifttum.

Anhang

Anmerkungen

AN RUTH HAGER, 10. 4. 1940

Etwas Schönes, den Michelangelo-Film oder Maria Wimmers Gretchen: Curt Oertels Kulturfilm «Michelangelo. Das Leben eines Titanen» kam 1940 in die Kinos. Maria Wimmer (1914–1995) spielte das Gretchen in Karl Wüstenhagens Inszenierung von «Faust I» am Staatlichen Schauspielhaus (Deutsches Schauspielhaus) in Hamburg, die am 25. 2. 1940 Premiere hatte.

AN HUGO SIEKER, 27. 4. 1940

Das Buch von Ihnen: die Broschüre «Vom Mittleramt des Kunstbetrachters», erschienen in der Reihe der «Kulturpolitischen Schriften» des «Hamburger Anzeigers».

Ich habe bei Helmuth Gmelin Schauspielunterricht: Der Schauspieler und Regisseur (1891–1959) war seit 1934 Spielleiter am Deutschen Schauspielhaus in Hamburg. Neben seiner Tätigkeit an der Bühne gab er Schauspielunterricht. 1948 gründete er in Hamburg das Zimmertheater, das heute von seiner Tochter Gerda Gmelin geleitet wird.

VON HUGO SIEKER, 10. 5. 1940

Zyklus «Mythe»: Nach einer Anmerkung von Fritz Borchert aus dem Jahr 1954 sind die Gedichte vom Autor vernichtet worden.

AN ALINE BUSSMANN, Anfang Juni 1940

Die beiliegenden Gedichte: «Du», «Anemone nemorosa», «Geisha». Die erste Strophe des im Brief erwähnten Gedichts «Die Einsamen»: «Abgesang – / nun reißt die Fahnen, / Freunde – / reißt sie nieder!»

AN URSULA LITZMANN, Juni 1940

Ohne in der «Koralle» auf den Namen des unbedeutenden Fotografen zu achten: Fotos von Ursula Litzmann illustrierten den Bericht «Faust im Kriege. Mathias Wieman erzählt von seinem Gastspiel in Hamburg», erschienen in Heft 23 vom 9. 6. 1940.

Das Zeug einer Rosemarie Clausen: Die Fotografin (1907–1990) hatte 1938 das Buch «Mensch ohne Maske» veröffentlicht und spezialisierte sich auf die Theaterfotografie. Borchert machte erst später ihre persönliche Bekanntschaft: Rosemarie Clausen kam 1945 nach Hamburg und arbeitete für die Hamburger Theater. 1946/47 fotografierte sie Borchert, die einzigen professionellen Aufnahmen des jungen Dichters.

AN URSULA LITZMANN, Juni 1940

Besonders im «Orpheus»: Borchert besaß Rilkes «Sonette an Orpheus» als Inselband Nr. 115.

AN WERNER LÜNING, 7. 7. 1940

«Herr» Insel: Anton Kippenberg, Verlagsbuchhändler (1874–1950).

Ich habe meiner Mutter Morgan geschenkt: Charles Morgans Romane «Der Quell» und «Die Flamme» waren in deutscher Übersetzung bei der Deutschen Verlags-Anstalt in Stuttgart zuerst 1933 bzw. 1936 herausgekommen und erlebten mehrere Auflagen.

AN ALINE BUSSMANN, 5. 8. 1940

Das schöne Erlebnis bei Möllers: Vera Mohr-Möller hatte Borchert zu einem Kammermusik-Abend in ihrem Hause eingeladen, Anlaß für den jungen Autor, das Gedicht «Concerti grossi» zu schreiben.

Mag auch der Welten Lauf / ruhn unter Wipfeln: Die beiden Anfangsverse des Gedichts «Ziel», das Borchert Aline Bußmann mit seinem Brief vom 22. 7. 1940 geschickt hatte.

In meinem «Herbstgesang»: Die letzte Strophe des Gedichts lautet: «Wir stehen still und alabastern / vertrauend aus verirrten Lastern: / und gütig lächeln uns die Astern.»

AN WERNER LÜNING, September 1940

Woltmännin, Thurmännchen, Elna: Kolleginnen von Borchert bei der Buchhandlung C. Boysen.

Somerset Maugham, John Cowper Powys: In einem nur fragmentarisch erhalten gebliebenen Brief an Lüning vergleicht Borchert Maughams Roman «Der Menschen Hörigkeit» mit dem Buch von Powys: «Bei Maugham entsteht alles aus den äußeren Konflikten – in ‹Wolf Solent› alles aus den inneren. Und dabei sind beide von einer so ungeheuren psychologischen Durchdringung erhellt, daß man beide wohl als Meisterwerke moderner Prosa bezeichnen kann.»

Jetzt les ich gerade «Neu Amerika»: Die von Kurt Ulrich herausgegebene und eingeleitete Anthologie, erschienen 1937 bei S. Fischer, präsentierte «Zwanzig Erzähler der Gegenwart», darunter Faulkners Erzählung «Morgen, Kinder, wird's was geben».

Schillertheater, wo George den Laden schmeißt: Dem Schauspieler Heinrich George, repräsentativer Darsteller des NS–Films, war 1937 die Intendanz des Berliner Schillertheaters übertragen worden.

Die Filmleute nehmen immer den Mund sooo voll: Die geplante Verfilmung von Gerhart Hauptmanns Schauspiel «Rose Bernd» mit Brigitte Horney («Biggy») kam nicht zustande. Im Sommer 1940 verhandelte Gründgens, der Regie führen sollte, in Rom über einen Caesar-Film als deutsch-italienische Coproduktion; als Drehbuchautor waren Mussolini und Giovachino Forzano vorgesehen, doch auch dieses Projekt wurde nicht realisiert. In dem 1940 entstandenen Film «Trenck, der Pandur», Regie Herbert Selpin, spielte Hans Albers erstmals eine Kostümrolle.

«Wesen und Aufgabe der Dichtung» von Martin Beheim-Schwarzbach und Joachim Maass, 1934 erstmals erschienen bei der Gesellschaft der Bücherfreunde, Hamburg, später übernommen vom Verlag Hauswedell.

AN WERNER LÜNING, 3. 11. 1940

Villon: Die erwähnte Ausgabe im Münchner Callwey-Verlag – übertragen, mit Einleitung und Anmerkungen von Martin Löpelmann – war 1937 in 2. Auflage erschienen. Wie angekündigt legte sich Borchert auch die Hauswedell-Ausgabe zu: Nachdichtung von Ernst Stimmel, mit Federzeichnungen von A. Paul Weber, Hamburg o. J. John Erskines Roman «Das kurze Glück des François Villon» kam 1939 in deutscher Übersetzung heraus. Damit nicht genug: Wie Borchert in einem Brief an Dorothea Hoffmann–Reeber, 16. 9. 1945, mitteilte, besaß er «dazu noch eine Erzählung von Kasimir Edschmid über François».

AN WERNER LÜNING, 7. 11. 1940

Endgültige innere Trennung: Fünf Jahre später, in einem nicht datierten Brief von Anfang 1946 an Dorothea Hoffmann-Reeber, hat Borchert sein apodiktisches Urteil wiederholt: «Ich flüchte mich in senile Gefilde schöner Literatur und lese Rilke, Rausch (Benrath) u. George + Hofmannsthal. Das regt nicht auf (außer Rilke), diese Brüder (außer Rilke) haben mehr Tintenwasser als Blut in den Adern.»

Rausch (alias Benrath): Der Lyriker und Romancier Henry Benrath (1882–1949), der bis 1932 unter seinem eigentlichen Namen Albert H. Rausch publizierte, stand dem George-Kreis nahe. Borchert besaß von ihm den Band «Südliche Reise», Stuttgart / Berlin o. J., und schenkte – mit Widmung – zu Weihnachten 1940 seinem Freund Claus Dammann den Roman «Die Kaiserin Theophano».

AN VERA MOHR-MÖLLER, 12. 1. 1941

Deine Sache in der DAZ: Werner Butz veröffentlichte in der Beilage der «Deutschen Allgemeinen Zeitung», 12. 1. 1941 den Artikel «‹Klein-Erna› oder die Umwege des Ruhms. Ein Besuch bei Vera Mohr-Möller», der mit Fotos von Plastiken der Künstlerin illustriert war.

Vietta, der Maiop: Das plattdeutsche Schimpfwort bedeutet wörtlich «Maiaffe». Der Schriftsteller Egon Vietta (1903–1959) stand in Kontakt mit Vera Mohr-Möller.

Rudi Godden ist auch tot: Der Schauspieler und Kabarettist (1907–1941), der im Film «Hallo, Janine!» den Schlager «Ich brauche keine Millionen» sang, war am 3. Januar gestorben.

Pinsel doch mal zu «Arti + Mira» was: Borchert hatte für die befreundete Künstlerin «Arti und Mira. Eine indische Legende» geschrieben und ihr mit Widmung zu Weihnachten 1940 geschenkt. Vier Jahrzehnte später griff Vera Mohr-Möller die Anregung auf und brachte in einem Privatdruck, illustriert mit zehn farbigen Bildern, Borcherts Dichtung heraus.

Klein Erna Witze für 3. Band: Vera Mohr-Möller hatte 1938, zunächst im Selbstverlag, volkstümliche Witze über eine Hamburger Göre gesammelt und illustriert; 1941 war ein zweiter Band mit «Klein Erna»-Witzen gefolgt.

AN VERA MOHR-MÖLLER, 19. 1. 1941

Heute morgen war ich bei Harald Kreutzberg: In der Reihe «Tanzmorgen» gastierte am 19. 1. 1941 in einer Sonntagsmatinee im Thalia-Theater der Startänzer mit seinem Programm «Neue Tänze und Gestalten» (musikalische Begleitung: Friedrich Wilckens). Vgl. Hugo Siekers Artikel «Tänzerische Vollendung» im «Hamburger Anzeiger», 20. 1. 1941. Die Konkurrenzveranstaltung, die Wilhelm (Bobby) Möller vorzog: Im Conventgarten gab das Hanke-Quartett zur selben Zeit ein Konzert mit Werken von Brahms, Schubert und Beethoven.

DuJu: Dummer Junge. Vera Mohr-Möller, zehn Jahre älter, eine verheiratete Frau mit zwei Kindern, hatte Borchert einmal so genannt; seitdem unterschrieb er seine Briefe an sie mit diesem oder ähnlichen Kürzeln («KleiDuJu» = Kleiner Dummer Junge, «DuJuWo» usw.).

AN VERA MOHR-MÖLLER, 21. 1. 1941

Gekürzt. Der fünfzehnseitige Brief ist nicht vollständig erhalten, die Reihenfolge der Seiten nicht mit Sicherzeit zu bestimmen.

Shakespeare-Premiere im Altonaer Theater: «Der Widerspenstigen Zähmung», inszeniert von Paul Legband, hatte am 21. 1. 1941 am Deutschen Volkstheater, dem ehemaligen Altonaer Stadttheater, Premiere.

«Die Insel der Dämonen»: Film von Friedrich Dalsheim und Victor von Plessen, uraufgeführt 1933. Geschildert wird eine Südsee-Romanze auf Bali: Der Sohn einer «Hexe» liebt die Tochter eines reichen Reisanbauers. «Ein beglückender Film», lobte die Kritikerein Lotte H. Eisner 1933 im «Film-Kurier», 17. 2. 1933. «Beglückend, weil es irgendwo in der Welt noch Menschen gibt, edel wie Griechenstatuen, der Natur selbstverständlich verwachsen.»

Ich habe bisher drei dramatische Arbeiten zuwege gebracht: Typoskripte der Theaterstücke befinden sich im Wolfgang-Borchert-Archiv der Staats- und Universitätsbibliothek Hamburg.

Meine mir bevorstehenden zwei Jahre: die reguläre Militärzeit. Borchert ging offensichtlich davon aus, daß er trotz des Krieges nicht länger Soldat sein müßte.

Wärst Du nicht mit mir in den Schillerfilm gegangen: «Friedrich Schiller – Der Triumph eines Genies», Film von Herbert Maisch mit Horst Caspar in der Titelrolle, hatte seine Hamburger Erstaufführung am 22. 11. 1940.

Wann erscheint Viettas Buch? «Romantische Cyrenaika» von Egon Vietta, mit 14 Zeichnungen von Vera Mohr-Möller, kam beim Hamburger Verlag Broschek & Co. 1941 heraus.

AN ALINE BUSSMANN, 17. 2. 1941

Gottfried Benn hatte doch recht: Das Zitat stammt aus dem Gedicht «Schädelstätten», erstmals gedruckt in: Gottfried Benn, «Gesammelte Gedichte», Berlin 1927. Borchert besaß außerdem die Ausgabe «Ausgewählte Gedichte 1911–36» von Gottfried Benn, erschienen bei der Deutschen Verlags-Anstalt, Stuttgart / Berlin 1936.

AN CLAUS DAMMANN, 28. 2. 1941

Mußt Du Dir in Altona den «Goldenen Dolch» ansehen: Das Schauspiel von Paul Apel, inszeniert von Alfred Mendler, hatte am 22. 2. 1941 im Deutschen Volkstheater Premiere gehabt. Apels Traumspiel «Hans Sonnenstößers Höllenfahrt» war in der Neufassung von Gustaf Gründgens ebenfalls von der Altonaer Bühne gespielt worden.

AN VERA MOHR-MÖLLER, 23. 3. 1941

Beiliegenden Artikel zu Gmelins 50. Geburtstag: Borcherts Geburtstagsgruß erschien am 21. 3. 1941 im «Hamburger Anzeiger».

Herr Leudesdorff, Legband usw.: Zur Prüfungskommission gehörten Paul Legband, Intendant des Deutschen Volkstheaters in Hamburg-Altona, und Ernst Leudesdorff, Staatsschauspieler und Geschäftsführer des Hamburger Thalia-Theaters.

AN WERNER LÜNING, 23. 3. 1941

Wiecherts «Geschichte eines Knaben»: Novelle von Ernst Wiechert (1887–1950), erschienen Tübingen 1929.

Beiliegendes: Dem Brief lagen als Zeitungsausschnitt bei Borcherts Artikel «Helmuth Gmelins 50. Geburtstag» nebst einem Gedicht auf seinen Schauspiellehrer, beides veröffentlicht im «Hamburger Anzeiger», 21. 3. 1941.

AN CARL ALBERT LANGE, 14. 4. 1941

Wir haben einen recht anständigen Spielplan: «Krach im Hinterhaus», Volksstück von Maximilian Böttcher; «Jugend», Theaterstück von Max Halbe: «Die vier Gesellen», Lustspiel von Jochen Huth; «Krach um Jolanthe» (plattdeutsche Fassung: «Swienskomödie»), Volksstück von August Hinrichs.

«Sünder und Heiliger»: Tragödie von Svend Borberg, uraufgeführt am 4. 4. 1941 am Staatlichen Schauspielhaus in Hamburg. Regie führte Karl Wüstenhagen. Helmuth Gmelin spielte die Rolle des Don Quixote. Eine Buchausgabe erschien 1942 beim Verlag Hoffmann & Campe, Hamburg.

In meiner Tasche trage ich immer die beiden Gedichte «Katze» und «Fliege»: Im Nachlaß von Carl Albert Lange befindet sich ein Konvolut mit «Tiergedichten». Die erste Strophe des erwähnten Gedichtes «Fliege»: «Ein Punkt war deine Wiege / da rief das Licht – / winde hervor dich und fliege.» Das Gedicht «Katze» ließ sich nicht nachweisen.

Existieren Gedichte von Ihnen in Buchform: Borchert sprach einen wunden Punkt an. Von C. A. Lange waren 1921 «Sibirien» im Konrad Hanf Verlag, Hamburg und 1928 «Im Netz der Gestirne» im Horen Verlag, Berlin erschienen; beide Verlage waren eingegangen, so daß nur der Band «Vom Leben und Tod der Sonnenblume» – Quickborn Verlag, Hamburg 1937 – vorlag. Der größte Teil des lyrischen Werks von C. A. Lange blieb ungedruckt.

AN CLAUS DAMMANN, 14. 4. 1941

Nicht weitersagen, wem, weißt Du ja: Borchert wollte nicht, daß Günter Mackenthun – gemeinsamer Schulfreund, mit dem er sich überworfen hatte – seine Lüneburger Adresse erfuhr. Auch die Bemerkung «Es ist

kein falsches Theater wie bei ...» in dem Brief an Dammann vom
21. 4. 1941 bezieht sich auf Mackenthun. Vgl. die Anmerkung zu dem
Brief an Dammann v. 28. 3. 1942.

AN CLAUS DAMMANN, 20. 4. 1941

Wenn Du mir das «Postamt» schicken würdest: Rabindranath Tagores Büh-
nenspiel «Das Postamt».

Schicke mir bitte Sallets: ‹Don Quixote›: Claus Dammann hatte im
4. Band von Heinrich Kurz' «Geschichte der deutschen Literatur mit aus-
gewählten Stücken aus den Werken der vorzüglichsten Schriftsteller»,
erschienen beim Leipziger Verlag Teubner 1874, das zweiteilige Gedicht
«Don Quixote» von Friedrich von Sallet (1812–1843) entdeckt.

AN CLAUS DAMMANN, 21. 4. 1941

Sooo eine Widmung: In das Buch von Tagore hatte Claus Dammann folgende Widmung geschrieben: «Licht! O, wo ist das Licht? Entzünd es am
brennenden Feuer der Sehnsucht!» Gitanjali, Tagore. Für deine Lüneburger Zeit – Claus.

Wie ich mich zu Renée Sintenis gefreut habe: Der Freund hatte ihm Hans
Gstettners Gedichtband «Die Götter leben», mit Zeichnungen von Renée
Sintenis (1888–1965), Königsberg 1941, geschenkt.

Zu einer Auseinandersetzung mit Herrn Musset bin ich noch nicht gekommen:
Die Freunde besaßen beide die fünfbändige Ausgabe Alfred de Musset,
«Gesammelte Werke», erschienen 1925 bei Georg Müller, München.

Da Herr Gauguin mich beschäftigt: Borchert las Paul Gauguins autobio-
graphischen Roman «Noa Noa», erschienen bei B. Cassirer Berlin 1934;
außerdem befand sich in seiner Bibliothek Pola Gauguins Buch über ihren
Vater, veröffentlicht im List Verlag Leipzig 1937.

Das koreanische Symbol für M + W: Mann und Weib. Die aus der chinesi-
schen Philosophie stammenden, einander ergänzenden und bedingenden
kosmologischen Prinzipien Yang (das Männliche) und Yin (das Weib-
liche) sind Bestandteil des Wappens von Korea.

AN VERA MOHR-MÖLLER, 22. 4. 1941

Hier in meinem Stammhotel: Der Briefkopf lautet: Hennes Hotel. Besitzer: Emil Henne, Lüneburg, Am Sande.

Balifilm: Aus dem Material zu dem Spielfilm «Die Insel der Dämonen», von dem Borchert in dem Brief an Vera Mohr-Möller vom 21. 1. 1941 schwärmte, hatte Victor von Plessen einen Kulturfilm montiert: «Bali – Kleinod der Südsee». Ein Exemplar des «Illustrierten Filmkuriers» zu diesem «Expeditionsfilm» befindet sich im Borchert-Nachlaß.

AN HEIDI BOYES, 4. 6. 1941

Gekürzt. Der ausufernde Brief wurde über mehrere Tage fortgesetzt.

Und dann das Buch: Nach der Erinnerung von Heidi Boyes hatte sie ihm «Die Aufzeichnungen des Malte Laurids Brigge» von Rilke geschenkt.

Herr Tilgners netter Bericht: Der Lüneburger Theaterkritiker Eberhard Tilgner hatte in seinem Artikel «Bildnis einer jungen Schauspielerin», der zum Abschied Heidi Boyes' aus dem Ensemble der Landesbühne Ost-Hannover 1942 in der Lokalpresse erschien, geschrieben: «Eine Marianne Hoppe, nein, das war sie nicht. Eher eine Käthe Dorsch.»

«Versprich mir nichts»: Stück von Charlotte Rißmann. Film: Regie von Wolfgang Liebeneiner, 1937.

Eugen, Annegret: Ensemblemitglieder der Landesbühne Ost-Hannover: Eugen Braun, Annegret Lerche.

Wenn ich in Weimar nun nicht sooo oft schreiben kann: Zwei Tage später, am 6. Juni 1941, trat Borchert seine Militärdienstzeit bei der 3. Pz. Nachr. Ers. Abt. 81 in Weimar an.

AN CLAUS DAMMANN, 4. 8. 1941

Nach 8 Wochen Sträflingsdasein: die militärische Grundausbildung. Das wirkliche Sträflingsdasein sollte Borchert ein Jahr später kennenlernen.

Faire une perle d'une larme: Borchert zitiert Alfred de Mussets «Impromptu, en réponse à cette question: Qu'est-ce que la poésie?» (1839), dessen Schlußverse lauten: «Faire une perle d'une larme: / Du poète ici-bas voilà la passion, / Voilà son bien, sa vie et son ambition.»

Den «Empedokles» gelesen: Nachweis der Zitate aus Hölderlins Trauerspiel «Der Tod des Empedokles»: 1. Fassung, 1. Akt; 2. Fassung, 1. Akt, 2. und 3. Auftritt.

AN ALINE BUSSMANN, August 1941

Dann ist mir so zu Mute wie Hyperion: In Hölderlins «Hyperion», Erster
Band: Erstes Buch, heißt es: «Ich war es endlich müde, mich wegzuwerfen, Trauben zu suchen in der Wüste und Blumen über dem Eisfeld. Ich
lebte nun entschiedner allein, und der sanfte Geist meiner Jugend war fast
ganz aus meiner Seele verschwunden. Die Unheilbarkeit des Jahrhunderts
war mir aus so manchem, was ich erzähle und nicht erzähle, sichtbar geworden, und der schöne Trost, in *einer* Seele meine Welt zu finden, mein
Geschlecht in einem freundlichen Bilde zu umarmen, auch der gebrach
mir.»

AN CLAUS DAMMANN, 28. 3. 1942

Über Günter: Borchert hatte sich mit seinem Schulfreund Günter
Mackenthun, mit dem er gemeinsam das Theaterstück «Käse» (1939)
verfaßt hatte, entzweit. In einem Brief vom 8. 4. 1942, ebenfalls an
Claus Dammann, schrieb er: «Eine treffliche Charakteristik Günters findest Du in ‹Hamlet›. Der Hofmann Osrick V. Auftritt, 2. Aufzug – nein,
umgekehrt. Da, wo es heißt: Er machte Umstände mit seiner Mutter
Brust, eh' er daran sog.» Borchert bezieht sich auf folgende Passage bei
Shakespeare: «Er machte Umstände mit seiner Mutter Brust, ehe er daran
sog. Auf diese Art hat er und viele andere von demselben Schlage, in die
das schale Zeitalter verliebt ist, nur den Ton der Mode und den äußer-
lichen Schein der Unterhaltung erhascht: eine Art von aufbrausender Mischung, die sie durch die blödesten und gesichtesten Urteile mitten hindurch führt; aber man treibe sie nur zu näherer Prüfung, und die Blasen
platzen.»

AN CLAUS DAMMANN, 27. 5. 1942

2 Gedichte veröffentlicht: Das erste, «Frühling», erschien am 22. 4., das
zweite, «Stille Stunde», am 21. 5. 1942 im «Hamburger Anzeiger».

BESCHEINIGUNG

Dokumente über die erste Inhaftierung Borcherts und den anschließen-
den Prozeß sind nicht bekannt, weshalb hier eine nach Kriegsende von
Dr. Hager ausgestellte Bescheinigung eingefügt wurde. Nach den Unterlagen der Wehrmacht wurde Borchert am 25. Juni 1942 aus dem Lazarett
Schwabach in die Wehrmacht-Strafanstalt Nürnberg-Bärenschanze überstellt; aus der Strafanstalt entlassen, kam er am 8. Oktober 1942 wieder
zur Truppe.

AN DIE ELTERN, Oktober 1942

Dichterbriefe im Tageblatt: Unter der Überschrift «Dichterspiegel» brachte
das «Hamburger Tageblatt» am 10. 10. 1942 Antworten auf eine Um-
frage von Herybert Menzel, Richard Billinger und August Winnig. Der
Beitrag von Agnes Miegel trug den Titel «Die schreibende Frau und die
Phantasie».
    Tante Elsa: Elsa Sattelberg, Schwester von Hertha Borchert.

VON HUGO SIEKER, 6. 11. 1942

Die Arbeit über Genie und Idyll: Der Text von Borchert ist wahrscheinlich
verschollen.

AN DIE ELTERN, 22. 1. 1943

Von Edgar Maaß hab ich «Das große Feuer» gelesen: Der Roman des Hamburger Schriftstellers (1896–1964) erschien 1939.

AN HUGO SIEKER, 5. 3. 1943

Möchte ich unter dem Namen St. Pauli vor der Öffentlichkeit erscheinen: Borchert hat den Plan nicht verwirklicht.

VON HUGO SIEKER, 10. 3. 1943

HA: «Hamburger Anzeiger»
  Die letzte kleine Broschüre von mir: Hugo Sieker: «Die Bürgschaft der Heimat. III. Die große Vorbereitung», eine Sammlung von kulturkritischen Betrachtungen, als Sonderveröffentlichung des «Hamburger Anzeigers» 1943 erschienen.

AN DIE ELTERN, März 1943

Seine Almassy ist im Thalia Theater gelandet: Die Schauspielerin Susanne von Almassy war Schülerin von Helmuth Gmelin.
  In Altona hatte damals Lauffen die Rolle gespielt: Der Schauspieler Richard Lauffen war in Alfred Mendlers Inszenierung 1941 Darsteller des Kotaro.

AN CLAUS DAMMANN, 29. 3. 1943

Du immer noch in Stettin Deines Amtes walten darfst: Dammann, der nach der Entlassung aus dem Militärdienst Medizin studiert hatte, war 1942 erneut eingezogen worden und betreute das erweiterte Krankenrevier der Flakgruppe Groß-Stettin.

AN DIE ELTERN, 1943

Oma aus Schwerin: Elise Borchert, die Mutter von Fritz Borchert, war am 3. 3. 1943 verstorben.
  Helmuths Theorie von der Beherrschung: Borcherts Schauspiellehrer Helmuth Gmelin.

AN CLAUS DAMMANN, 5. 7. 1943

3 Monate ist er g. v. H.: Abkürzung für ‹garnisonsverwendungsfähig in der Heimat›.

AN DIE ELTERN, 1943

Die «O-Beine» habe ich vom Simpli wiederbekommen: Borchert hatte in der Zeitschrift «Simplicissimus» am 23. 6. 1943 das Gedicht «Allerhand» («Der Tausendfüßler») veröffentlicht; der im Brief erwähnte Text «O-Beine» ist nicht erhalten geblieben.

AN CARL HAGER, 4. 1. 1944

bdgt. K. v.: Abkürzung für ‹bedingt Kriegsverwendungsfähig›.

AN ALINE BUSSMANN, 22. 1. 1944

Unterwegs Dr. Strempel traf: Alexander Strempel (1886–1973), Studienrat in Hamburg-Eimsbüttel, verfaßte ein plattdeutsches Wörterbuch; er war Vorstandsmitglied und Schriftleiter der plattdeutschen Vereinigung «Quickborn».

VON HUGO SIEKER, 4. 2. 1944

Daß Sie nach Frankreich versetzt werden sollten: Sieker ahnte offenbar nicht, daß Borchert im Gefängnis saß. Hertha Borchert leitete Siekers Brief an Rechtsanwalt Hager weiter, der sich mit ihm in Verbindung setzte. Sieker stellte ihm Manuskripte von Borchert zur Verfügung, die bei der Verteidigung eventuell nützlich sein könnten. «Ich möchte nur wünschen, daß Sie dem Jungen wirklich helfen können. Ich dachte, seine Kriegsgerichtsangelegenheit gehört längst der Vergangenheit an. Oder ist inzwischen schon wieder etwas Neues gewesen?» (Sieker an Hager, 5. 7. 1944)

Daß Sie noch eine Adresse wünschen: In einem Brief aus Jena vom November 1943 hatte Borchert an Sieker geschrieben: «In Ihrer ‹Jungs und Deerns›-Beilage war neulich ein sehr schönes Gedicht von einem kleinen Mädchen, Edith Warncke, das hab ich mir ausgeschnitten.»

AN CARL HAGER, 21. 2. 1944

Hoffentlich durften Sie den 17. Februar glücklicher verleben als meine Eltern:
Sowohl Hertha Borchert wie Aline Bußmann hatten am 17. Februar Geburtstag.

AN ALINE BUSSMANN, 15. 9. 1944

So kamen mir «Jan Himp» + «Sterne überm Meer» gerade recht: «Jan Himp
und die kleine Brise», populäre Erzählung von Hans Leip (1893–1983),
erschien 1934. Der junge Dichter Gorch Fock, eigentlich Johann Kinau,
bekannt geworden durch seinen Roman «Seefahrt ist not», starb 1916 in
der Skagerrakschlacht. Die Nachlaßpublikation «Sterne überm Meer.
Tagebuchblätter und Gedichte», 1917 von Aline Bußmann herausgegeben, wurde ein großer Bucherfolg. Aline Bußmann war mit Gorch Fock
befreundet und stand mit ihm in einem regen Briefwechsel; ihre Korrespondenz wurde 1971 unter dem Titel «Da steht ein Mensch», herausgegeben von Hugo Sieker, im Christians Verlag Hamburg veröffentlicht.

AN DIE ELTERN, 4. 10. 1944

Heinrich Deiters: Plattdeutscher Schriftsteller (1882–1973), befreundet
mit Hertha Borchert.
    Margrete hab ich da nicht mehr: Vgl. die Geschichte «Marguerite» in der
Sammlung «Die traurigen Geranien und andere Geschichten aus dem
Nachlaß», hrsg. von Peter Rühmkorf, Reinbek 1962.
    Von Feige soll ich grüßen: Rudolf Feige, Kriegskamerad von Borchert.
    Börchings: Verniedlichung des Namens Borchert.

AN ALINE BUSSMANN, 14. 10. 1944

Hans Leips «Bergung»: Die Erzählung erschien 1939. Borcherts Eindruck
nach der Lektüre: vgl. Brief an die Eltern, 22. 10. 1944.

AN HUGO SIEKER, 20. 10. 1944

Daß Sie Ihr schönes Reich am Gänsemarkt verlassen mußten: Am 1. 9. 1944 wurden die Hamburger Zeitungen zusammengelegt, bis zum 30. 4. 1945 erschien die «Hamburger Zeitung» als «Kriegsarbeitsgemeinschaft der Zeitungen ‹Hamburger Anzeiger›, ‹Hamburger Fremdenblatt›, ‹Hamburger Tageblatt›» (Untertitel). Am Gänsemarkt war der Sitz der Redaktion des «Hamburger Anzeigers» gewesen, die neue Zeitung wurde im Pressehaus am Speersort gemacht. Alle Redakteure, sofern sie nicht älter als 40 Jahre waren, wurden eingezogen. Am 4. 9. 1944 schrieb Sieker an Hertha Borchert: «Da ich nicht zur Schriftleitung der neuen Hamburger Einheitszeitung gehöre, sind meine Tage als Zivilist jetzt wohl gezählt.» Ende 1944 wurde er Soldat.

AN CARL ALBERT LANGE, 22. 10. 1944

Daß Sie von der neuen Zeitung mit übernommen sind: Carl Albert Lange, bisher beim «Hamburger Anzeiger», wurde Mitarbeiter an der «Hamburger Zeitung», der kriegsbedingten Zusammenlegung aller Hamburger Blätter.

AN DIE ELTERN, 22. 10. 1944

Der Brief von Kinau könnte auch von Graveley sein: Rudolf Kinau (1887–1975), Bruder von Gorch Fock, war ein populärer plattdeutscher Autor, der mit seinen Rundfunkbeiträgen ein großes Publikum erreichte; Arthur Graveley war ein nur lokal bekannter Heimatdichter aus Vierlanden, der Heimat Hertha Borcherts.

AN ALINE BUSSMANN, 17. 12. 1944

Umstehender Kopf: Die Ansichtspostkarte zeigt ein Detail der Plastik «Kameraden» von Arno Breker, dem bevorzugten Bildhauer von Adolf Hitler.

AN CARL HAGER, 3. 3. 1945

Ein solches Produkt: Dem Brief legte Borchert seine mit farbigen Illustrationen versehene «Hafenballade» bei.

Ose von Sylt: Drama in 5 Akten von Hans Ehrke, erschienen 1932. Die Titelfigur hatte Aline Bußmann an der Niederdeutschen Bühne gespielt.

AN WERNER LÜNING, 3. 9. 1945

Dein Kusinchen Edda: Die Schauspielerin Edda Seippel (1919–1993) war 1945 / 46 an den Hamburger Kammerspielen engagiert.

Auf der Hauptprobe von «Jedermann»: Die Inszenierung hatte am 28. 8. 1945 in der Hamburger St. Johanniskirche Premiere; Regie führte Gerhard Bünte. Den Jedermann spielte Werner Hinz, den Tod Helmuth Gmelin; unter den weiteren Darstellern befanden sich Susanne von Almassy, Ida Ehre und Inge Meysel.

Zwischen uns doppelten Kollegen: Lüning wie Borchert waren Lehrling in der Buchhandlung Boysen, beide wurden in der Nazi-Zeit wegen regimekritischer Äußerungen inhaftiert.

AN WERNER LÜNING, Oktober 1945

«Janmaaten im Hafen»: «Mit Genehmigung der Militärregierung» veranstaltete die Vereinigung Niederdeutsches Hamburg einen Kabarettabend, auf dem neben Borchert Henry Harder, Viola Wahlen, Carl Voscherau und Liselotte Pfeiffer auftraten. Der Abend hatte am 27. 9. 1945 im Volksheim Eppendorf Premiere und wurde mehrfach wiederholt. Das Plakat versprach «2 fröhliche Stunden mit verliebten Leichtmatrosen und seetüchtigen Schwerenötern, Weltenbummlern und Seeräubern, blonden Meerjungfrauen und pikfeinen Hamburger Deerns und allerlei anderen Hafenwundern und Salzwasserleuten». Laut Programmzettel steuerte Borchert die Nummern «Hamburger Mädchen» («Ein zartes Lied von der Liebe im Südwind») und «In Hamburg» («Ein Mädchen träumt von der blauen Hafennacht») bei.

«Tarzan der Leise»: Verballhornung von «Nathan der Weise». Helmuth Gmelins Inszenierung, Regieassistenz Borchert, hatte am 21. 10. 1945 Premiere.

AN WERNER LÜNING, 5. 11. 1945

S. F. bringt Barlachs Werke: Am 29. 10. 1945 meldete das «Hamburger Nachrichten-Blatt», daß als erster Verlag in der britischen Zone Berlins Peter Suhrkamp eine Lizenz für die Fortführung des ehemaligen S. Fischer Verlages erhalten habe. Als erste Projekte wurden genannt «Das Glasperlenspiel» von Hermann Hesse sowie eine Gesamtausgabe der Werke Ernst Barlachs. 1948 erschien im Suhrkamp Verlag Barlachs Roman «Der gestohlene Mond» sowie das Fragment «Seespeck».

Du mußt mir noch mal Deine Eindrücke über den «Nathan» schreiben: Borchert hatte die Aufführung, bei der er Regieassistent war, wegen seiner Krankheit nicht sehen können. In Helmuth Gmelins Inszenierung spielte Edda Seippel die Recha, Herbert Bleckmann den Derwisch.

AN WERNER LÜNING, 17. 12. 1945

In der «Komödie» für 250,- engagiert: Ende Dezember 1945 wurde in Hamburg-Altona das Theater «Komödie» eröffnet, eine Produktion von Barlachs «Sündflut» kam jedoch nicht zustande.

AN WERNER LÜNING, 24. 12. 1945

Krieche auf allen Vieren alkoholgefüttert: Auf ärztliche Anordnung sollte Borchert Rotwein mit geschlagenem Ei einnehmen. Die ratlosen Ärzte probierten an dem Patienten verschiedene, recht dubiose Heilverfahren aus; eine Zeitlang aß Borchert auf Weisung eines Homöopathen Pferdefleisch.

AN HUGO SIEKER, 6. 1. 1946

Als dreifacher Weihnachtsmann: «Das tiefe Atemholen. Sechs Betrachtungen von der Niederelbe, geschrieben in der Kriegsgefangenschaft», Hamburg 1945; «Die Jahres-Uhr. Ein Kalender für das Jahr 1946», hrsg. von der Vereinigung Niederdeutsches Hamburg, mit Texten von Hugo Sieker; «Gast bei Tieren. Zeichnungen von Gretl Götz, Prosastücke von Hugo Sieker», Hamburg 1945 (dort S. 25–28: «Tiere im Regen»).

AN HUGO SIEKER, 16.1.1946

Wundern Sie sich nicht über das Komitee: Hugo Sieker war im August 1945 aus der Kriegsgefangenschaft entlassen worden und hatte das Entnazifizierungsverfahren der britischen Militärbehörden durchlaufen. Anfang 1946 wurde der «Hamburger Kulturrat», Geschäftsführer war der Schriftsteller Heinrich Christian Meier, gegründet, der als beratende Instanz der Militärregierung bei der «Denazifizierung» des Kulturlebens helfen sollte und neue Untersuchungen anstellte.

Das Feuilleton des «H. A.»: Zur Kulturredaktion des «Hamburger Anzeigers» (H. A.) gehörten Hugo Sieker (H. S.), Carl Albert Lange (C. A. L.) und Bernhard Meyer-Marwitz (B. M.-M.).

AN CARL HAGER, 21.1.1946

«9 tröstliche Lieder» Ellermann anbieten: Der Verleger Heinrich Ellermann hatte 1934 die Reihe «Das Gedicht. Blätter für die Dichtung» gegründet, die er 1945 fortführte. Borchert besaß aus der alten Reihe zahlreiche Hefte.

AN CARL HAGER, 27.1.1946

Ein Freund aus Braunschweig: Werner Lüning. Der «einliegende Artikel» läßt sich nicht mehr verifizieren.

Die ich in der Lehrterstraße kennenlernte: In einem Telegramm von Borchert an Carl Hager vom 25.1.1944 heißt es: «Bin heute in das Wehrmachtsuntersuchungsgefängnis Berlin NW 40 Lehrterstraße 61 überführt.»

Ist der «Blaue Boll» eine Komödie: Ernst Barlachs Drama, 1926 erschienen, kann man durchaus als Komödie bezeichnen.

AN HUGO SIEKER, 18.2.1946

Zum ersten Mal eine Erzählung: Es handelt sich um «Die Hundeblume».

Meinen Sie, daß ich Husmann behelligen darf: Zu dem Maler Fritz Husmann (1896–1982), Mitarbeiter des «Hamburger Anzeigers», vgl. Paul Schureks Artikel «Ein Hamburger Zeichner», in: «Hamburger Allgemeine Zeitung», 15.10.1946. Zu Weihnachten 1946 schenkte Husmann Borchert ein Bild, wofür sich dieser am 10.2.1947 herzlich bedankte.

VON ALBRECHT GOES, 4. 3. 1946

Da wir in der NZ vom 28. 11. auf einer Seite prangen: «Die Neue Zeitung» –
laut Untertitel «Eine amerikanische Zeitung für die deutsche Bevölke-
rung», bei der Erich Kästner Schriftleiter war – brachte in ihrer Ausgabe
vom 28. 2. 1947 Borcherts «Das graurotgrüne Großstadtlied» sowie von
Goes den Aufsatz «Goethegedichte in dieser Zeit».

AN ALINE BUSSMANN, März 1946

Vor Deinen Operationstagen: Aline Bußmann und Borchert lagen beide im
selben Krankenhaus.
   Darf ich mich verteidigen? Aline Bußmann hatte einige Formulierungen
in Borcherts Erzählung «Die Hundeblume» kritisiert. Der Autor Otto
Ernst (1862–1926) veröffentlichte u. a. naturalistische Arbeiterlyrik
(«Mann der Arbeit, aufgewacht!», 1919); die von Borchert erwähnten
Briefe der beiden Schriftsteller Paul Alverdes (1897–1979) und Eckart
von Naso (1888–1976) sind nicht erhalten geblieben.
   Meinst Du, ich hätte die Pagode als Reimwort gebraucht: Vgl. das Gedicht
«Das Konzert»: «Am Horizont paukt eine Eisenbahn / gedämpften
Rhythmus in den Boden. / Melodisch glucksend tropft ein Wasserhahn /
dumpf wie ein Gong in östlichen Pagoden!»
   Sammlung chinesischer Liebesgeschichten: Die Anthologie «Die dreizehn-
stöckige Pagode» erschien Berlin 1940.
   Gedanken, die ungedacht blieben: Vgl. das Gedicht «Abendstunde»: «Die
Lampe füllt mit fahlen Farben, / mit mildem Messingzauber alle Ecken. /
Gedanken, die noch ungeboren starben, / verkünden wie die Uhr mit
zittrigem / Erschrecken: / Abendstunde.»

AN ALINE BUSSMANN, März 1946

Er ist Ludowico: Vgl. Borcherts Erzählung «Tui Hoo», veröffentlicht in
der Sammlung «Die traurigen Geranien und andere Geschichten aus dem
Nachlaß», hrsg. von Peter Rühmkorf, Reinbek 1962.

AN ALINE BUSSMANN, März 1946

Diesen Herrn E ...: Dr. Ergang, bei dem Borchert in Behandlung war.

Meldung vom Eintreffen des Pen: Dank ihrer Beziehungen zu Prinz Casimir Wittgenstein war es Aline Bußmann gelungen, zwei Ampullen à 100 000 Einheiten Penizillin zu beschaffen.

AN WERNER LÜNING, 24. 3. 1946

Unsere Freunde in Nürnberg: Der Nürnberger Prozeß gegen nationalsozialistische Kriegsverbrecher hatte am 21. 11. 1945 begonnen; fast täglich berichteten die Zeitungen. U. a. wurde bekannt, daß die Kosten für die Hinrichtung der von Nazis zu Tode verurteilten Regimegegner den Angehörigen in Rechnung gestellt wurden.

«Pferdenelke»: Verballhornung des Titels von Borcherts Erzählung «Die Hundeblume»; vgl. in dem Brief an Lüning, 30. 5. 1946: «Ziegennarzisse».

AN WERNER LÜNING, 1. 5. 1946

Herr Ledig: Kurz zuvor, in einem undatierten Brief vom Ende April 1946, hatte Borchert an Aline Bußmann geschrieben: «Inzwischen habe ich allerlei schöne Nachrichten aus Stuttgart bekommen – der Verleger des Rowohlt-Verlages, Ledig, hat mir einen Sammelband in Aussicht gestellt, falls ich noch mehr ‹Hundeblumen› auf Lager habe.» Heinrich Maria Ledig–Rowohlt (1908–1992) hatte im November 1945 eine Lizenz für die amerikanische Zone in Stuttgart erhalten, sein Vater Ernst Rowohlt (1887–1960) im März 1946 eine Lizenz für die britische Zone in Hamburg. 1950 wurden die beiden Verlage vereinigt. Lüning war Lektor zunächst beim Stuttgarter Verlag, bevor er nach Hamburg umzog.

AN WERNER LÜNING, 27. 5. 1946

Meine Prosa: Die Manuskripte von «Silberstriche», «Adrianol» und «Gedichte in der Nacht» sind verschollen. Die Erzählung «Thie Hoo» erhielt später den Titel «Tui Hoo».

AN WERNER LÜNING, 30. 5. 1946

Die herrlichen Skizzen des Mannes mit den fünf P. S.: Tucholsky, der unter seinem Namen und den Pseudonymen Ignaz Wrobel, Kaspar Hauser, Theobald Tiger und Peter Panter veröffentlichte, brachte 1928 den Sammelband «Mit 5 PS» bei Rowohlt heraus. Unter dem Titel «Gruß nach vorn» erschien, herausgegeben von Erich Kästner, bei Rowohlt Stuttgart – Berlin 1946 die erste Nachkriegsausgabe, die von Borchert in der «Hamburger Freien Presse», 16. 10. 1946, empfohlen wurde.

AN WERNER LÜNING, 6. 6. 1946

Die Post war über den Generalbevollmächtigten derart schockiert: Lüning hatte als Absenderangabe auf seinen Brief geschrieben: «Generalbevollmächtigter für das Hamburger Dichtungswesen».

AN WERNER LÜNING, 18. 6. 1946

Dein neues Quartier: Lünings geplante Übersiedlung von Stuttgart nach Hamburg.

AN WERNER LÜNING, 21. 6. 1946

Vision von Cholm: Die russische Stadt südlich des Ilmensees war im 2. Weltkrieg heftig umkämpft.

Hier hast Du eine Karte von den Stadtvierteln, die geräumt werden müssen: «30 000 Hamburger werden umquartiert», meldete «Die Welt» am 18. 6. 1946. «Hamburg wird Sitz der englischen und deutschen Spitzenbehörden. Dieser Entschluß bedeutet die Räumung großer Teile des rechten Alsterufers in den Bezirken Rotherbaum, Harvestehude und Eppendorf, während Winterhude links des Alsterkanals nur wenig betroffen ist. Diese Räumung bringt zweifellos Härten mit sich.» Die Zeitung brachte eine Karte von den Zonen A und B; die Grenze zwischen ihnen verlief entlang der Straßen Leinpfad und Isekai.

AN CARL HAGER, 1. 7. 1946

«Liebe – Brot der Armen»: Roman von Thyde Monnier, in deutscher Übersetzung erschienen Hamburg 1946.
Die Autoren des «Idioten» und der «Anna Karenina»: Dostojewski bzw. Tolstoi.

AN WERNER LÜNING, 28. 7. 1946

Solchen Onkel wie Borelius: Lüning hatte Borchert den soeben im Stuttgarter Rowohlt Verlag erschienen Band «Fatum und Freiheit. Eine Vivisektion» geschickt.

AN HUGO SIEKER, August 1946

Story of lost life: Die Erzählung muß als verschollen gelten.

AN HUGO SIEKER, 1. 9. 1946

Ausflug zu den unvergeßlichen «Wegbereitern»: Am 14. Mai 1946 wurde – in den Kunstsälen Bock, weil die Hamburger Kunsthalle noch nicht über eigene Räume verfügte – die Ausstellung «Wegbereiter der modernen Kunst» eröffnet. Gezeigt wurde u. a. Emil Noldes Bild «Schlepper auf der Elbe».

Dieses Mal war die Elbe noch erschütternder: Bernhard Meyer-Marwitz hatte den schwerkranken Borchert in seinem Auto zu Sieker nach Wedel mitgenommen. Hugo Sieker bestätigt, in einem Brief an Helmut Gumtau vom 4. 6. 1963, daß Borchert «sehr ergriffen von der Begleiterin der Fahrt, nämlich von der Elbe, war, gerade weil diese im Gegensatz zur früheren Betriebsamkeit vollkommen einsam und ohne jeden Schiffsverkehr war».

Barlachs «Bettler»: Die Plastik, 1930 für die Kirche St. Katharinen in Lübeck geschaffen und während der Nazi-Zeit versteckt, war in der Hamburger Ausstellung zu sehen, bevor sie wieder an ihren Bestimmungsort gebracht wurde. 1948 schrieb Borchert an Rosemarie Clausen, die ihm Fotografien von Barlach-Plastiken geschickt hatte: «Vor zwei Jahren hab ich zum ersten Mal eine Plastik von Barlach gesehen. Vielleicht eine Stunde lang. Und etwas erdrückt von Nolde, Kirchner, Marc und

Klee. Trotzdem war die Begegnung überwältigend. Seit wenigen Wochen sieht mich jetzt der ‹Blinde› an, ja, er *sieht* mich an, und der ‹Bettler› und die ‹Tänzerin›. Morgens, abends, nachts manchmal. Und das ist keine Begegnung mit Kunstwerken mehr, das ist eine Begegnung mit Barlach selbst. Nein, viel mehr: Das ist die Begegnung mit dem Menschen, mit allem Menschlichen überhaupt. Aus dem Dunkelschatten der Welt sehen sie mich an: Das Leid. Die Not. Das Entsetzen. Das Staunen, Horchen, Ahnen, Glauben und alles, was lebendig ist zwischen Herz und Hirn, zwischen Himmel und Erde.»

VON HUGO SIEKER, 10. 1. 1947

In der Weihnachts- und Neujahrszeit wollten wir die Arbeit nicht gern bringen: Borcherts Sammelbesprechung der KZ-Literatur erschien in der «Hamburger Freien Presse» am 18. 1. 1947.

AN GÜNTER MACKENTHUN, 16. 1. 1947

Auf der Insel: Mackenthun wohnte in Westerland auf Sylt, wo er Dramaturg am Landestheater Nordfriesland war. Er hatte im Vorjahr wieder Kontakt zu Borchert aufgenommen, der ihm – trotz des Zerwürfnisses vier Jahre zuvor – am 18. 8. 1946 freundlich antwortete: Wenn er wieder gesund sei, würde er gern auf der Sylter Bühne spielen.
    Meine drei Bücher: «XYZ» von Klabund, «Salome» von Oscar Wilde, «Candida. Ein Mysterium in drei Akten» von Bernard Shaw.

AN DIE MUTTER, 1947

Eben hat Schnabel angerufen: Der Schriftsteller Ernst Schnabel (1913–1986) war 1946/49 Chefdramaturg des NWDR und nahm Borcherts Hörspiel «Draußen vor der Tür» zur Produktion an. Bekannt wurde er vor allem mit seinem dokumentarischen Bericht «Anne Frank – Spur eines Kindes» (1957). Borchert schrieb am 11. 5. 1947 an Gudrun Schnabel: «Wie kann man zu den Büchern Ihres Mannes kommen? Ich habe nur ‹Schiffe u. Sterne› – aber alles andere kenne ich nur von ferne.» Der Roman «Schiffe und Sterne» – Schnabel war 1931–1945 Seemann – erschien 1943.
    Gestern abend war der große Bär da: Der Patient im Heidberg-Krankenhaus beobachtet allabendlich die Sterne. In einem anderen, undatierten

Brief an die Mutter heißt es: «Es ist ½ 7, und man kann den großen Bären sehen. Aber ich bin trotzdem so furchtbar traurig über alles, als säße ich in Schwabach im Lazarett oder sonstwo.»

AN MAX GRANTZ, 27. 2. 1947

Verehrter Herr Dr. Grantz: Der Hamburger Oberbaurat hatte nach der Ursendung des Hörspiels «Draußen vor der Tür» Borchert am 15. 2. 1947 angeschrieben. Er sei «im Vergleich zu Ihnen ein steinalter Mann – schon fast 55», jedoch «von Ihrer jugendlichen Not und Verzweiflung auf das Tiefste erschüttert». Grantz kritisierte Borchert von hoher Warte: «So wenig wie Gott kennen Sie Liebe. Sie haben scheinbar noch nicht recht erfahren, was die Liebe von Mensch zu Mensch – gerade in diesen Notzeiten – für unerklärliche Wunder zu bewirken vermag. Möchte Ihnen doch auch dieses gnadenvolle Erlebnis zuteil werden.» Auf Borcherts Brief vom 27. 2. 1947 antwortete Grantz am 21. 3. 1947; sein Schreiben schloß: «Sie sind Dichter. Welche Gnade wurde Ihnen zuteil! Möge Ihre Begabung sich doch bald an einem Gegenstand entzünden, der über die Bedrängnis unserer Tage hinweg in das Unvergängliche – Bedeutende reicht. Dann ist Ihr Werk ‹gut›.»

AN EMIL NOLDE, 3. 3. 1947

Als meine Mutter mir am Weihnachtsabend Ihren alten Bauersmann auf den Tisch legte: Emil Nolde hatte, auf Veranlassung von Hertha Borchert, ihm eine Künstlerkarte geschickt: ein kleines Aquarell, unterzeichnet: «Seebüll, 12. 12. 46. Es bringt dieser Bauersmann dem jungen Borchert Weihnachtsgrüße von dem Maler Emil Nolde.»

AN GUDRUN SCHNABEL, 31. 3. 1947

Hans Quest hat mir restlos die Sprache verschlagen: Mit Blick auf die kommende Premiere in den Hamburger Kammerspielen, wo Hans Quest ebenfalls die Beckmann-Rolle spielte, schrieb Borchert am 9. 11. 1947 an Günter Rudorf: «Vergessen Sie das Stück und lassen Sie sich von diesem Hans Quest mitreißen: Er ist ein Stück von uns!»

AN KURT W. MAREK, 2. 4. 1947

Den breiten Raum, den Sie mir im «Benjamin» eingeräumt haben: Kurt W. Marek, 1946–1951 Lektor beim Rowohlt-Verlag in Hamburg und später unter dem Pseudonym Ceram erfolgreicher Sachbuch-Autor, hatte von den Engländern eine Lizenz für die Jugendzeitschrift «Benjamin» erhalten. In Heft 3 vom 9. 3. 1947 erschien auf drei Seiten Borcherts Erzählung «Schischyphusch – der Kellner meines Onkels»; auf einer weiteren Seite im selben Heft nahmen mehrere Mitarbeiter, darunter Conrad Ahlers, Stellung zum Hörspiel «Draußen vor der Tür». «Die Krähen fliegen abends nach Hause» ist im «Benjamin» nicht erschienen.

AN KARL LUDWIG SCHNEIDER, 6. 4. 1947

Ihre Disteln für die Freie Presse besprochen: Borcherts Rezension von Schneiders Gedichtband «Disteln und Dornen» war in der «Hamburger Freien Presse» am 29. 3. 1947 erschienen.

Meine Schweizer Angelegenheit: Der Verleger Henry Goverts, von seinem Autor Ernst Schnabel über den Gesundheitszustand Borcherts unterrichtet, bemühte sich gemeinsam mit Freunden und Kollegen darum, Borchert einen Sanatoriumsaufenthalt in der Schweiz zu ermöglichen.

AN ELISABETH KAISER, 21. 5. 1947

Mögen Sie es für Dr. Herzog sein: Elisabeth Kaiser war die Sekretärin von Dr. Herzog, Leiter einer literarischen Agentur in Tübingen. Borchert hatte mit Vertrag vom 2. 7. 1946 den «Pressevertrieb» seiner schriftstellerischen Arbeiten, d. h. die Abdruckrechte, der Agentur Herzog übertragen.

AN HENRY GOVERTS, 23. 5. 1947

Mister Green: Hugh Carlton Green war der englische Leiter des Nordwestdeutschen Rundfunks.

AN KARL LUDWIG SCHNEIDER, 27. 5. 1947

Dr. Claassen, die andere Hälfte des Goverts-Verlages: Eugen Claassen (1895–1955) war 1934 Mitbegründer des Goverts Verlag in Hamburg, 1946 in Claassen und Goverts Verlag umbenannt und als einer der ersten Verlage in der britischen Zone lizenziert. Ein Jahr später schied Goverts aus, ab 1950 firmierte der Verlag nur noch unter dem Namen Claassen, und Goverts gründete gemeinsam mit Alfred Scherz einen neuen Verlag.

Zudem stehen sich Ro und Go persönlich sehr gut und die Unterstützung durch Dr. Oprecht…: Am 27. 4. 1947 hatte Ernst Rowohlt in einem nur fragmentarisch erhaltenen Brief an Borchert geschrieben: «Ich habe mir auch die Angelegenheit Goverts noch einmal in Ruhe durch den Kopf gehen lassen und bin zu der festen Überzeugung gekommen, daß Sie unter gar keinen Umständen zu befürchten haben, daß Goverts resp. die Mutter Frau Goverts von ihrem Angebot, Sie in der Schweiz unterzubringen und zu verpflegen, zurücktreten werde. Goverts ist doch mit mir persönlich zu gut bekannt, als daß er eine solche Entscheidung treffen würde, die ich ihm überhaupt nach seiner ganzen Charakteranlage nicht zutraue, denn Goverts ist ein sehr liebenswerter und außerordentlich hilfsbereiter Mensch. Sollten doch irgendwie Komplikationen vielleicht im Laufe einer längeren Zeit entstehen, so bin ich überzeugt, daß wir auch unsererseits die entsprechenden Devisen, die Sie benötigen, für Sie auftreiben können. Einleitende Schritte dazu habe ich ja schon durch meine mündlich überbrachte Bitte an Herrn Dr. Oprecht unternommen.» Der Züricher Buchhändler und Verleger Emil Oprecht (1895–1952), ein Freund Thomas Manns, hatte 1933 den Europa Verlag als Heimstatt für die deutsche Exilliteratur gegründet.

Die «Akademische» hat sich mächtig entwickelt: Karl Ludwig Schneider betreute die Redaktion der «Hamburger Akademischen Rundschau», herausgegeben von Dozenten und Studenten der Universität, von der britischen Militärregierung am 6. 6. 1946 lizenziert.

VON PETER ZINGLER, 11. 6. 1947

Zu seinem Abschluß mit Ihnen: Die Verträge zwischen Borchert und dem Rowohlt Verlag datieren vom 29. 4. / 1. 5. 1947. Bei dem «hochverehrten Altmeister» handelt es sich um Ernst Rowohlt. Dem Verleger Willi Weismann teilte Borchert in einem Schreiben vom Juni 1947 mit: «Als ich vor einem halben Jahr meine *Erste* in der ‹Neuen Zeitung› veröffentlichte, erschien 4 Tage später Altmeister Rowohlt bei mir und verlobte mich seinem Verlag mit Haut und Haar.» Die in München erscheinende «Neue Zeitung» hatte als ersten Text Borcherts am 4. 1. 1947 die Skizze «Stimmen sind da» gebracht.

Einiges davon zu placieren: Der Feuilletondienst des Rowohlt Verlags vermittelte, ähnlich wie die Agentur Herzog, den Abdruck von literarischen Texten in Zeitungen und Zeitschriften.

Zeitschrift, betitelt «Die Neue Prosa»: Das Projekt wurde nicht verwirklicht, die Zeitschrift ist nie erschienen.

VON RICHARD HERMES, 14. 6. 1947

Abend der Dichterwoche: Im Rahmen der «Dichterwoche» lasen Heidi Boyes und Carl Voscherau im Museum für Hamburgische Geschichte Texte von Borchert; vgl. die Kurznotiz von C. A. Lange in: «Hamburger Freie Presse», 11. 6. 1947.

Unsere neuesten Bücher: Die erwähnten Titel erschienen 1946/47 in den Hamburger Verlagen Morawe und Scheffelt oder Richard Hermes: Gertraud Jürgens-Lützen, «Befreite Seele. Gedichte»; Paul Möhring, «Vorhang hoch! Hamburger Theater-Erinnerungen»; Hinrich Kruse, «Dumm Hans»; Marie Ulfers, «Ein Mädchen vom Deich»; Hans von Hülsen, «Gerichtstag. Sonette aus dieser Zeit»; Hans Harbeck, «Glück der Freiheit. Gedichte»; Paul Möhring, «Hummel. Hamburgs weltberühmtes Original»; Reconciler (i. e. Erwin Kohl), «Die letzte Chance. Deutschland und die Vereinigten Staaten von Europa»; Erich Grandeit, «Was uns blieb! Erhalten gebliebene Teile der Hamburger Altstadt. Federzeichnungen, gez. 1945 und 1946»; Ludwig Börne, «Lupe und Brennglas. Aphorismen».

AN KARL LUDWIG SCHNEIDER, 13. 7. 1947

KV: Abkürzung für «kriegsverwendungsfähig».

Im «Horizont» sind wir beide Arm in Arm abgedruckt: Die in Berlin erscheinende «Halbmonatsschrift für junge Menschen» hatte in Heft 13 vom 22. Juni 1947 als programmatischen Auftakt auf Seite 3 Borcherts «Generation ohne Abschied» und Schneiders Gedicht «Krieg» gedruckt. Im selben Heft bestritten sie auch die Abteilung «Kunst der Kommenden»: Seite 22 brachte drei Gedichte von Schneider, Seite 23 «Eisenbahnen, nachmittags und nachts» von Borchert.

Die «Akademische» bekam auf meine Oberst-Szene einen gepfefferten Brief:

Mit dem Abdruck der Szene aus «Draußen vor der Tür» in der «Hamburger Akademischen Rundschau», Heft 9/1947, zog sich der Redakteur Karl Ludwig Schneider «den heiligen Zorn eines ehemaligen Frontkommandeurs» zu. Dessen Leserbrief schloß: «Ich habe nur die Hoffnung, daß diese Elemente (Zeitgenossen wie Borchert, d. Hg.), die durch die Zeitverhältnisse über Gebühr emporgewirbelt worden sind, auch wieder in der Versenkung verschwinden werden. Mit ihnen danken Sie aber bitte auch ab!» Vgl. Bernd M. Kraske: «‹Draußen vor der Tür›. Anmerkungen zur Hörspiel-Rezeption», in: Rudolf Wolff (Hg.), Wolfgang Borchert, Bonn 1984, S. 50.

AN TILLA HARDT, Juni/Juli 1947

Der Theaterbesuch ist mir gut bekommen: Borchert sah «Wir sind noch einmal davongekommen» von Thornton Wilder, Premiere an den Hamburger Kammerspielen: 21. 3. 1947. In der Inszenierung von Helmut Käutner spielten u. a. Ida Ehre, Hilde Krahl, Hans Quest – und als Kinderdarsteller – Hubert Fichte.

Und Gustaf war – wie immer – ganz groß? Gustaf Gründgens hatte im April 1947 wieder Arbeitserlaubnis erhalten, er erlebte gerade sein Comeback und wurde 1947 Generalintendant in Düsseldorf. Borcherts Brief wurde vom Dramaturgen Rolf Badenhausen am 18. 8. 1947 im Namen von Gründgens beantwortet.

Liebeneiner, inzwischen entbräunt: Der Regisseur Wolfgang Liebeneiner (1905–1987) hatte im Dritten Reich Karriere gemacht: Er hatte leitende Funktionen in der Reichsfilmkammer, wurde zum Staatsschauspieler und Professor ernannt und war Produktionschef der Ufa. 1941 drehte er den Euthanasie-Film «Ich klage an». Bereits im Herbst 1945 erhielt er vom Kulturausschuß eine Arbeitserlaubnis, die 1947 von der Entnazifizierungs-Kommission bestätigt wurde.

Sogar schon auf die «Lesebuchgeschichten»: «Die Neue Zeitung», München, hatte in der Ausgabe vom 23. 6. 1947 Borcherts «Kleine Lesebuchgeschichten» gebracht.

Ich komme direkt nach Triesenburg in Liechtenstein: Ursprünglich sollte Borchert in dem Kurort – die Familie Goverts lebte in Vaduz – gepflegt werden.

AN KARL LUDWIG SCHNEIDER, 31. 7. 1947

Heitmann ist gerade verreist: Joachim Heitmann war der Verleger der «Hamburger Akademischen Rundschau».

AN TILLA HARDT, 8. 8. 1947

Das Zeug von EH: Der Schriftsteller Ernst Hardt (1876–1947) war am 3. Januar des Jahres verstorben. Auf die Kleidungsstücke brauchte Borchert nicht verzichten; vgl. sein Schreiben an Tilla Hardt, 23. 8. 1947.

AN ELISABETH KAISER, 17. 8. 1947

Ernst Wilhelm Borchert: Der Schauspieler (1907–1990) war unter dem Intendanten Eugen Klöpfer 1938–1944 Ensemblemitglied an der Volksbühne in Berlin. Die im Brief erwähnten Filme: «Zaubergeige», 1944, Regie: Herbert Maisch; «Mein Leben für Irland», 1940/41, Regie: Max W. Kimmich.

VON ROLF BADENHAUSEN, 18. 8. 1947

«Ein Mann kommt nach Deutschland»: Arbeitstitel von «Draußen vor der Tür». Unter der Intendanz von Gründgens hatte das Stück am 18. 9. 1948 bei den Städtischen Bühnen Düsseldorf Premiere (Regie: Hans Schalla).

VON PAUL SCHUREK, 8. 9. 1947

Die Szene mit dem prachtvollen Beneckendorff: Wolfgang Beneckendorff spielte den Oberst in der Hörspielproduktion von «Draußen vor der Tür».

AN PAUL SCHUREK, 9. 9. 1947

Ist Ihr «Barlach» nun endlich raus? Paul Schureks Buch «Begegnungen mit Barlach» erschien Hamburg 1946.

AN HENRY GOVERTS, September 1947

Mein Freund, der das Bändchen «Hundeblume» herausgebracht hat: Bernhard
Meyer-Marwitz, der in seiner «Hamburgischen Bücherei» 1947 die Erzählung publiziert hatte. 1948 erschienen – als Parallelausgabe: in der
Hamburgischen Bücherei und der Züricher Holunderpresse – «Hunde-
blumen-Geschichten».

Wenn Willi Weismann mir auch schreibt: Der Verleger Weismann
(1909–1983), in dessen Zeitschrift «Die Fähre», 1947, H. 6, Borcherts
Erzählung «Gespräch über den Dächern» gedruckt wurde, wollte ihn als
Autor für seinen Verlag gewinnen. Am 13. 6. 1947 hatte er Borchert geschrieben: «Die Linie, die Sie einschlagen, scheint mir die legitime Weiterentwicklung des Weges der Literatur zu sein, der mit den Namen Thomas Mann und James Joyce vielleicht umrissen werden kann.»

Wie gerne übernehme ich Lektoratsarbeit für Sie: Goverts erläuterte in
einem Schreiben an Fritz J. Raddatz, 5. 12. 1968: «Wir haben Wolfgang
Borchert mit leichten Lektoratsarbeiten, so zwei Romanmanuskripte von
Max Krell und einem Kriegsbericht eines Grafen Dohna betraut, die diese
Autoren bezahlten. So erhielten wir immerhin Zuschüsse zu den von Dr.
Oprecht und mir übernommenen Kosten für Spital und ärztliche Behand-
lung. Hinzu kam ein Nachlaßmanuskript von Karl Vollmoeller, dessen
Beurteilung uns gut bezahlt wurde.» Emil Oprecht, der Anfang Oktober
Borchert im Spital besuchte, vertraute ihm Manuskripte von Stafford
Cripps – «Christliche Demokratie», Europa Verlag Wien, Zürich 1948 –
und Dulles – nähere Angaben nicht zu verifizieren – an und war mit der
Arbeit Borcherts hoch zufrieden: «Ich glaube, wir haben kaum je einen so
rasch arbeitenden Lektor gehabt», schrieb er an Borchert am 14. 10. 1947.

Mein Zusammenklappen bei meiner Ankunft: Goverts hatte Borchert bei
der Gepäckausgabe des Badischen Bahnhofs in Basel ausgelöst und den
Kranken, der kaum transportfähig war, sofort ins St. Clara Spital in Basel
gebracht. Eigentlich war vorgesehen, daß Borchert weiterreiste und bei
der Mutter des Verlegers gepflegt wurde; angesicht seines Zustands war
dieser Plan undurchführbar.

AN DIE ELTERN, 28. 9. 1947

So Art Poesiealben: Den Anfang sollten Hans Quest, Beckmann-Darsteller
sowohl in der Hörspiel-Produktion des NWDR wie in der Uraufführung
an den Hamburger Kammerspielen, und die Regisseure Ludwig Cremer
(Hörspiel) und Wolfgang Liebeneiner (Kammerspiele) machen.

Rosemaries Bilder: Rosemarie Clausen fotografierte die Uraufführungsinszenierung an den Kammerspielen.

Haben Stroux und Gründgens nicht angenommen: Karl Heinz Stroux, Regisseur.

MM: Bernhard Meyer-Marwitz (1913–1983), Journalist und Schriftsteller, war Redakteur beim «Hamburger Anzeiger» und engagierte sich in der 1936 gegründeten «Vereinigung Niederdeutsches Hamburg» aktiv, die 1945 den Kabarettabend «Janmaaten im Hafen» veranstaltete. 1946 erhielt Meyer-Marwitz eine Lizenz für den Verlag «Hamburgische Bücherei», in der im gleichen Jahr Borcherts Gedichtband «Laterne, Nacht und Sterne», 1947 sein Erzählungsband «Die Hundeblume» herauskam.

Muschi-Steert: Borcherts Kosename für seine Katze.

Einer ist für Viola: Die Schauspielerin Viola Wahlen, die gemeinsam mit Borchert bei dem Kabarettabend «Janmaaten im Hafen» auftrat.

AN ELISABETH KAISER, 5. 10. 1947

Lieblingsdichter Dietrich Eckhart: Der Schriftsteller und Publizist (1868–1923) gilt als der erste Nazi-Dichter: Eckhart schrieb das Gedicht «Deutschland erwache!», war mit Adolf Hitler befreundet und wurde 1921 erster Hauptschriftleiter des «Völkischen Beobachters».

P. K. Berichte: Anspielung auf die im Krieg verfaßten Berichte der Propaganda-Kompanien.

AN HENRY GOVERTS, Oktober 1947

Das Dohnasche Manuskript: Der Verleger Goverts schickte Borchert am 8. 10. 1947 das Manuskript mit folgenden Erläuterungen: «Ein junger Graf Dohna, der Stauffenberg und Schlabrendorff nahe steht und aus der russischen Kriegsgefangenschaft heimkehrte, hat einen Bericht von fünfzig Seiten geschrieben, der zwar primitiv ist, mich aber in seiner knappen Sprache sehr angesprochen hat. Zwei amerikanische Zeitschriften und eine schweizerische interessieren sich für den Abdruck des Manuskripts, das aber der Überarbeitung bedarf. Die christlichen Stellen müssen heraus oder als Atmosphäre eingearbeitet werden, das Ganze muß eingeteilt werden, vielleicht in der Art des Entwurfs, der beiliegt, und hier und da ist der Bericht zu präzisieren und zu verdichten.» Die Arbeit sollte mithelfen, Borcherts Aufenthalt im Spital zu finanzieren: Goverts hatte mit Graf

Dohna vereinbart, daß das in Devisen eingehende Honorar hälftig zwischen Autor und Bearbeiter zu teilen ist. Zur Datierung: Am 14. 10. 1947 dankte Goverts Borchert für seine beiden Briefe betr. Dohna-Manuskript.

AN ELISABETH KAISER, Oktober 1947

Auf beiliegendem Wisch habe ich Onkel Herzogs Fragen beantwortet: Entsprechend der Anregung in Borcherts Schreiben vom 5. 10. 1947 wurden die Fragen schriftlich formuliert; das Interview wurde nach Borcherts Tod von der Literarischen Agentur Herzog verbreitet und von verschiedenen Zeitungen übernommen.

AN HUGO SIEKER, 1. 11. 1947

Grüße an R. Drommert: René Drommert war Feuilleton-Mitarbeiter bei der «Hamburger Freien Presse».

AN KURT W. MAREK, 1. 11. 1947

Denken Sie, ich wäre – Wiechert: Der Schriftsteller Ernst Wiechert, Repräsentant der sog. Inneren Emigration, veröffentlichte 1945 den KZ-Bericht «Der Totenwald» und 1945/47 den zweibändigen Roman «Die Jerominkinder». Wiechert, enttäuscht von der Nachkriegsentwicklung in Westdeutschland, zog 1948 in die Schweiz.

AN DR. SCHRÖDER, 14. 11. 1947

Der Arzt Wilhelm Schröder war mit Karl Ludwig Schneider befreundet.

VON CARL ZUCKMAYER, 14. 11. 1947

Hilpert, der auch Ihr Stück bringen wird: Heinz Hilpert war in der Spielzeit 1947/48 Intendant der Städtischen Bühnen Frankfurt/M., die Inszenierung von «Draußen vor der Tür» übernahm Richard Weichert (Premiere: 6. 8. 1948).

10. September: Schreibfehler – gemeint ist der 10. Dezember. Borcherts Antwortbrief datiert vom 15. November, fünf Tage später starb er. Das Treffen mit Zuckmayer kam nicht mehr zustande.

AN CARL ZUCKMAYER, 15. 11. 1947

Ziegel, Weinberg, Zuckmayer: Unter der Intendanz von Erich Ziegel, der an der von ihm gegründeten Bühne die junge Dramatik besonders förderte, hatte am 20. 2. 1926 in den Hamburger Kammerspielen Zuckmayers Volksstück «Der fröhliche Weinberg» Premiere.

ZU DEN GEDICHTEN

Sappho. Das achte Sonett aus einem zwölfteiligen Zyklus, Ruth Hager zum 19. 5. 1940, ihrem 19. Geburtstag, von Borchert gewidmet (Typoskript).

Chinesisches Liebesgedicht. Beilage zu einem Brief an Ruth Hager, Juni 1940.

Concerti grossi. Erstdruck in: «Hamburger Fremdenblatt», August/September 1940 (Ausschnitt im Wolfgang-Borchert-Archiv).

Die Spatzen. Aus der Sammlung von Stanley Tschopp (Typoskript).

Winter. Erstdruck posthum in: «Die Neue Zeitung», Berlin, 24. 12. 1954.

Die Ärmste. Aus der Sammlung von Stanley Tschopp.

Der Tausendfüßler. Erstdruck unter dem Titel «Allerhand» in: «Simplicissimus», 23. 6. 1943.

Der Kuckuck. Beilage zu einem undatierten Brief an Aranka Mamero-Jaenke (Manuskript).

Frösche. Den Dichtern. Gedicht um Mitternacht. Aus der Sammlung «Der Leuchtturm. Neun Gedichte für Carl Albert Lange. 14. 4. 1941». Erstdruck von «Frösche» in: «Ulenspiegel», Jg. 2 (1947), H. 15. «Die Möwen», ebenfalls in der Sammlung «Dreizehn Gedichte für Carl Hager», 1944, enthalten, wurde posthum veröffentlicht in: «Gießener Freie Presse», 28. 7. 1956.

An die Natur. Hamburg. Don Juan. Das Karussell. Die Gedichte stammen aus einem ledergebundenen Notizbüchlein, 5,5 cm × 8 cm, datiert «Nürnberg 1942, Zelle 9». Der Erstdruck von «An die Natur» erfolgte posthum in: «Neue deutsche Hefte». Jg. 2 (1955), S. 518.

Hamburg 1943. Erstdruck in: «Hamburger Anzeiger», 14. 9. 1943.

Norddeutsche Landschaft. Moabit. Ich bin der Nebel. Aus der Sammlung «Dreizehn Gedichte für Carl Hager», 1944.

Das Requiem. Beilage zu einem Brief an Aline Bußmann, 14. 10. 1944.

Die Kathedrale von Smolensk. Beilage zu einem Brief an Aline Bußmann, 29. 10. 1944.

Zwischen den Schlachten. Aus der Sammlung von Stanley Tschopp.

REQUIEM FÜR EINEN FREUND

Borchert schickte seinen Text an Hugo Sieker am 7. 7. 1943: «Dieses Requiem habe ich schon seit einem Jahr auf der Feder, aber es war noch nicht reif. Nun ist es von allein gekommen.» Der Text wurde am 19. 7. 1943 im «Hamburger Anzeiger» veröffentlicht.

ZU DEN REZENSIONEN

«Stalingrad». Erschienen in: «Hamburger Freie Presse», 25. 9. 1946. Borchert schrieb die Rezension ohne Auftrag; vgl. seinen Brief an Hugo Sieker, 1. 9. 1946.

Bücher – für morgen. In: «Hamburger Freie Presse», 23. 10. 1946.

Kartoffelpuffer, Gott und Stacheldraht. In: «Hamburger Freie Presse», 18. 1. 1947. Vgl. Hugo Sieker an Wolfgang Borchert, 10. 1. 1947.

«Von des Glücks Barmherzigkeit». «Disteln und Dornen». Die beiden Kurzrezensionen erschienen zusammen mit einem Verriß von schu- (i. e. Paul Schurek) unter dem Titel «Gedichte und ‹Gedichte›» in: «Hamburger Freie Presse», 25. 3. 1947.

Korrespondenzpartner

Rolf Badenhausen (1907–1987). Dramaturg 217

Fritz Borchert (1890–1959). Lehrer 89f., 92ff., 97, 104, 106, 109, 137f., 145, 147, 223

Hertha Borchert (1895–1985). Schriftstellerin 89f., 92ff., 96f., 104, 106, 108f., 137f., 145, 147, 176, 191f., 223, 241

Heidi Boyes (★1917). Schauspielerin und Malerin 77, 99

Aline Bußmann (1889–1968). Schauspielerin 25, 28, 38, 47, 85, 97, 103, 120, 135, 139, 146, 148, 166, 169f., 174

Hans-Ulrich Cassebaum (★1919). Syndicus 200

Claus Dammann (★1923). Internist 66, 72ff., 83, 86, 88, 105, 108, 157

Albrecht Goes (★1908). Pfarrer und Schriftsteller 165

Henry Goverts (1892–1988). Verleger 199, 203, 208, 222, 228, 230, 241

Max Grantz. Oberbaurat 194

Carl Hager (1892–1988). Rechtsanwalt 107, 111, 113ff., 118ff., 122, 125f., 130f., 133, 150, 152, 162, 164, 184

Ruth Hager (★1921). Ärztin 25, 28, 31, 34, 51, 141

Tilla Hardt (1906–1988). Witwe des Schriftstellers Ernst Hardt 214, 216, 219, 235f.

Richard Hermes (1880–1954). Verleger 212

Hans Henny Jahnn (1894–1959). Schriftsteller und Orgelbauer 202

Elisabeth Kaiser. Jornalistin 202, 217f., 226, 231

Paul Kreuteler-Tuerk (1899–1980). Verleger und Journalist 201, 220

Carl Albert Lange (1882–1952). Schriftsteller und Journalist 70, 144

Ursula Litzmann (★1916). Fotografin 41f.

Werner Lüning (1919–1995). Lektor und Agent 33, 44, 49, 53f., 56f., 68, 156, 158ff., 171ff., 175, 177, 179, 181ff., 185

Günter Mackenthun (1922–1985). 191

Kurt W. Marek (1915–1972). Schriftsteller 197, 238

Heinrich Christian Meier (1905–1987). Schriftsteller und Dramaturg 227, 239

Vera Mohr-Möller (★1912). Bildhauerin 58, 60, 62, 64, 67, 76

Emil Nolde (1867–1956). Maler 196

Gudrun Schnabel (* 1920). Ehefrau des Schriftstellers und Redakteurs
    Ernst Schnabel 196
Karl Ludwig Schneider (1919–1981). Literaturwissenschaftler 198, 205,
    213, 215
Wilhelm Schröder. Arzt 238
Paul Schurek (1890–1962). Plattdeutscher Schriftsteller 220 f., 237
Hugo Sieker (1903–1979). Redakteur und Schriftsteller 33, 36 ff., 80, 87,
    92, 99 ff., 123, 140, 161 f., 165, 187 f., 190, 204, 207, 210, 237
Helga Sturm (* 1923). Sozialpädagogin 188
Peter Zingler (1892–1978). Lektor 210
Carl Zuckmayer (1895–1977). Schriftsteller 239 f.

Personenregister

Ahlers, Conrad 303

Albers, Hans 54, 281

Almassy, Susanne von 104, 290, 294

Alverdes, Paul 45, 167, 297

Apel, Paul 66, 104, 284

Bach, Johann Sebastian 39, 218

Badenhausen, Rolf 217 f., 306 f.

Barlach, Ernst 10, 158 f., 188, 221, 237, 295 f., 300, 307

Bartók, Béla 218

Baudelaire, Charles 11, 72, 83, 163

Beckermann, Prof. 193

Beethoven, Ludwig van 283

Beheim-Schwarzbach, Martin 281

Beneckendorff, Wolfgang 221 f., 237, 307

Benn, Gottfried 11, 61, 65, 72, 284

Benrath, Henry 57, 67, 72, 74, 282

Berenberg-Gossler, Günther von 112 f., 115

Berndts-Sieker, Brigitte 16

Billinger, Richard 289

Bismarck, Otto von 179

Bleckmann, Herbert 158, 295

Böckmann, Paul 100

Borberg, Svend 285

Borchert, Elise 106, 290

Borchert, Ernst Wilhelm 217, 307

Borchert, Fritz 9, 13, 15 f., 19, 25, 63, 89 f., 92 f., 94 f., 104, 106, 109, 112 ff., 119, 122, 125, 128 f., 132, 137 f., 145 f., 152, 160, 177, 185, 187, 190, 223, 226, 236, 241 f., 279, 289–293, 308

Borchert, Hertha 9 f., 13, 15 ff., 19, 25, 45, 63, 89 f., 92 f., 94, 96 f., 101, 104, 106–110, 112 ff., 119, 121–125, 128 f., 132, 137 f., 145 ff., 152, 160 f., 176 f., 187–193, 196, 199, 206, 213, 216, 221, 223, 225 f., 232, 241, 289–293, 301 f., 308

Borelius, Alexander 300

Börne, Ludwig 212, 305

Böttcher, Maximilian 285

Boyes, Heidi 16, 70, 77, 79 f., 97, 99 f., 287, 305

Brahms, Johannes 61, 283

Braun, Eugen 78, 287

Breker, Arno 151, 293

Bruckmann, Ännchen 60

Büchner, Georg 58

Bulgrin, Kurt 117, 129

Bünte, Gerhard 294

Bußmann, Aline 9 f., 12, 25, 28, 38, 47, 59, 64 ff., 85, 89 f., 97, 103, 108, 112, 114, 119–122, 135 ff., 139, 146 f., 151, 166, 169 f., 174, 185, 280 f., 284, 288, 291 f., 294, 297 f., 312

Butz, Werner 282

Caesar, Julius 54, 218
Caspar, Horst 284
Chopin, Frédéric 67
Claassen, Eugen 205, 208 f., 304
Clausen, Rosemarie 41, 175, 223,
    280, 300, 309
Cotta, Johann Friedrich 45
Cremer, Ludwig 223, 308
Cripps, Stafford, 308
Czyvik, Gerhard 117
Dalsheim, Friedrich 283
Dammann, Claus 13, 16, 25, 66,
    72–75, 83 f., 86, 88, 105, 108,
    157, 282, 284–288, 290
Dehmel, Richard 66
Deiters, Heinrich 138, 292
Diederichs, Eugen 45
Dohna, Graf 228 ff., 308 ff.
Dönitz, Karl 12
Dorsch, Käthe 78, 287
Dostojewski, Feodor Michailo-
    witsch 159, 300
Dreeßen, Peter 215
Drommert, René 237, 310
Dulles 308
Echnaton 48
Eckermann, Johann Peter 154 f.
Eckhart, Dietrich 226, 309
Edschmid, Kasimir 282
Ehre, Ida 215, 294, 306
Ehrke, Hans 294
Eisner, Lotte H. 283
Ekman, Gösta 54
Ellermann, Heinrich 56, 163,
    296
Ergang, Dr. 170, 193, 293, 298
Ernst, Otto 167, 297
Erskine, John 56, 282
Faulkner, William 53, 183, 281
Feige, Rudolf 138, 292
Fichte, Hubert 306

Fischer, Samuel 45, 56, 158, 281,
    295
Fock, Gorch 136, 292 f.
Forster, Rudolf 54
Forzano, Giovachino 281
Frank, Anne 301
Fröhlich, Gustav 175
Gable, Clark 94
Gauguin, Paul 75, 286
Gauguin, Pola 286
George, Heinrich 53, 281
George, Stefan 11, 57, 72, 154,
    167, 282
Gigon, Prof. 238, 242
Gmelin, Gerda 279
Gmelin, Helmuth 11, 25, 34, 37,
    46, 50, 67, 71, 75, 104, 107,
    173, 279, 284 f., 290, 294 f.
Godden, Rudi 59, 282
Goebbels, Joseph 13, 112, 117,
    128
Goes, Albrecht 297
Goethe, Johann Wolfgang 11, 43,
    48, 68, 74, 154 f., 163, 168, 172,
    227, 297
Gogol, Nikolai 228
Goldoni, Carlo 78
Goodman, Benny 218
Gorki, Maxim 185
Götz, Gretl 295
Goverts, Frau 304, 308
Goverts, Henry 175, 198 f., 203,
    206, 208 f., 220, 222, 228,
    230 f., 237, 239–242, 303 f.,
    306, 308 ff.
Grabbe, Christian Dietrich 48,
    155
Gramkow 90
Grandeit, Erich 212, 305
Grantz, Max 194, 302
Graveley, Arthur 145, 293

Green, Hugh Carlton 204, 303
Gregorovius, Ferdinand 56
Groß, Karl Adolf 267 f.
Gründgens, Gustaf 54, 174, 214,
    217 f., 223, 281, 284, 306 f., 309
Grünewald, Gren. von 117, 119 f.
Grune, Richard 271
Gstettner, Hans 286
Guntau, Helmut 300
Hager, Carl 10, 14, 25, 88, 107,
    111, 113 ff., 118 ff., 122, 126 f.,
    130 f., 133, 135, 137, 142, 148,
    162, 184, 291, 294 / 296, 300,
    312
Hager, Ruth 10, 12 ff., 25, 28,
    30 ff., 34, 39 ff., 51 f., 54 f., 86,
    98, 113, 121, 141 ff., 169 f., 174,
    279, 292, 311
Halbe, Max 285
Händel, Georg Friedrich 218
Hamsun, Knut 139
Hanke, Wilfried 60, 283
Harbeck, Hans 212, 266, 305
Harder, Henry 294
Hardt, Ernst 216, 219, 235, 307
Hardt, Tilla 16, 214 ff., 219, 235 f.,
    306 f.
Harloff, Hans 70
Hauptmann, Gerhard 281
Hausmeister, Ruth 74
Heine, Heinrich 165
Heineccius, Richard von 63
Heitmann, Joachim 215, 307
Hemingway, Ernest 178, 183,
    185 f.
Henne, Emil 287
Hermes, Richard 212, 305
Herzog, Paul 183, 217, 226, 232,
    303, 305, 310
Hesse, Hermann 66, 295
Hilpert, Heinz 240, 310

Himmler, Heinrich 271
Hindemith, Paul 218
Hinrichs, August 285
Hinz, Werner 294
Hirschfeld, Kurt 240
Hitler, Adolf 13, 72, 113, 158,
    241, 265, 273, 275, 293, 309
Hoffmann, E. T. A. 227
Hoffmann, Paul Theodor 173
Hoffmann-Reeber, Dorothea 282
Hofmannsthal, Hugo von 57, 282
Höger, Ilse 206
Hölderlin, Friedrich 11, 32, 48,
    72, 83, 97, 141, 178, 288
Holzbach, Karl 117
Horney, Brigitte 54, 281
Homer 90
Hoppe, Marianne 78, 287
Horney, Brigitte 54, 281
Hülsen, Hans von 212, 305
Hunter 270
Husmann, Fritz 165, 296
Huth, Jochen 72, 285
Ibsen, Henrik 78
Joyce, James 222, 308
Jürgens-Lützen, Gertraud 212,
    305
Kaiser, Elisabeth 202, 216 ff., 224,
    226, 231 f., 303, 307, 309 f.
Kainz, Josef 54
Kant, Immanuel 158
Kästner, Erich 297, 299
Käutner, Helmut 214, 306
Kilian 50
Kimmich, Max W. 307
Kinau, Rudolf 145, 293
Kippenberg, Anton 280
Kirchner, Ernst Ludwig 300
Klabund 66, 159, 163, 301
Klee, Paul 301
Klöpfer, Eugen 217, 307

Kohl, Erwin 305
Koswig, Wilhelm 117
Krahl, Hilde 306
Kraske, Bernd M. 306
Krell, Max 308
Kreuteler-Tuerk, Paul 201, 220
Kreutzberg, Harald 60 f., 283
Krogmann, Alke 60
Kroher, Rechtsanwalt 88
Kruse, Hinrich 212, 305
Kunstmann, Elisabeth 96
Kurz, Heinrich 286
Lamszus, Wilhelm 10
Lange, Carl Albert 16, 70, 138,
    144 f., 162, 285, 293, 296, 305,
    311
Langhoff, Wolfgang 268, 270 ff.
Lauffen, Richard 104, 290
Ledig-Rowohlt, Heinrich Maria
    171, 175, 187, 210 f., 298
Legband, Paul 68, 283 f.
Leip, Hans 140, 292
Lerche, Annegret 287
Lessing, Gotthold Ephraim 48
Leudesdorff, Ernst 68, 284
Li Tai-pe 72
Liebeneiner, Wolfgang 15, 215,
    223, 287, 306, 308
Litzmann, Ursula 11, 13, 16, 25,
    41 f., 238, 280
London, Jack 231
Löpelmann, Martin 282
Lüning, Erika 16
Lüning, Werner 11 f., 16, 25, 33,
    44 f., 48, 53, 56 f., 68, 156, 158 ff.,
    171 ff., 175, 177, 179, 181 ff., 185,
    280 ff., 285, 294 ff., 298 ff.
Maass, Edgar 95, 289
Maass, Joachim 281
Mackenthun, Günter 109, 191,
    285 f., 288, 301

Maisch, Herbert 284, 307
Mamero-Jaenke, Aranka 311
Mann, Thomas 304, 308
Marc, Franz 300
Marek, Kurt W. 197, 238, 303,
    310
Maugham, Somerset 53, 281
May, Karl 270
Meier, Heinrich Christian 296
Melville, Herman 175
Mendler, Alfred 284, 290
Menzel, Herybert 289
Meyer-Marwitz, Bernhard 162,
    197, 223, 296, 300, 308 f.
Michelangelo 32, 48, 140
Miegel, Agnes 89, 289
Modersohn, Paula 97
Möhring, Paul 212, 305
Mohr-Möller, Vera 16, 25, 47,
    51 f., 58 ff., 62, 64, 67, 76 f., 89,
    280, 282 ff., 287
Molière, Jean Baptiste 78
Möller, Wilhelm 283
Monnier, Thyde 300
Morgan, Charles 45, 68, 280
Mozart, Wolfgang Amadeus 61,
    141, 218
Müller, Georg 286
Murger, Henri 120
Musset, Alfred de 75, 83, 286 f.
Mussolini, Benito 96, 281
Naso, Eckart von 167, 297
Nero 65
Niemöller, Martin 267
Nietzsche, Friedrich 158
Nolde, Emil 188, 196, 300,
    302
Oertel, Curt 279
Ohnsorg, Richard 10
Oprecht, Emil 213, 216, 220, 237,
    241 f., 304, 308